吉川英治歴史時代文庫 39

三国志（七）

講談社

目次

三国志
（七）

図南の巻（つづき）

烽火台

一

瑾の使いは失敗に帰した。ほうほうの態で呉へ帰り、ありのままを孫権に復命した。

「*推参なる長髯獣め。われに荊州を奪るの力なしと見くびったか」

孫権は、荊州攻略の大兵をうごかさんとして、その建業城の大閣に、群臣の参集を求めた。

参謀の歩隲がその議場で反対をのべた。

「荊州進攻は、断じてご無用です。それは魏の思うつぼで、わが呉の兵馬を、曹操のために用いられるも同様ではありませんか」

然りとする者、否とする者、議場は喧騒した。隠忍久しき呉も、いまや自信満々である。諸将の面上には、かつてのこの国には見られなかった覇気闘志がみなぎっている。

歩隲はかさねて云った。

「反対に、魏の兵馬を、呉の用に供せしめてこそ、上策と申すべきに、さる深慮もめぐらさず、ただひしめいて手ずから荊州を奪らんとするなど、一州を奪るにもどれほどな兵力と軍需を消耗するものか、国力の冗費を思わぬものだ」

すると、主戦的な人々は、声をそろえて、

「そんな巧いわけにゆくものか。犠牲なくして、国運の進展なし。また、国防なし」

と、あちこちで吸号した。

歩隲は、衆口を睥睨して、

「まず黙って聞き給え。いま曹操の弟曹仁は、襄陽から樊川地方に陣取っている。これ、隙あらば荊州に入らんと、機をうかがっているものであるが、彼もさるもの、まず呉に戦わせ、その後、好餌を喰らわんと、唾をのんでひかえておる。――で、呉は今こそ、かねて懸案の対魏方策を一決して、彼の望みどおり同盟の好誼をむすび、その代りに、直ちに、曹仁の軍勢をもって荊州へ攻め入ることを条件とするならば、魏も否やをいう口実なく、われらの思い通りな形勢に導くことになろうではないか」と、万丈の気を吐いた。

孫権は、歩隲の策を容れた。そう運べば、多年の宿志も一鼓して成るべしと、すぐさま呉の代表を送って、曹操に書簡を呈し、魏呉不可侵条約、ならびに軍事同盟の締結をいそいだ。

呉の外交官の一行が、入府したとき、曹操は歯医者を招いて入れ歯をさせていた。斜谷の乱軍中に口へ鏃をうけて、その折欠けた二本の前歯の修繕ができた日だったのである。

「できたできた。これでもう声も漏れないし、なんでも嚙める」

そういいながら、彼は用の終った歯医者を捨てて、大股に礼賓閣へ歩み、呉使を引見して、すぐ条約の文書に調印を与えたのであった。

要するに、曹操の肚では、何よりも玄徳と孫権との提携をおそれていたのである。いまその蜀呉合作を未然に打破して、蜀を孤立させただけでも、大いなる成功であるとなし、呉の附帯条件も、文句なしに容れたものと思われる。

呉から提示していた条件というのは、もちろん魏の即時荊州進攻の実行にある。曹操は、調印直後、満寵を樊川軍参謀に任じ、曹仁のいる前線拠地——樊城へ派遣して、彼を扶けさせた。

蜀はこの間に、もっぱら内治と対外的な防禦に専念し、漢中王玄徳は、成都に宮室を造営し、百官の職制を立て、成都から白水（四川省広元県西北。蜀の北境）まで四百余里という道中の次々には駅舎を設け、官の糧倉を建て、商工業の振興と交通の便を促進するなど、着々その実をあげていた。

もとよりこういう治民経世の策はその一切が孔明の頭脳から出ていたといってよい。孔明はかかる忙しい中に、荊州からの急使をうけたのである。即ち、魏の曹仁が、突如、堺を侵して、荊州へ行動を起してきた――と。

「関羽がおります。ご心配には及びますまい」

漢中王の驚愕をなだめて、彼は常とかわりなく、沈着にその事を処置した。

二

司馬費詩は、孔明の旨をうけて、荊州へ急行した。

関羽に会うと、彼は、漢中王の王旨であるといって、

「荊州の運命は、いまや将軍の一肩にある。よろしく州中の兵を起して、ただ守るにとどまらず、敵の樊城をも攻め奪られよ」と、伝えた。

関羽は、自分を信頼してくれる玄徳の依然として篤い知遇に感泣した。けれど、その任の重大にしてかつ困難なことにも思い到らざるを得なかった。

費詩はまた言を重ねて、

「ついてはこの機に、閣下をも、五虎大将軍の一人に列せられました。ありがたく印綬をおうけ下さい」と、いった。

関羽は例の朴訥な気性からむっとした容子で、

「五虎大将軍とは何ですか」

「王制の下に、新たに加えられた名誉の職です。つまり蜀の最高軍政官とでも申しましょうか」

「誰と誰とがそれに任ぜられたのか」

「閣下のほかには張飛、馬超、趙雲、黄忠の四将軍です」

「ははは。児戯にひとしい」と関羽は満心の不平を笑いにまぎらせて云った。

「馬超は亡命の客将。黄忠はすでに老朽の好々爺。それらの人士と、われにも同列せよとのお旨であるか」

「羽将軍には、ご不満らしいが、五虎大将軍の職制は、要するに、王佐の藩屛として、国家の必要上設けられたものであって、漢中王とあなたとの情義や信任の度をあらわしたものではありません。おそらくあなたは、むかし桃園に義をむすんだ劉玄徳という人を思い出して、自分と黄忠などを同視するのかと、ふと淋しい気がしたのでしょうが、それは大いなる国家の職制とわたくしの交情とを、混同されたお考えとぞんじますが」

関羽は急に費詩の前に拝伏して慚愧した。

——然り、然り、もし足下のあきらかな忠言を聞くのでなかったら、自分はここにおいて、君臣の道のうえに、ついに取返しのつかぬ過誤を抱いてしまったであろう——と。

即ち、彼は卒然と、自分の小心を恥じて、その印綬をうけ、涕涙再拝して、

「小弟の愚かな放言をおゆるしください」と、はるか成都のほうへ向って詫びた。

荆州城の内外には、一夜のうちに彼の麾下なる駿足が集まった。関羽の令が常に厳としてよく守られていることがわかる。関羽は将台に登って、今や樊川の曹仁が、駸々と

堺に迫りつつある事態を告げ、出でてこれを迎撃し、さらに敵の牙城樊川を奪り、もって、蜀漢の前衛基地としてこの荊州を万代の泰きにおかねばならないと演説した。

彼の将士は、万雷のような拍手をもってそれに答え、各〻の出陣に歓呼した。

先陣は廖化。その副将には関平。——参謀として馬良、伊籍。——留守の大将には誰々をと、その場で、各隊の部将や所属も任命された。

満城、その夜は篝を焚き、未明の発向というので、腰に兵粮をつけ馬にも飼葉を与え、陣々には少量の門出酒も配られて、東雲の空を待っていた。

関羽もすっかり身を鎧って「帥」の大字を書いた旗の下に、楯に倚って居眠っていた。——すると、どこからか、全身まっ黒な大猪が奔ってきて、いきなり具足の上から関羽の足に咬みついた。

「……あっ」

と、愕きざま、抜き打ちに猪を斬ったかと思うと——眼がさめていた。夢だったのである。

「どうなさいました」

父の声に、養子の関平が来てたずねた。夢ではあったが、猪に咬まれたあとが、まだズキズキ痛むような気がするといって——関羽は苦笑した。

「猪は龍象のうちと申しますからきっと吉夢でしょう」と、関平はいったが、幕僚のうちには凶夢ではあるまいかと、ひそかに案じる者もあった。しかし関羽は、

「人間五十に達すれば、吉夢もなし、凶夢もなし。ただ清節と死所にたいして、いささか煩悩を余すのみ」と、いって笑った。

三

曹仁の大兵は、怒濤となって、すでに襄陽へ突入したが、

（関羽が全軍をひきいて、荊州を出た）

という情報に、にわかにたじろいで、襄陽平野の西北に物々しく布陣して敵を待っていた。

魏の進撃が、思いのほか遅かったのは、曹仁が樊城をたつときから、参謀の満寵と夏侯存などのあいだに、作戦上の意見に齟齬があって、容易に出足が一決しなかったためである。

で、たちまち関羽軍は、襄陽郊外に来て、彼と対陣した。

魏の翟元は、荊州の廖化へ挑んで、この戦の口火をひらいた。

一鼓一進、たがいに寄って、歩兵戦は開始され、やがてやや乱軍の相を呈してきた頃、廖化は偽って、敗走しだした。

その頃、夏侯存と戦っていた関平もくずれ立ち、荊州軍は全面的な敗色につつまれたかに見えたが、やがて二十里も追われてきた頃、こんどは逆に、追撃また追撃と狂奔してきた曹仁や夏侯存などの魏軍が、突然、乱脈にさわぎ始めて、

「どこだ、どこだ？」

「あの鼓は。喊声は？」と、前の敵はおいて、うしろの埃に惑い合った。

濛々たる塵煙の中に、味方ならぬ旗さし物や人馬が見えだした。わけて鮮やかなのは「帥」の一字をしるした関羽の中軍旗であった。

「すわ、退路を断たれるぞ」

あわてて引っ返してゆく大将曹仁のまえに、さながら火焔のような尾を振り流した赤毛の駿馬が、莫と、砂塵を蹴って横ぎった。

これなん赤兎馬であり、馬上の人は関羽であった。

「――あっ、関羽」

と、思わず声を発して、胆をとばしたまま逃げてゆく曹仁の姿に気がつくと、関羽は振り向いて、

「やよ、魏王の弟。あまりあわてて馬より落ちるな。きょうはあえて汝を追うまい。悠々逃げよ」

と、手の青龍刀を遊ばせながら高々と笑った。

偽って敗走した関平、廖化の二軍は、はるかうしろに味方の鼓を聞くと、にわかに踵をかえして、圧倒的な攻勢に出た。

作戦は成功したのである。魏軍は網中の魚にひとしい。けれどその朝、関羽からいわれている旨もあるので、

（序戦はまず敵の胆を挫げば足る）という程度に、長追いもせず、悪戦もせず、ただ退路を失って四方に潰乱した敵を、手頃に捉えては潰滅を加えた。

で、荊州軍としては、ほとんど、損害という程度の兵も失わず、しかも敵に与えた損害と、心理的影響とは、相当大きなものだった。

なぜならば、曹仁は辛くも生きて帰ったが、夏侯存は、関平に討たれ、翟元は廖化に追いつめられて、乱軍中に仆れ、いわゆる先陣の二将を、序戦にうしなったからである。

第二日、第三日も曹仁は、不利な戦ばかり続け、ついに襄陽市中からも撤退のやむなきにいたり、襄陽を越えて遠く退いてしまった。

関羽軍は、襄陽に入った。

城下の民衆は、旗をかかげ、道を掃き、酒食を献じたりして、

「羽将軍来る、羽将軍来る」と、慈父を迎えるような歓迎ぶりを示した。

司馬の王甫が、このとき一案を関羽に話した。

「幸いに、大捷を博しました。けれどこの勝利に酔っては危険です。いくら魏に打ち捷ってもです。――なぜならば呉というものがありますからな。按ずるに、いま陸口（湖北省、漢口の上流）には、呉の呂蒙が大将となって、一軍団を屯させています。これが虚を見て、うしろから荊州へ出動してくると、ちょっと防ぐ術はありません」

「よく気づいた。自分の憂いも実はそこにある。陸口に変あらばたちまちそれを知るよ

うな工夫はなかろうか」

「要所要所に烽火台を築いて、いわゆるつなぎ烽火の備えをしておくに限ります」

「ご辺に命じる。奉行となって、すぐその築工に取りかかれ」

「承知しました」

王甫はまず設計図を示してから関羽の工夫も取りいれ、急速にその実現を計った。

四

王甫はいちど荊州へ帰って、人夫工人を集め、地形を視察したうえ、烽火台工築に着手した。

烽火台は一箇所や二箇所ではない。陸口の呉軍に備えるためであるから、そこの動静を遠望できる地点から、江岸十里二十里おきに、適当な阜や山地をえらび、そこに見張り所を建て、兵五、六十ずつ昼夜交代に詰めさせておくのである。

そして、ひとたび、呉のうごきに、何か異変があると見るや、まず第一の監視所の阜から烽火を揚げる——夜ならば曳光弾を揚げる——第二の監視所はそれを知るやまたすぐ同様に打ち揚げる。

第三、第四、第五、第六——というふうに、一瞬のまにその烽火が次々の空へと走り移って、数百里の遠くの異変も、わずかなうちにそれを本城で知り得るという仕組なのである。

この「つなぎ烽火」の制は、日本の戦国時代にも用いられていたらしい。年々やまぬ越後上杉の進出に備えて、善光寺平野から甲府までのあいだを、その烽火電報によって、短時間のまに急報をうけ取っていたという川中島戦下の武田家の兵制などは、その尤なる一例であったということができる。

「着々、工事は進んでいます。――あとは人の問題ですが」

王甫はやがて襄陽へ戻ってきて、関羽に告げた。

「江陵方面の守備は、糜芳、傅士仁のふたりですが、ちと、如何と案じられます。荊州の留守をしている潘濬も、とかく政事にわたくしの依怙が多く、貪欲だというわさもあって、おもしろくありません。烽火台はできてもそれを司る人に人物を得なければ、かえって平時の油断を招き、不時の禍いを招く因とならぬ限りではありませんからな」

「……うむ。……人は大事だが」

関羽は生返事だった。自ら選んで留守をあずけ、或いは江岸の守備に当らせた以上、その者を疑う気にはなれない彼である。考えておこうという程度に王甫の言は聞き流してしまった。

「まず、後の憂いもない」

として、彼は、襄陽滞陣中に、充分英気を養った士卒をして、襄江の渡河を決行させた。

もちろんこの間に、船筏の用意そのほか、充分な用意はしてある。――当然、この渡河中には、手具脛ひいている敵の猛烈な強襲があるものと覚悟して。ところが、大軍は難なく、舟航をすすめ、何の抵抗もうけず、続々、対岸へ上陸してしまった。

ここでも、樊城の魏軍は、その内部的な不一致を、暴露している。さきに逃げ帰った曹仁は、その生命を保ってきただけに、以後、関羽の武勇を恐れること一通りでない。

すでに荊州軍が、歴然と、渡河の支度をしているのを眺めながらも、

「どうしたらよいか」と、参謀の満寵に、ひたすら策を求めているような有様だったのである。

満寵は初めから関羽を強敵と見て、曹仁が襄陽へ陣を出すのをさえ極力いさめていたほどな守戦主義の参謀だったから、二言なく、

「城を堅固に、守るが第一です。出て戦っては、勝ち目はありません」と、いった。

ところが、城中一方の大将たる呂常などの考えは、まったくそれと背馳していた。城に籠るは最後のことだ。まして、軍書にも明らかに、

――敵、半バヲ渡ルトキハ、即チ討ツ。

と用兵の機微を教えてある。そこをつかまないで、どこをつかむか。機微の妙を知らないような大将と共に城を同じゅうするとは、何たる武運の尽きか、と痛嘆した。

前の夜、その激論に暮れてしまった。翌る朝には、もう関羽の旗が、こちらの岸への

ぼっていた。

呂常はなお自説を曲げず、

「このうえは、われ一人でも出て戦ってみせる」

と豪語し、勇ましく一門を押しひらいて、なお上陸中の荆州軍を襲ったはよいが、関羽の雄姿を目に見ると呂常の部下は、

「あれが有名な長髯公か」

と、戦いもせず、彼をおいて、われ先にみな城門のうちへ逃げこんでしまうといったような有様だった。

生きて出る柩

一

樊城は包囲された。弱敵に囲まれたのとちがい、名だたる関羽とその精鋭な軍に包囲されたのであるから、落城の運命は、当然に迫った。

（——急遽、来援を乞う）

との早馬は、魏王宮中を大いに憂えさせた。曹操は評議の席にのぞむと、列座を見まわして、

「于禁。そちがいい。すぐ樊川へ急行軍して、曹仁の危機を助けろ」

と、その一大将を指さした。

魏王の指名をうけるなどということは、けだし大いなる面目といわねばならぬ。けれどそれだけに于禁は重責を覚えた。わけて曹仁は魏王の弟でもある。彼は、命を受くるとともに、こう願った。

「誰ぞもう一名、先手の大将たるべき豪勇の人を、お添え給われば倖せにぞんじますが」

「おう、よかろう。たれか先陣に立って、関羽の軍を踏みやぶるものはいないか」

すると、声の下に、

「いまこそ国恩に報ずる時かと存ずる。ねがわくはそれがしにお命じ下さい」

人々の目は、期せずしてその偉丈夫にあつまった。面は灰色をおび髪は茶褐色をしている。西涼の生れというから、胡夷の血をまじえているにちがいない。その皮膚の色や髪の毛がそれを証拠だてている。すなわち、龐徳、字は令明。漢中進攻のとき魏に囚われて以来、曹下の禄を喰んでいた者である。

曹操が思うに、龐徳なら関羽の良い相手になるであろう。勇略無双の聞えある関羽に対して、恥なき戦いをするには于禁では実力が足らない。

「うむ、龐徳も征け。さらに、予の七手組の者どもを加勢に添えてやろう」

曹操は念に念を入れた。七手組とは、彼の親衛軍七手の大将で、魏軍数百万のうちから選び挙げた豪傑たちであった。

面々、印綬をうけて退出した。ところがその夜、七人のうちの董衡が、ひそかに于禁をたずねて云った。

「われわれ一同も、あなたを大将にいただいて征くことは、この上もない光栄ですが、副将として龐徳が先陣にあたることはいささか不安がないでもありません。いや実をいえば一抹の暗雲を征旅の前途に感じますので」

「ほほう？　それはいかなる仔細かの」

「龐徳は元来、西涼の産で、かの馬超の腹心であった者です。しかるに、その馬超はいま蜀にあって、玄徳に重用され、五虎将軍の一人に加えられているではありませんか。のみならず、現在、龐徳の兄龐柔も、蜀におります。そういう危険な陰影を持っている人物を先陣に立てて、蜀軍とまみえることは、何とも複雑な神経をわれわれまでが抱かせられる——という点を、ひとつ将軍からそっと魏王のお耳に入れてご再考を仰ぎたいと存ずる次第ですが……」

「いや、いかにも。七手組の不安は、無理ではない。早速、大王にお目通りして、ご意見を伺ってみよう」

夜中だし、発向の準備に、忙しない中であったが、于禁は倉皇と、魏王宮に上って、その由を、曹操に告げた。

つぶさに聞くと、曹操も安からぬ気持に駆られた。でひとまず于禁には、

「聞きおく」として、急遽、べつに使いを出して、龐徳を呼びよせた。

そして、軍令の変更を告げ、ひとたび彼にさずけた印綬を取上げた。龐徳は、仰天して、

「いったい、どういうわけですか。大王の命を奉じて、明朝は打ち立たんと、今も今とて、一族や部下を集合し、馬や甲鎧をととのえて、勇躍、準備中なのに、このお沙汰は」

と、面色を変えて訴えた。

「されば――予としては毫も汝を疑ったこともないが、汝を先手の大将に持つことには、総軍から反対がでた。理由は、そちの故主馬超は、蜀にあって、五虎の栄官についておる。――おそらく汝とも何か脈絡を通じているであろう――と申すにある。つまり二心の疑いをかけておるわけだな」

二

さもさも心外でたまらないような面持をたたえて、龐徳は凝然と口を緘していた。それをなだめるため、曹操はまた云い足した。

「汝に二心ないことは、予においては、充分わかっておるが、衆口はなんとも防ぎよう

がない。悪く思うな」

「………」

龐徳は冠を解いて床に坐し、頓首して自己の不徳を詫び、かつ告げた。

「それがし漢中以来、大王のご厚恩をうけて、平常、いつか一身を以て、ご恩に報ぜんことのみを思っておりました。しかるに今日、かえって、衆口の疑いを起し、お心をわずらわし奉るとは、何たる不忠、何たる武運の拙さ……。ご推察くださいまし」

巌のような巨きな体をふるわして嘆くのだった。彼はなお激しく語りつづけた。いま蜀にいる兄の龐柔とは多年義絶している仲であること。また馬超とは、別離以来一片の音信も通じていないこと。ことに馬超のほうから自分をすてて単独、蜀へ降ったものであるから、今日その人に義を立てて、蜀軍に弓を引けないような筋合いはまったくないのである。——と言々吐くたびに面へ血をそそいでいる。

——と。曹操は、みずから手を伸ばして彼の身を扶け起し、いと懇ろにその苦悶をなだめた。

「もうよい。もうよい。汝の忠義は誰よりもこの曹操がよく知っておる。一応、諸人の声を取上げたのも、わざとそちに真実の言を吐かせて、諸人にそれを知らせんためにほかならぬ。いまの言明を聞けば、于禁の部下も、七手組の諸将も、釈然として疑いを消すであろう。——さあ征け。心おきなく征地に立って、人いちばいの功を立てよ」

印綬はかくて龐徳の手にまた戻された。龐徳は感涙にむせび、誓ってこの大恩にお応えせん、と百拝して退出した。

彼の家には、出陣の餞別を呈するため、知己朋友が集まっていた。帰るとすぐ、龐徳は召使いを走らせて、死人を納める柩を買いにやった。

そして、女房の李氏を呼び、

「お客はみな賑やかに飲んでいるか」

「宵から大勢集まって、あのようにあなたのお帰りを待っていらっしゃいます」

「そうか、ではすぐ席へ参るから、その前に、この柩を、酒席の正面に飾っておいてくれ」

「ま、縁起でもない。これは葬式に用いるものではありませんか」

「そうだよ。女の知ったことじゃない。おれの云うとおりにしておけばよい」

龐徳は衣服を着かえ、やがて後から客間へのぞんだ。客はみな正面の柩をいぶかって、主人の意をあやしみ、お通夜のようにひそまり返っていた。

「やあ、失礼いたした。――実は、明朝の出陣をひかえて、突然、魏王からお召しがあったので、何事かと伺ってみると、実に思いもよらぬおことばで――」と、逐一ことよいの顚末を話し、なお魏王の大恩に感泣して帰ってきた心事を一同へ告げたうえ、

「――明日、樊川へ向って立つからには、敵の関羽と勝負を決し、大きくは君恩にこたえ、一身にとって、武門の潔白を証し立てんと存ずるのである。所詮、このたびの出陣こそは、生還を期しては立てぬ、それ故、生前の親しみを、一夜に尽して、お別れ申し

ておきたいと思う。どうか、夜の明けるまで、賑やかに飲んでもらいたい」

それから、女房の李氏へは、

「われもし関羽を討ち得なければ、われかならず関羽のため討ち果されん。われ亡きのちは子を護り、父に勝る者を育てて、父の遺恨をすすがせよ。よいか、たのむぞ」と、云いのこした。

悲壮な主の決心を知って、満座みな袖をぬらしたが、妻の李氏は、かいがいしく侍女や僕をさしずして、夜の白むまで主人や客の酒間に立ち働き、ついに涙を見せなかった。

三

夜が白むと、鄴都の街には、鉦太鼓の音がやかましかった。于禁一族や七手の大将が、それぞれ出陣する触れである。

貝の音もする、銅鑼も聞える。龐徳の邸でも、はや門を開かせ、掃き浄めた道を、やがて主人が郎党を従えてきた。

見れば、彼の兵は、列の真っ先に、白錦襴で蔽いをした柩を高々と担っている。門外に堵列していた五百余人の部将や士卒はびっくりした。葬式が出てきたと思ったからである。

「一同、怪しむをやめい」

馬上ゆたかな姿をそこに現した龐徳は、鞍の上から部下へ告げた。生きて還らぬ今度の決心と、そして魏王の大恩とを。

語をつづけてさらに陳べた。

「日頃、その方どもの心根にも、おれは深く感じておる。もしこの龐徳が、関羽に討たれ、空しき屍となったときは、この柩に亡骸を収め、かえって魏王の見参に入れてくれい。――とはいえおれも一代武勇に鍛えた龐徳だ、むざとは討たれん。ただかくの如く、生死を天に帰して、今朝の出陣をいたすまでである」

思い極めた大将の覚悟は、部下の心にも映らずにいない。かくて龐徳の出陣ぶりは、すぐ曹操の耳へ入った。

「うム、そうか、よし、よし」

曹操は聞くと、喜悦をあらわした。賈詡が、側にあって、

「大王、何をお歓びですか」と、いった。曹操は、問うも野暮といわぬばかりに、われ龐徳の出陣の壮んなるを悦ぶなり――と云った。

すると、賈詡は、

「おそれながら、大王には、ちとご推測を過っておられるようです。関羽は世の常の武将ではありません。すでに天下に彼の名が轟いてから三十年、未だいちどの不覚を聞かず、不信の沙汰なく、無謀のうわさを知りません。いま、その武勇にかけて、関羽と対立し、よく互角の勝負をする者は、おそらく驍勇無比なる龐徳をおいては、ほかに人物

はおりますまい。この点は大王のお眼鑑に、私も心服しておるものでございます。さりながらそれは武勇だけの問題です。智略は如何となると、これはとうてい、関羽の巧者には及ばないことあきらかです。――それを龐徳が悲痛なる決意と血気にまかせて、あのようにして出て行ったのは、実に、敵を知らざるもの、暴虎の勇、私には、危なくて見ていられませんでした。――諺にも、両剛闘えば一傷ありで、魏にとっては、又なき大将を、むざむざ死なせにやるようなことは、国家のため、決して良計とは思われません。いまのうちに、少し彼の気持を、弱めたほうが、将来の計かと思われますが……」

「や。実にそうだ」

曹操はすぐ使いを派した。――龐徳の途中を追いかけさせてである。

使者は、追いついて、告げた。

「王命です。――戦場に着いても、かならず軽々しく仕懸るな、敵を浅く見るな。敵将関羽は、智勇兼備の聞えある者。くれぐれも大事をとって仕損じるなかれ――とのおことばでありまする」

「かしこまって候う」

謹んで答えたが、使者が帰ったあとで、龐徳は非常に笑った。

「何をお笑いになるので？」と、諸人が訊くと、

「いや、大王のご入念が余りにも過ぎると、かえって、この龐徳の心を弱め給うような

ことになる。それ故、われはわざと一笑して、この意志を弱めずと、誓い直しているのである」

と、いった。

于禁は元来が弱気なので、それを聞くや、眉をひそめ、

「概すでに敵を呑む将軍の意気は大いによろしいが、魏王の戒めも忘れ給うな。中道によく敵を見て戦われよ」と、忠告した。

「三軍すでに征旅に立つ。何の顧みやあらん。関羽関羽と、まるで呪符のように唱えるが、彼とてよも鬼神ではあるまい」

龐徳はあくまで淋漓たる戦気を帯びて、三軍の先鋒に立ち、一路樊川へ猛進した。

関平

一

樊城の包囲は完成した。水も漏らさぬ布陣である。関羽はその中軍に坐し、夜中ひんぴんと報じてくる注進を聞いていた。

曰く、

魏の援軍数万騎と。

曰く、

大将于禁、副将龐徳、さらに魏王直属の七手組七人の大将も、各〻その士馬精鋭をひっさげ、旋風のごとく、進軍中と。

またいう。

先鋒の龐徳は、関羽の首をあげずんば還らずと、白き旗に、「必殺関羽」と書き、軍卒には柩をかつがせ、すでにここから三十里余の地に陣し、螺鼓銅鉦を鳴らして、気勢ものすごきばかりにて候う——と。

この報告を聞くと、関羽は、勃然と面色を変じ、その長い髯に風を呼んで云った。

「匹夫、われを辱めるか、よしその儀なれば、まず龐徳の望みにまかせ、彼を持参の柩に納めてやろう」

直ちに、駒を寄せてまたがり、また養子の関平を呼んで云った。

「父が、龐徳と戦うあいだ、汝は油断なく、樊城を衝け、魏の援軍、城外三十余里のあなたに来れりと知れば、城兵の気はとみに昂まり、油断していると反撃してくるぞ」

関平は、父の乗馬の口輪をつかんだ。そしてその前に立ちふさがり、

「こは父上らしくもないことです。たとえ龐徳がどんな豪語を放とうと、珠を以て雀に抛ち、剣を以て蠅を追うような、もったいないことはなさらないでください。彼が如き

鼠輩を追うには、私でたくさんです。私をおつかわし下さい」

「うむ。……まず試みに、おまえが行って当ってみるか」

関羽は子の忠言に、よろこびを示した。父をいさめるようにまで、わが子関平も成人したかと思うのであろう。

「行ってきます。吉左右をお待ち下さい」

若い関平は、たちまち馬上の人となり、部下一隊を白刃でさしまねくと、凛々、先に立って駈けだした。

やがて前方に、雲か霞をひいたように、敵の第一陣線が望まれた。手をかざして見れば、皂い旗には「南安之龐徳」と印し、白い旗には「必殺関羽」と書いてあるのが見える。

関平は、駒をとどめて、

「西羌の匹夫、節操なき職業的武将。これへ出て、真の武将たるものに面接せよ」

と、大音で呼んだ。

遠く眺めていた龐徳は、

「あの青二才は何者か」と、左右にたずねた。

誰も知る者はいなかった。

けれど、云っていることは、一人前以上である。ついに怒気を発したか、

「小僧、一ひねりにしてくれん」

と、陣列を開かせて、颯々、関平の前にあらわれた。

「小輩、小輩、いったい汝はどこのちんぴらなるか」

龐徳がいうと、関平は、

「知らないか。われこそは五虎大将軍の首席関羽の養子、関平という者だ」

「あははははは。道理で乳くさい小せがれと遠目にも見ていたが、関羽の養子関平か。——帰れ帰れ。われはこれ、魏王の命をうけて、汝の父の首を取りにきた者で、汝のようなまだ襁褓のにおいがするような疥癩の小児を、馘りに来たのではない。——われ汝を殺さず、汝この旨を父に伝え、父の卑怯をいさめて、父をこれへ出してこい」

「——なッ、なにを!」

関平は馬もろとも、いきなり龐徳へ跳びかかった。

閃々、刀を舞わし、龐徳に迫って、よく戦ったが、勝負はつかない。

ついに相引きの形で引きわかれたが、さすがに若くて猛気な関平も、肩で大息をつきながら、満身に湯気をたてていた。

関羽は合戦の様子を聞いて、次にはかならず関平が負けると思ったらしく、にわかに、その翌朝、部下の廖化に城攻めの方をあずけ、自分は、関平の陣へ来てしまった。

そして、きょうは自分が、龐徳を誘うから、父の戦いぶりを見物しておれと告げて、愛馬赤兎を、悠々両軍のあいだへ進めた。

二

戦場の微風は、関羽の髯をそよそよとなでていた。

「龐徳はなきか」

と一声敵陣へ向って、彼が呼ばわると、はるかに、月を望んで谷底から吼える虎のように、

「おうっ」

という答えが聞え、それを機に、わあっという喊声、そして陣鼓戦鉦など、一時に喧しく、鳴り騒いだ。

渦巻く味方の物々しい声援に送られて、ただ一騎、龐徳はこなたへ馬を向けてきた。その姿が関羽の前にぴたと止ると、魏の陣も蜀の陣も、水を打ったようにひそまり返ってしまった。

まず龐徳が大音をあげた。

「われはこれ、天子の詔をうけ、魏の直命を奉じて、汝を征伐に来た者である。汝、わが威を恐れてか、卑劣にも、養子の弱輩を出して、部下の非難をのがれんとするも、天道豈この期になって、兇乱の罪をゆるすべきか、それほど命が惜しくば、馬を下って、降人となるがいい」

関羽は苦笑してそれに答えた。

「西羌の鼠賊が、権者の鎧甲を借りて、人に似たる言葉を吐くものかな。われはただ今日を嘆く。いかなれば汝のごとき北辺の胡族の血を、わが年来の晃刀に汚さねばならぬか――と。やよ龐徳、はや棺桶をここへ運ばせずや」

「なにをっ」

馬蹄の下からぱっと黄塵が煙った。旋風のなかに龐徳の得物と関羽の打ち振る偃月刀とが閃々と光の襷を交わしている。両雄の阿吽ばかりでなくその馬と馬とも相闘う如く、いななき合い躍り合い、いつ勝負がつくとも見えなかった。

戦えば戦うほど、両雄とも精気を加えるほどなので、双方の陣営にある将士はみな酔えるが如く手に汗をにぎっていたが、猛戦百余合をかぞえた頃、突然、蜀の陣で金鼓を鳴らすと、それを機に、魏のほうでも引揚げの鼓を叩き、龐徳も関羽も、同時に矛を収めて、各〻の営所へ引き退いた。

これは養子の関平が、いかに英豪でも年とった父のこと、長戦になっては万一の事もあろうかと――急に退き鉦を打たせたのであった。

関羽は、本陣へ引いて、休息をすると、諸将や関平に向って、話していた。

「なるほど龐徳という者は、相当な豪傑だ。彼の武芸力量は尋常なものではない。わが相手として決して恥かしくない敵だ」

「父上。諺にも、犢はかえって虎を恐れずとか申します。あなたが夷国の小卒を斬ったところでご名誉にはなりません。反対にもし怪我でもあったら漢中王の御心を傷ましめましょう。もう一騎打ちには出ないで下さい」

関平は諫めたが、関羽は笑っているのみである。彼もはや老齢にちがいないが、自身では年齢を忘れている。

一方の龐徳も、魏の味方のうちへ帰ると、口を極めて、関羽の勇を正直にたたえていた。

「今日までは、人がみな関羽と聞くと、怯じ怖れるのを、何故かと嗤っていたが、真に、彼こそ稀代の英傑であろう。人のことばは、実にもと、つくづく感じ入った。死すにせよ、生きるにせよ、思えばおれは武門の果報者、この世にまたとない好い敵に出会ったものだ」

于禁が陣中見舞に来て、そのはなしを聞き、とうてい、関羽に勝つことは尋常では難しい、生命を粗末にし給うな、と諫めた。

けれど、龐徳は、

「これほどの敵に会って、晴れの決戦を避けるくらいなら、初めから、武人にならないほうがましだ。明日こそ、さらにこころよく一戦して、いずれが勝つか斃れるか、生死を一決するから見物していたまえ」と、耳にもかけなかった。

あくる日、龐徳はふたたび、中原へ馬を乗りだして、

「関羽、出でよ」

と、敵へ挑みかけた。

三

きょうは龐徳から先に出て呼ばわっている。もとより関羽も待ちかまえていた所だ。直ちに駒をすすめ、賊将うごくなかれと喚きながら駈け合せた。

戦い五十余合に至って、龐徳は急に馬をめぐらして逃げかけた。関羽はそれを偽計と察しながら、

「偽って、刀を引くは、大将らしからぬ戦いではないか。羌奴！　かえせっ」

と、追いすがった。

すると不意に、陣地の内から馬を飛ばして駈け出してきた関平が、

「父上っ、彼の罠にかかり給うな。――あっ、龐徳が弓を引きますぞ」

父の危機と見てうしろから注意した。

とたんに早くも龐徳の放った矢が、びゅっと、関羽の顔を狙って飛んできた。関羽は左の臂を曲げてこれを受けた。矢は臂に立って、面部はそのはねた血にまみれたに過ぎなかった。

「父上っ」

関平は馬を寄せて父を抱いた。そして父を救うて戻ろうとしたが、かく見るや、龐徳はまた、弓を投げ、刀を舞わして躍りかかって来た。

すわとばかり蜀の陣は鼓を打って動揺した。魏の陣も突貫してきた。双方はたちまち

乱軍状態になる。そのあいだをくぐって、関平は無二無三に、父を扶けて味方のうちへ駈け込んだ。

そのとき魏の中軍では、さかんに退き鉦を打ち叩いていた。龐徳は意外に思ったが、何か後方に異変でも起ったのではないかと、ともかくあわてて軍を収め、中軍司令の于禁に向って、

「どうしたのです。何が起ったのであるか」と、訊ねた。

ところが于禁の答えは、彼にとって実に心外きわまるものだった。彼はいう。

「いや別に何が起ったというわけではないが、都を立つ時、特に魏王から戒めのお使を派せられ、関羽は智勇の将、尋常の敵と思うて侮るなと、くれぐれ念を押されたことであった。ゆえに、万一彼の奸計におち入ってはと存じ、部下の者の深入りを止めたまでのことである」

龐徳は歯ぎしりを嚙んでいた。于禁のため今日の勝機を逸しなければ、関羽の首を挙げ得たものをと、くり返して止まなかった。

また一部の将の間には、それは于禁が自分の功を龐徳に奪われんことを怖れて、急に退き鉦を鳴らさせたものだと、穿った説をなす者もあった。

ともあれこの一日に、関羽は一箭の傷をうけたわけであるから、

「次には、われの一刀を、龐徳に酬いずにおかん」と、臂の治療に手を尽していた。

傷口は浅いようだったが、薬の効めはなかなか顕れない。関平や幕僚たちは、努めて

彼をなだめ、関羽が短慮に逸らないように、陣外の矢たけびなども、なるべく耳に知れないように、注意していた。

それをよいことにして、敵は毎日のように襲せてきた。龐徳の下知によるものらしい。龐徳はなんとかして関羽を誘いださんものと、日々兵をして敵を罵り辱めた。

「どうしても誘いに乗らん。このうえは策を変えて、わが先鋒の中軍は一手となり、彼の陣を突破して、一挙に樊城の味方と連絡をとげてはどんなものでしょう」

龐徳から于禁へこう献策をしてみたが、于禁はそれに対しても、魏王の訓戒をくり返して、

「関羽ほどの者が、正面から敵に突破されるような陣構えをしているわけはない。足下の言は策というものではなく、ただ自己の勇に信念がお強いというだけのものだ。ところが戦争そのものは、一人の勇よりも万夫の結束と、それを用いる智によって勝敗のわかれるものだからな。まずまずおもむろに機を待つとしよう」と、容易に龐徳のすすめに賛成する気色もない。のみならず、その後、例の七手組の諸将を樊城の北十里の地点に移し、于禁自身は、中軍をもって、正面の大路に進撃を構え、龐徳の手勢は、しごく出足のわるい山のうしろへ廻してしまった。——こういう指令を出した点から考えると、やはり彼の内心には、龐徳ひとりに功をとられてしまうことを、ひどく警戒しているものと思われる。

七軍魚鼈となる

一

父の矢創も日ましに癒えてゆく様子なので、一時はしおれていた関平も、

「もう心配はない。この上は一転して、攻勢に出で、魏の慢心を挫ぎ、わが実力の程を見せてくれねばならん」と、帷幕の人々と額をあつめて作戦をねっていた。

ところが魏軍はにわかに陣容を変えて、樊城の北方十里へ移ったという報告に、

「さては早くも蜀の攻勢を怖れて、布陣を変えたとみえる」

と、軽忽を戒め合って、すぐその由を関羽に告げた。

「どう陣立てを変えたか？——」を見るべく、関羽は高地へ登って、遥かに手をかざした。

まず、樊城の城内をうかがえば、すでにそこの敵は外部と断たれてから、士気もふるわず旗色も萎靡して、未だに魏の援軍とは連絡のとれていないことが分る。

また一方、城外十里の北方を見ると、その附近の山陰や谷間や河川のほとりには、な

んとかして城中の味方と連絡をとろうとしている魏の七手組の大将が七軍にわかれて、各所に陣を伏せている様子が明らかに遠望された。

「関平。土地の案内者をここへ呼べ」

「――連れて参りました。この者が詳しゅうございます」

しきりと、地勢をながめていた関羽は、案内者へ向ってたずねた。

「敵の七軍が旗を移したあの辺りは、何という所か」

「罾口川と申しまする」

「なお、附近の河は」

「白河の流れ、襄江の激水、いずれも雨がふると、谷々から落ちてくる水を加えて、もっと水嵩を増してまいります」

「谷は狭く、うしろは嶮岨だが、ほかに平地は少ないのか」

「されば、あの山向うは、樊城の搦手で、無双な要害といわれておりますから、人馬も容易には越えられません」

「そうか、よし」と案内者を退けてから、関羽は何事かもう勝戦の成算が立ったもののように、

「敵将于禁を擒にすることは、すでにわが掌にあるぞ」と、いった。

諸将は、彼の意をはかりかねて、その仔細をたずねたが、関羽は一言、

「罾口に入るもの生きて能く出でず――という語が何かの兵書にあったが、于禁はまさ

にその死地へみずから入ったものだ。見よ、やがてかの七陣が死相を呈してくるに違いないから」と、云ったのみで、その日以後は、もっぱら兵を督して、附近の材木を伐り、船筏(ふないかだ)を無数に作らせていた。

「陸戦をするのに、何だってこんなに船や筏ばかり作らせているのだろう」と、将卒はみなこの命令を怪しんでいたが、やがて秋八月の候になると、明けても暮れても、連綿と長雨が降りつづいた。

襄江(じょうこう)の水は、一夜ごとに、驚くばかり漲(みなぎ)りだしてくる。白河の濁流もあふれて諸川みな一つとなり、やがては満々と四方の陸を沈めて、見るかぎり果てなき泥海となって来た。

関羽は、高きに登って、敵の七陣を毎日見ていた。岸に近いところの陣も、谷間の陣も次第に増してくる水におわれて、毎日毎日少しずつ高いところへ移ってゆく。……しかし背後の山は嶮峻(けんしゅん)である。もうそれ以上は高く移せない所へまで、敵の旗は山ぎわに押し詰められていた。

「関平関平」

「はい」

「もうよかろう。かねて申しつけておいた上流の一川。そこの堰を切って押し流せ」

「心得ました」

関平は、一隊をひきつれて、雨中をどこかへ駈けて行った。襄江の水上(みなかみ)七里の地に、さらに岐れている一川があった。関羽は一ヵ月も前からそこに数百の部下と数千の土民を派して、ここの水を築堤で高く堰き止め、先頃からの雨水を襄野一面に蓄えていたのであった。

二

その日、于禁の本陣へ、督軍の将、成何が訪れていた。成何は先ほどから口を酸くして、

「いつ晴れるか知れないこの長雨です。万一、襄江の水がこれ以上増したら諸陣は水底に没してしまいましょう。一刻も早く、この罾口川を去ってほかへ陣所をお移しあるように」

とすすめていた。就中、成何が探ったところでは、蜀軍のほうでは営を高地に移して、しかも船や筏をおびただしく造らせている。これは何か敵方に考えがあってのことにちがいないから、わが魏軍も、こうしているべきでないという点を力説した。

「よろしい、よろしい。もう分っておる。足下はちと多弁でしつこすぎる」

于禁は苦りきって、無用な説を拒むような顔を示した。

「いくら降ったところで、襄江の流れが、この山を浸したような歴史はあるまい。つまらぬ危惧に理窟をつけて、督軍の将たる者が不用意な言を発しては困る」

成何は恥じ怖れて本陣を辞去した。けれど彼の憂いと不満は去らなかった。彼はその

足で龐徳の陣所をたずねた。そして自分の考えと于禁のことばをそのまま友に訴えた。

龐徳はたいへん驚いた。眼をそばだて膝を叩いて、

「貴公もそこに気がついていたか、貴説、まさに当れりである。しかし于禁は総大将という自負心が強いから、とうてい、我らの意見を用いるはずはない。この上は軍令に反いても、我々は思い思いにほかへ陣を移してしまおう」

瀟々と外は間断なき雨の音だった。こんな時は鬱気を退治して大いに快笑するに限ると、龐徳は友を引きとめて酒など出した。そして二人とも陶然と雨も憂いも忘れかけていると、にわかにただならぬ雨風が吹き荒び、浪の音とも鼓の音ともわからぬ声が、一瞬天地をつつむかと思われた。

「やっ、何事だ？」

愕然、龐徳は杯をおいて、
帳を払って面を向けて見ると、驚くべし、山のような濁流の浪が、浪また浪を重ねて、すぐ陣前へ搏ち煙っている。

「や、や。洪水だ」

成何もそこを飛び出した。そして馬へ乗って帰ろうとすると、彼方の兵営や陣小屋が、どうと一つの大浪にぶつけられた。見るまに、建物も人馬も紛々と波上へ漂い出し、さらに、次の浪、また次の浪が、それを大空へ揺りあげながら、当る物を打ち砕いて、濁浪の口に呑まんとしてくる。

しかし、その奔濤の中にも、溺れず沈まず、この凄じい洪水の形相をむしろ楽しんでいるかのような影もあった。それは関羽の乗っている兵船や、蜀兵が弓槍を立て並べているたくさんな筏だった。

「筏にすがり、船へ漂いついてくる敵は、降人と見て、助けてつかわせ。激流に溺れてゆく者は、いずれ助からぬ命、無駄矢を射るな」

関羽は兵船の上から悠々下知していた。

この日関平が上流の一川の堰を切ったため、白河と襄江のふたつが一時に岸へ搏ってきたのだった。罾口川の魏軍は、ほとんど水に侵され、兵馬の大半は押し流され、陣々の営舎は一夜のうち跡形もなくなってしまった。

関羽は夜どおし洪水の中を漕ぎ廻り、多くの敵を水中から助けて降人の群れに加えていたが、やがて朝の光に一方の山鼻を見ると、そこにまだ魏の旗がひるがえって、約五百余の敵が一陣になっている。

「おう、あれにおるは、魏の龐徳、董起、成何などの諸将と見ゆるぞ。好い敵が一つ所におる。取り囲んでことごとく射殺してしまえ」

蜀の軍卒は、その兵船や筏をつらねて、旗の群れ立つ岬を囲んだ。

矢は疾風となってそこへ集まった。五百の兵は見るまに三百二百と減って行った。董起や成何は、所詮逃げる途はないと諦めて、

「この上は、白旗をかかげて、関羽に降を乞うしかあるまい」

「降る者は降れ、おれは魏王以外の他人に膝を屈めることは知らん」

と云って、矢数のある限り、射返し射返し、奮戦していた。

三

と云ったが、ひとり龐徳は、弓を離さず、

「わずかな敵を、持てあまして、いつまで手間取ってるか」

と、関羽の一船もそこへきて短兵急に矢石を岬の敵へ浴びせかけた。

魏の将士は、ばたばた仆れては水中へ落ちてゆく。しかもなお龐徳は、不死身のように、関羽の船を目がけて弦鳴りするどく、矢を射ては、生き残りの部下を励まし、また傍らの成何へも叫んだ。

「勇将ハ死ヲ怯レテ苟モ免レズ——という。今日こそは龐徳の死ぬ日と覚えた。ご辺も末代まで汚名をのこされるなよ」

成何も今は死を決し、おうっとそれへ答えるや否や、槍を揮って、崖下へ駈け出した。敵の一つの筏がそこから岸へ上がろうとしていたからである。

だが、近づくが早いか、成何は大勢の敵に、滅多斬りにされてしまった。蜀の兵は喊声をあげながら龐徳の足下まで上がってきた。龐徳はそれと見るや、弓を捨て、岩石を抱え、

「汝ら、何を望むか」

と、頭上へ落した。血と肉と岩石は、粉になって飛んだ。

彼は手近な岩石をあらかた投げ尽した。いかに巨きな岩も彼の手にかからない物はなかった。死力というか、鬼神の勇というか言語に絶した働きだった。

人も筏もその下にはみな影を没し去っていた。龐徳はまた弓を握った。しかし彼の周囲には累々たる部下の死骸があるだけで、もう生きている味方はなかった。

なお、ばしゃばしゃと四辺へ矢石が降り注がれてくる。さしもの龐徳も力尽きたか矢にあたったか、ばたっと仆れた。――近づきかねていた蜀勢のうちから、すばやく一艘の河船が漕ぎよせてきた。そしてそこの岬を占領したかと思うと、死を装うていた龐徳が、やにわにはね起きて、蜀兵を蹴ちらし、その得物を奪い、ひらりと敵の船中へ飛び乗った。

またたくまに船中の兵七、八名を斬殺すると、彼は悠々岬を離れて、濁流の中へ棹さして遁れた。船は血に染っている。余りの迅さと不敵さに、蜀軍の船や筏は、ただただ胆を奪われていた。

すると、まるで征矢の如く漕ぎ流して行った一船が、いきなり龐徳の河船の横腹へ、故意に舳をつよくぶっつけた。そして熊手や鉤槍をそろえて、いきなり彼の舷へ引っ掛け、瞬時にその河船を覆してしまった。

「やったな、見事」

「誰だ、あの大将は」

蜀軍はそれを見て、みな声をあげ、手を振って賞めた。不死身の龐徳も船もろとも水煙の底へ葬られたからだ。

ところが、彼を葬った蜀の一将は、それをもって満足せず、直ちに、自分も濁流の中へ身を躍らした。そして渦巻く波を切って泳ぎ、当の相手龐徳と水中に格闘して、遂にその大物を生捕ってしまったのである。

戦いすでに終ったので、関羽は船を岸に返し、その勇士が龐徳をひいてくるのを待っていた。勇士の名は、蜀軍随一の水練の達者周倉であったことがもう全軍へ知れ渡っていた。

関羽の前には、魏の総司令于禁も捕虜になって引っ立てられて来た。于禁は哀号して、助命をすがった。関羽は憫笑して、

「犬ころを斬っても仕方がない。荊州の獄へ送ってやるから沙汰を待て」と、云った。

次に龐徳が来た。

龐徳は傲然と突立ったまま、地へ膝をつけなかった。関羽はこの男の勇を惜しんで、

「汝の兄の龐柔も漢中王に仕えている。わしが取りなしてつかわすから、汝も蜀へ仕えて長く生きたらどうだ」

と諭すと、龐徳は、不敵な口をあいて、呵々と大笑しながら、

「誰がそんなことを頼んだ。要らざるおせっかいはせぬがいい。おれは魏王のほかに主というものを知らん。久しからずして玄徳もおれのような姿になって魏王の前に据えら

れるだろう。そのとき汝は、玄徳に向って、魏の粟を喰ろうて生きよと、主にもすすめる気か」

関羽は激怒して、

「よろしい。汝の望み通り、汝の用意した柩を役立たせてやる。坐れッ」

と大喝した。

龐徳は黙って、地に坐った。その首を前へのばすや否や、戛然、剣は彼の頸を断った。

四

雨はやんでも、洪水は容易に減水を示さなかった。龐徳が奮戦した岬には、その後、一基の墳墓が建てられた。彼の忠死をあわれんで関羽が造らせたものだという。

一方、その地方の大洪水は、当然、樊川にもつづいて、樊城の石垣は没し、壁は水びたしの有様となった。さなきだに籠城久しきにわたって、疲れぬいていた城中の士気はいやが上にうろたえて、

「天なんぞこの城にかくも酷きか」

と、ただ自然を恨み、明日を儚み、まるで戦意を喪失してしまった。

けれどただ一つの僥倖は、この洪水のために、関羽側の包囲陣もいきおい遠く退いて、それぞれ高地に陣変えしなければならなくなったことで、ために実際の攻防戦は休

止のすがたに立ち到った。

その間に、城将の多くは、首将の曹仁をかこんで、評議の末、

「今はもう餓死か落城かの二途しかありません。むしろこの隙に夜中ひそかに舟を降ろし、城をすてて何処へなりとも一時御身を隠さるるが賢明かと思います」

と勧め、曹仁もその気になって、脱出の用意をしかけていた。

「腑がいないことを！」と、それを知って憤慨したのは満寵である。

「この洪水は、長雨の山水が嵩んだものゆえ、急にはひかぬにせよ、半月も待てば必ずもとにかえる、情報によれば、許昌地方もこの水害に侵され、飢民は暴徒と化し、百姓は騒ぎ乱れ、事情は刻々険悪な状態にあると承る。——しかも関羽の軍が、その鎮定におもむかず、乱にまかせているのは、もし軍を割いて、それへ向えば、たちまちこの樊城から後を追撃されるであろうと、大事をとって動かずにいるのです」

そう説明して、彼はまた曹仁のために、この際、処すべき道をあきらかにした。

「いやしくも将軍は魏王の御舎弟。そのあなたという者のうごきは魏全体に大きな影響をもちましょう。よろしくここは孤城を守り通すべきです。もしこの城を捨て給わば、関羽にとっては思うつぼで、たちまち、黄河以南の地は、荊州の軍馬で平定されてしまうにちがいない。しかる時は、なんの顔あって、魏王にまみえ、故国の人々にお会いなされますか」

満寵のことばは、曹仁の蒙をひらくに充分であった。彼は正直に自己の考えちがいを

謝し、

「もし足下の教えがなければ、おそらく自分は大事を誤ったろう」

と、それまでの敗戦主義を城中から一掃するため、諸将をあつめて訓示した。

「正直にいう。自分は一時のまちがった考えにいま恥じておる。国家の厚恩をうけ、一城の守りを任ぜられ、かかる一期の時となって、城を捨てて遁れんなどという気持をふとでも起したのは慚愧にたえない。ご辺たちもまた同様である。もし今日以後も、城を出て一命を助からんなどと思う者があれば、かくの如く処罰するからさよう心得るがいい」

曹仁は剣を抜いて、日頃自分の乗用していた白馬を両断にして、水中へ斬り捨てた。

諸将はみな顔色を失って、

「かならず、城と運命を共にし、生命のあらんかぎり防ぎ戦ってごらんに入れる」

と、異口同音に誓った。

果たしてその日頃から、徐々に水はひいてきた。城兵は生気をとりもどし、壁を繕い、石垣を修築し、さらに新しい防塁を加えて、弩弓石砲をならべ、

「いざ、来れ」

と、大いに士気を昂げた。

二十日足らずののちに、洪水はまったく乾いた。関羽は、于禁を生捕り、龐徳を誅し、魏の急援七軍の大半以上を、ことごとく魚鼈の餌として、勢い八荒に震い、彼の名

は、泣く子も黙るという諺のとおり天下にひびいた。

時に、次男の関興が、荊州からきたので、関羽は、諸将のてがらと戦況をつぶさに書いて、

「これを漢中王におとどけせよ」

と、使いを命じて、成都へやった。

出師の巻

骨を削る

一

まだ敵味方とも気づかないらしいが、樊城の完全占領も時の問題とされている一歩手前で、関羽軍の内部には、微妙な変化が起っていたのである。

魏の本国から急援として派した七軍を粉砕し、一方、樊城城下に迫ってその余命を全く制しながら、あともう一押しという間際へきて、何となく、それまでの関羽軍らしい破竹の如き勢いも出足が鈍ったような観がある。

この理由を知っているのは、関平そのほか、ごく少数の幕僚だけだった。

今も、その関平や王甫などの諸将が、額をあつめて、

「……何にしても、全軍の死命に関わること、なおざりには致しておけぬ」

「一時の無念は忍んでも、ひとたび軍を荊州へかえし、万全を期して、出直すことがよ

いと考えられるが」

「……どうも困ったことではある」

沈痛にささやき交わしていた。

ところへ一名の参謀があわただしく営の奥房から走ってきて、

「羽大将軍のお下知である。——明日暁天より総攻撃を開始して、是が非でも、あすのうちに、樊城を占領せん。自身出馬する。各〻にも陣々へ旨を伝え、怠りあるなかれ——との仰せです」

と、伝えてきた。

「えっ、総攻撃を始めて、戦場へ立たれると？」

人々は愕然と顔見合わせ、それは一大事であるといわぬばかりに、一同して営中の奥まった一房へ出向き、

「今日はご気分いかがですか」

と、恐る恐る帳中を伺った。

関羽は席に坐していた。骨たかく顔いろもすぐれず、眼のくぼに青ぐろい疲れがうかがわれるが、音声は常と少しも変ることなく、

「おう、大したことはない。打ち揃って、何事か」

「只今、お下知は承りましたが、皆の者は、さなきだに、ご病体を案じていたところとて、意外に打たれ、もうしばしご養生の上になされてはと、お諫めに出た次第ですが」

「ははは。わしの矢瘡を案じてか。──案ずるなかれ。これしきの瘡に何で、関羽が屈するものか。また何で天下の事を廃されようぞ。あすは陣頭に馬をすすめ、樊城を一揉みに踏みつぶさずにはおかん」

王甫は膝を進めて、

「お元気を拝して、一同、意を強ういたしますが、いかなる英傑でも、病には勝てません。先頃からご容態を拝察するに、朝暮のお食欲もなく、日々お顔のいろも冴えず、わけてご睡眠中のお唸きを聞くと、よほどなご苦痛にあらずやと恐察いたしております。なにとぞ、蜀にとって唯一無二なるお身でもあり、かたがた、将来の大計のため、ここはひとたび荊州へお引き揚げあって、充分なるご加養をしていただきたいと存ずるのであります。……いま大将軍の御身に万一のことでもあっては、ただに荊州一軍ばかりでなく、蜀全体の重大なる損失ともなることですから」

「………」

黙然と聞いていた関羽は、やおら座をあらためて、王甫のことばを抑えた。

「王甫王甫。また関平もそのほかの者も、無用な時を費やしまた無用な心をつかわなくてもよい。わが生命はすでに蜀へささげてあるものだ。武人の一命は常に天これを知るのみ。樊城一つを攻めあぐねて荊州へ引き揚げたりと聞いては以後、関羽の武名はともあれ、蜀の国威にかかわる。──一矢の瘡など何かあらん。戦場に立てば十矢百矢も浴びるではないか。黙って、わしの下知に伏せ」

人々は、一言もなく、そこを退がったが、憂いはなお深い。その夜、関羽はまた、大熱を発し、終夜、痛み苦しんだ。龐徳に射られた左の臂の瘡である。あの鏃に、死んだ龐徳の一念がこもっているかのようだった。

総攻撃も、ために自然沙汰やみになった。

王甫や関平は、諸方へ人を派して、

「名医はないか」と、遍く求めさせた。

するとここに風来の一旅医士が童子一名をつれ、小舟にのって、呉の国のほうから漂い着いた。沛国譙郡の人、華陀という医者だった。

二

江岸監視隊の一将が、華陀を連れて、関平の所へ来た。

「この旅医者は、呉の国から来たと申しますが、先頃より諸州へ医師をお求めになっておる折から、或いはお役に立つかも知れぬと存じて連れ参りましたが」

関平はよろこんで、ともあれ自分の幕舎へ迎え、まず鄭重にたずねた。

「先生の尊名は？」

「華陀、字は元化」

「さては、呉の大将周泰の傷を治したと聞く名医でおわすか」

「かねがね景仰する天下の義士が、いま毒矢にあたってお悩みである由を承り、遠く舟をあやつって駈けつけたわけでござる」

「父は蜀の大将軍たり。先生は呉国の医たるに、そも何の故あって、はるばる渡られたか」

「医に国境なし。ただ仁に仕えるのみです」

「おお、では早速、父の毒傷を診て下さい」

華陀を伴って、彼は父の帳中へ行った。折しも関羽は馬良をあいてに碁を囲んでいた。大熱のため口中は渇いて蕀を含むがごとく、傷口は激痛して時々五体をふるわすほどだったが、豪毅な精神力はそれを抑えて、人には何気なく見えるほど平然と囲碁にまぎらわしているのだった。

「父上。呉の名医華陀がはるばる見えました。ひとつ瘡の治療を請われてはいかがですか」

「む。む。……待て待て。馬良、こんどはわしの番か」

衣服を袒ぎながら、関羽は瘡を病んでいる片臂を医師の手にまかせ、なお右手では碁盤に石を打っていた。

「どうじゃ馬良。名手であろうが」

「何の……その一石は、やがて馬良の好餌でしかありませんぞ」

二人とも碁に熱中していて、華陀の顔すら振り向かない。——が華陀は、関羽のうしろへ寄って、肌着の袖口をめくりあげ、じっと臂の傷口を診ていた。

侍側の諸臣はみな眼をみはった。瘡口はさながら熟れた花梨の実ぐらいに膨れあがっている。華陀は嘆息をもらした。

「これは烏頭という毒薬が鏃に塗ってあったためで、その猛毒はすでに骨髄にまで通っています。もう少し放っておかれたら片臂は廃物となさるしかなかったでしょう」

関羽は初めて華陀の顔を振り向きながら、

「今のうちなら治る法があるか」と、たずねた。

華陀は自信をもって、

「あることはありますが、ただ将軍が愕き給わんことを畏れます」

「ははは。死をだに顧みぬ大丈夫が、医師の手に弄られるぐらいなことで愕きはせぬ。よいように療治してくれ」と、片臂を委せたまま、ふたたび盤上の対局に余念なかった。

華陀は、薬嚢を寄せて、中から二つの鉄の環を取り出した。一つの環を柱に打ち、一つの環に関羽の腕を入れて、縄をもって縛りつける準備をした。関羽は、異なことをするものかなといわぬばかりに、わが腕を見て、

「華陀とやら、どうするのか」

と、訊いた。華陀は答えて、

「医刀をもって肉を裂き、臂の骨を取り出して、烏頭の毒で腐蝕したところや変色した骨の部分をきれいに削り取るのです。おそらくこの手術で気を失わぬ病人はありませ

ん。いかに将軍でも必ず暴れ苦しむに違いありませんから、動かぬように、しばらくご辛抱をねがうわけで」

「何かと思えば、そんな用意か。大事ない、存分に療治してくれい」

鉄環を除って、そのまま、手術を請うた。

華陀は瘡を切開しにかかった。下に置いた銀盆に血は満ち溢れ、華陀の両手もその刀もすべて血漿にまみれた。その上、臂の骨を鋭利な刃ものでガリガリ削るのであった。関羽は依然として碁盤から眼を離さなかったが、まわりにいた関平や侍臣はみな真っ蒼になってしまい、中には座に耐えず面をそむけて立って行った者すらある。ようやく終ると、酒をもって洗い、糸をもって瘡口を縫う。華陀の額にもあぶら汗が浮いていた。

建業会議

一

手術をおえて退がると、華陀はあらためて、次の日、関羽の容体を見舞いにきた。

「将軍。昨夜は如何でした」

「いや、ゆうべは熟睡した。今朝さめてみれば、痛みも忘れておる。御身は実に天下の名医だ」

「いや、てまえも随分今日まで、多くの患者に接しましたが、まだ将軍のような病人には出会ったことがありません。あなたは実に天下の名患者でいらっしゃる」

「ははは。名医と名患者か。それでは病根も陥落せずにおられまい。予後の養生はいかにしたらよいか」

「怒らないことですな。怒気を発するのは禁物です」

「かたじけない。よく守ろう」

関羽は百金を包んで華陀に贈った。華陀は手にも取らない。

「大医は国を医し、仁医は人を医す。てまえには国を医するほどな神異もないので、せめて義人のお体でも癒してあげたいと、遥々これへ来たものです。金儲けに来たわけではありません」

飄然とまた小舟に乗って、江上へ去ってしまった。

その頃、魏王宮を中心とし、許都、鄴都の府は、異様な恐慌に戦いていた。

早馬、また早馬。それがみな樊川地方の敗戦を伝え、七軍の全滅、龐徳の戦死、于禁の投降などが、ひろく国中へ漏れたため、庶民まで上を下へと騒動して、はやくも関羽軍が攻め入るものとおびえ、逃散する百姓さえあった。

魏王宮ではきょうもその事について大会議が開かれていた。この会議でも、関羽の名を恐れおびえた人々は、早くも魏王宮の遷都説まで叫んだが、司馬懿仲達が立って、その不可を論じ、

「要するに、こんどの大敗は、魏軍が弱かったのではなく、洪水の力が関羽に味方したためといってよい。関羽の勢いがあまりに伸びるのを欲しないのは呉の孫権である。いま呉を説いて、関羽のうしろを突けといえば、孫権はかならず呼応するにちがいない」

と、獅子吼した。

司馬懿仲達と共に、丞相府の主簿をしている蔣済も哭いて云った。

「自分と于禁とは、三十年来の友であったが、何ぞはからんこの期において、龐徳にすら劣ろうとは。いま仲達の申された策は金玉の言と思う。一刻も早く呉へ急使を派し、この大屈辱をわれらも一致して拭わねばならん」

曹操は考えていたが、ただ弁舌の士のみ遣っても、或いは呉が動かないかも知れない。あくまで、難には魏が当る事実を示しておいて、しかる後に、呉を説こうといった。

すなわちそのために、徐晃は大将に選ばれて、兵五万をさずけられ、急行軍して陽陵坡まで出陣した。

（呉が呼応するときまったら、すぐ関羽軍へ攻めかかれ）

徐晃軍は、命をふくんでそこに待機し、満を持すの形をとっていた。

魏の急使は、呉の主都、建業に着いて、いまや呉の向背（こうはい）こそ、天下の将来を左右するものと、あらゆる外交手段や裏面工作に訴えて、その吉左右（きっそう）を待っていた。

建業城中の評議はなかなか一決しない。呉にとっても重大な岐路である。のみならず呉はひそかに先頃から魏の繁忙をうかがって、このときに江北の徐州を奪ってしまうべきでないかと考えていた所である。――が、曹操から内示してきた条件もなかなかいい。

（関羽を攻めて荊州を奪（と）らんか。魏の要求を突っぱねて、徐州を奪るべきか）

そこに大きな迷いがある。

ところへ、上流陸口（りっこう）の守備をしていた呂蒙（りょもう）が急に帰国して来た。時局の急を察し、一大献策のために帰ってきたと彼はいう。

孫権は招いてすぐ訊ねた。

「汝。いかなる策があるというのか」

「さればです。いまこそわが呉は長江の天与を利し、荊州をとって、蜀魏の侵略に、永遠の国境を展（ひら）いておかねばなりません。上流長江の嶮をもって境とし、強馬精兵を内に蓄（たくわ）えてさえおけば、徐州のごときはいつでも奪れる機会がまたありましょう」

呂蒙は作戦上にも、なお固く必勝の信念を抱いているらしく陳じた。

二

呂蒙の発言は、会議の方針を導くに充分な力があった。なぜならば、彼の守備している任地の陸口（漢口上流）は、魏、蜀、呉三国の利害が交叉している重要な地域だ。彼はその現地防衛司令の重任にあるのみでなく智慮才謀にかけても断然、呉では一流級の人物である。

「大策の決った上は、現地のことすべて汝の思慮にまかす。適宜に対処せよ」

孫権は後でいった。すなわちこの間に呉の対魏問題も、時局方針も一決したものとみられる。

呂蒙は再び速船で現地の陸口へ帰った。そしてすぐ荊州方面へ隠密を放って探ってみると、意外な備えのあることが発見された。

――というのは、沿岸二十里おき三十里おきの要所要所に、烽火台が築かれてあり、ひとたび呉との境に変があれば、瞬時にその「つなぎ烽火」は荊州本城へ急を告げて、応援の融通や防禦網の完備にも、整然たる法があって、水も洩らさぬ仕組になっているとある。

予想外な関羽の要心なので、呂蒙はそれを探り知ると、ひどく舌打ち鳴らして、

「これはいかん」と、その日から仮病をつかい始め、宿痾の再発に悩んで近頃引き籠り中と、味方にまで深く偽っていた。

動くべき筈の陸口の兵が、依然うごかずにいるのみか、呂蒙が病にかかって一切人に顔も見せないでいる――という噂に、建業にある孫権も甚だしく心配した。

「この重大時局に？」と、焦躁のあまり、呉郡の陸遜を見て、

「火急、陸口へ赴いて、呂蒙の容体を見てこい」

と、いいつけた。陸遜は命をうけると、

「ご心配には及びません。おそらく呂蒙の病は仮病でしょう」

と、云って出た。彼はすでに呂蒙の心を読みぬいていたのである。

が、陸口に着いてみると、呂蒙はほんとに病閣を閉じていた。陣中、寂として、将士も憂いに沈んでいる。

陸遜は、呂蒙に会うと、にやにや笑いながら云った。

「将軍。もう病床からお起きなさい。ご病気は、それがしが直ぐ癒してあげる」

「遜君。ご辺は病人をからかいに来たのか」

「いや君命に依って、閣下を診察にきたのだ。それがし不才なりといえども、先頃、将軍が建業に来られた時に、すでに胸中を察しておった。以後、現地に帰るとすぐ、呉侯のご期待を裏切って、急にご病気になったのは、思うに、荊州の防衛が全然将軍の予想に反していたためではありませんか」

呂蒙はむくむくと起き出して、急にあたりを見まわした。

「陸遜。静かに云い給え。帳外にたれか聞いておるといかん」

「大丈夫。衛兵も退けてある。荊州の関羽は一方で樊城と戦いながらも、呉との境には、寸毫油断していない。むしろ平時より防衛の兵力を強めていましょう。そしてすで

に諸所の烽火台の工も完成しておりましょう。蒙閣下の病はまさにそこにあると存ずるが、私の診断は誤っていましたか」

「うーむ……。さすがは炯眼、恐れ入った。実はその通りだ」

「では、いよいよ大病なりと称して、ふたりで建業へ帰ろうではありませんか。私が病人を迎えにきたという恰好になるのでちょうどよい」

「そして？　それから？」

「すでに閣下の胸三寸にもおありでしょうが、要するに、関羽が油断しないのは、陸口の堺に、あなたのような呉でも随一といわれる将軍が虎視眈々と控えておるからです。仮病をとなえて、閣下が職を退き、名もない将を交代させて、ひたすら荊州の鼻息を恐れるが如き様子を見せれば、関羽の心もいよいよ驕って、遂にはここの兵を樊城のほうへ廻すにちがいありません。——呉の大進出はまさにその時ではありませんかな」

呂蒙(りよもう)と陸遜(りくそん)

一

陸遜(りくそん)は呂蒙より十幾歳も年下だった。当時まだ呉郡の一地方におかれ、その名声は低く、地位は佐官級ぐらいに止まっていた。

だが彼の才幹は呉侯も日頃から愛していたところだし、呂蒙はなおさら深く観てその将来に嘱目(しよくもく)していた。

ふたりは同船して、ふたたび呉の建業へ帰り、呉侯孫権にまみえて、荊州の実状を詳しく告げた。あわせて呂蒙は、自分の仮病は敵方に対する当面の一謀(ぼう)に過ぎない旨を語って、主君に心を煩(わずら)わせたことを詫びた。

「この機会に、陸口の守りには、ぜひ誰か別人をご任命ください。それがしがおっては、関羽は防禦の手をゆるめません」

「その方の謀(はかりごと)とあれば、今そちが病を称(とな)えて職を退くには至極よいが、しかし、陸口は呉にとって重要な地。ご辺をおいて、ほかに一体誰を任命したらよいか」

「陸遜がよろしいでしょう。彼をおいて適任はないかと思います」

「陸遜を？……」と孫権は面に難色を示しながら、

「むかし周瑜は呉の第一の要害は陸口なりとして、守備の大将に魯粛をえらび、その魯粛はまたご辺を推薦した。こんどはその三代に当る守将であるから、もうすこし人望才徳、機略遠謀兼ね備わった人物をそちも推挙すべきであろう」

「ですから、それを兼備したものが、陸遜であると私は申し上げます。ただ陸遜に足らないものは地位、名声、年齢などでありますが、彼の名がまだ内外に知られていないことがむしろ好条件というべきで、陸遜以上に有能の聞えある大将が代って行ったのでは、関羽を欺くことはできません」

呉侯と彼のあいだにそんな内輪ばなしがあってから間もなく、陸遜は一躍、偏将軍右都督に昇った。そしてすぐ陸口への赴任を発令されたので誰よりも当人が驚いてしまった。

「若輩不才の私。到底、蒙閣下のあとをうけて、そんな大任には耐え得ません。おそらく職に背いて、尊命を汚しましょう。どうかほかの先輩にお命じ下さい」

陸遜はいくたびも辞したが、孫権は聴許せず、馬一頭、錦二段、酒肴を贈って、

「はや赴け」と、餞別した。

ぜひなく陸遜は任へ着いた。任地へ到ると彼はすぐ礼物に書簡をのせて、関羽の陣へ使いを立て、

（以後よろしく）と、新任の挨拶を申し送った。

使者を前において、関羽はたいへん笑った。――呂蒙病んで、いま、黄口の小児に陸口を守らしむ、時なるかな。

以後荊州の守りは安し。祝着祝着、と独り悦に入りながらしきりに笑っていたというのである。帰ってきた使者の口からそのときの模様をそう聞いて、陸遜もまた、同じように、

「祝着祝着。それでよし」と、かぎりなく歓んだ。

その後、陸遜は、わざと軍務を怠り、ひたすらじっと関羽の動静をうかがっていると果たして、関羽はようやく臂の矢瘡も癒えてくると共に、不落樊城の占領に意をそそぎ始め、先頃から目立たぬように、陸口方面の兵力をさいて、樊城のほうへぼつぼつ動かし出した様子である。

「時到る」と、陸遜はその由を、すぐ建業へ急報した。

孫権はまた、その報を手にするや、時を移さず呂蒙を招いて、

「機は熟した。陸遜と協力して、荊州を攻め取れ。すぐ発向せい」

と命じ、後陣の副将として、自身の弟、孫晧を特に添えてやった。

三万の精兵は、一夜のうちに、八十余艘の速船や軍船に乗りこんだ。参軍の諸将には、韓当、蔣欽、朱然、潘璋、周泰、徐盛、丁奉など名だたる猛者のみ択ばれた。

そのうち十艘ほどは、商船仕立てに装い、商人態に変装した者ばかりが、山なす商品

を上に積んで、高々と帆を張りつらね、半日ほど先に江をさかのぼって行った。

二

日を経て、呉の擬装船団は、潯陽江（九江）の北岸へ漂いついた。漆のような闇を風浪の荒ぶ夜であったが、帆をやすめるいとまもなく、

「何者だっ、どこの船かっ」と、一隊の兵にすぐ発見され、すぐ船を出た七名の代表者は、そのまま彼らの屯営へ拉致されて行った。

番兵はみな関羽の麾下である。この象山には例の烽火台があり、陸路荊州まで斜めに数百里のあいだ同じ備えが諸所の峰にあった。

屯営はその烽火山の下にある。七人の代表者は厳重な調べをうけた。もちろんみな呉の武人であるが、ことば巧みに、

「てまえどもは年々、北の産物を積んでは南へ下江し、南の物資を求めては北へ溯り、ここの嘉魚のように季節次第で河を上下している商人どもに相違ございません。実はいつものように、むこう岸の潯陽江へ入って、明後日の市へ商品を出すつもりでしたのが、あいにくとこの烈しい浪と、この風向きのために、どうしても彼方の岸へ寄せることができません。夜が明け次第に、風向きも変りましょうから、さっそく退散いたしまする。ひとつお慈悲をもって、夜明けまで、ここの岸辺にいることをお許し願いたいものでで」

こもごもに嘆願した上、船中から携えてきた南方の佳酒やら珍味を取り出して、まず番将へ賄賂すると、吟味もにわかに柔らいで、

「――ではまず大目に見ておくがここは烽火台もある要塞地帯じゃ、夜明け早々、潯陽のほうへ船を移せよ」と、ある。

「はいはい。それはもう……」

と、七名はもみ手を揃えて、

「有難いおことばを、船の者にもよく云い聞かせて置きますれば」

と、中の一人は岸へ戻った。

するとやがてその男が、さらに十数名の船夫を連れてきた。手に手に酒の壺や食物をさげ、船中一同の感激を陳べ、さらにこれを献上したいと申し出た。

「よかろう。取っておいてやれ」

番将は先に受けた酒を開けてすでにほろ酔い気分である。部下たちもたちまち酔いだした。船中から上がってきた面々は、蛮歌民謡などの隠し芸まで出して、彼らに興を添えた。

そのうちに、番兵のひとりが、

「はてな？」と、耳をそばだてた。

「風？」

「いや、おかしいぞ」

外へ飛び出して、烽火台の上を仰いだ。そこに、わっと声旋風が聞えたからである。

「――あっ。敵だっ」

絶叫したとたんに、一陣の騎馬武者がもうここを取り巻いていた。別働隊は山の裏から這い上がって、すでに烽火台を占領していたのだった。

夜が明けてみれば、昨夜の商船ばかりか、八十余艘の艨艟が江上を圧している。荊州の守備兵はみな呆然とした顔つきで生捕られた。

「愕くな、恐れるな。おまえ達の生命は取りはしない。むしろ汝らは、今日以後、手柄次第では、将来の大きな出世を約束されているものだ」

呂蒙は、上陸して捕虜を見ると、懇ろに諭した。そして金品を与え、実際に優遇を示して後、その中からさらに確実な降人と見られるものを選んで、

「次の烽火台を守っている番将を説け。もし説き伏せて功を挙げたら、取り立ててやる」と放した。

この策は、次々に功を奏し、呂蒙の大軍は日々荊州へ近づいた。そして敵が非常に備えていた「つなぎ烽火」をほとんど効なきものとして、やがて荊州城下へなだれこんだ。

呂蒙はその前に、莫大な恩賞を賭けて、降人の一群を城下へまぎれ込ませ、流言を放って敵を攪乱しに出た。

またべつな降人の一隊は、荊州城の下へ来て、

「門を開けろ。一大事がある」

と喚き、城中の者が、味方と見て、そこを開けると、たちまち呉軍を招いてなだれ入り、八方へ放火して、ここも混乱のるつぼと化してしまった。

笠

一

荊州の本城は実に脆く陥ちた。関羽は余りに後方を軽んじ過ぎた。戦場のみに充血して、内政と防禦の点には重大な手ぬかりをしていた嫌いがある。

烽火台の備えにたのみすぎていたこともその一つだが、とりわけまずいのは、国内を守る人物に人を得ていなかった点である。留守の大将潘濬も凡将であったし、公安の守将たる傅士仁も軽薄な才人に過ぎない。

選りに選ってなぜこんな凡将を残して征ったかといえば、樊城へ出陣の前、この二将に落度があった。関羽は軍紀振粛のため、その罪をいたく責めて、懲罰の代りに、出征軍のうちからはぶいてしまった。留守に廻されるということは、武門として軍罰を蒙るよりも不名誉とされていたからである。

潘濬（はんしゅん）が真の人物ならば、この不名誉はむしろ彼を発奮させたろうが、潘濬も傅士仁も内心それを恨みに抱いて、もう関羽の麾下では将来の出世はおぼつかないと、商機を測るような考えを起していた。そして内政も軍事も全く怠っていたところへ――つなぎ烽火（のろし）もなんの前触れもなく、いきなり攻めてきた呉の大軍であった。結果からみれば、実に当然な陥落だったともいえる。

一、みだりに人を殺すもの
一、みだりに物を盗むもの
一、みだりに流言を放つもの
以上。その一を犯す者も斬罪に処す。

呉軍大都督呂蒙（りょもう）

占領直後、まだ呉侯孫権も入城しないうちに、早くも町々にはこういう掲示が立ち、人民はみな帰服した。

荊州城にあった関羽の一族は、呂蒙のさしずによって鄭重にほかのやしきへ移され、不安なく不自由なく呉軍に保護されているのを見て、荊州の人民は、

「ありがたいことだ」と、呂蒙の名を口から口へささやきつたえた。

呂蒙は日々、五、六騎の供をつれて、みずから戦後の民情を視て歩いた。一日、途中でにわか雨にあったが、雨に濡れながらもなお巡視をつづけて来ると、彼方から一人の兵が、百姓のかぶる箬笠（たけがさ）*を持って、盔（かぶと）の上にかざしながら、一目散に馳けてくるのを見

かけた。

「捕えろ。あの兵を捕えてこい」

呂蒙は鞭をさし向けた。

二頭の騎馬武者が雨中を馳けて、すぐその兵を引っ吊して来た。見るとその兵は呂蒙もよく顔を知っている同郷の男だった。

――が、呂蒙はその兵を睨（にら）まえて云った。

「自分は日頃から、同郷同姓の者は殺さずという誓いを持っていたが、それは私事で公務の誓いではない。汝はこのにわか雨にあって百姓の笠を盗んだ。高札の表に掲げてある一条を犯した以上は、たとえ同郷の者たりとも法を紊（みだ）すわけにゆかん。首にして街へ梟（か）けるから観念するがよい」

兵は仰天して、雨中に哀号しながら、呂蒙を伏し拝んで、

「命だけはお助け下さい。出来心でございます。何気なく、つい箬笠ぐらいと存じまして」

と、悲しみ訴えたが呂蒙はただ顔を横に振るだけだった。

「いかん、断じていかん。出来心はわかっている、また、一個の箬笠に過ぎないことも分っておる。しかしゆるすことはできない。それが法の厳正というものだ」

その兵の首と箬笠とが、獄門となって街に曝（さら）された。市人は噂をつたえ聞いて、

「何たる公平な大将だろう」

と、その徳に感じ、呉の三軍はふるい恐れて、道に落ちている物も拾わなかった。

江上に待っていた呉侯孫権は、諸将を率き従えて入城した。そして直ちに降参の将潘濬を見、その乞いを容れて呉軍に加え、また獄中にあった魏の虜将、于禁をひき出して、

「呉に仕えよ」

と、その首枷を解いて与えた。

荊州変貌

一

呉は大きな宿望の一つをここに遂げた。荊州を版図に加えることは実に劉表が亡んで以来の積年の望みだった。孫権の満悦、呉軍全体の得意、思うべしである。

陸口の陸遜も、やがて祝賀をのべにこれへ来た。その折、列座の中で呂蒙は、

「荊州の中府はすでに占領したが、これで荊州の版図がわが掌に帰したとはいえない。公安地方にはなお傅士仁があり、南郡には糜芳の一軍がうごかずにいる。貴兄にそれを討つ良計はないか」

と、陸遜に問うた。

するとかたわら傍の人がたちまち立って、

「その儀なれば、弓を張り、矢をつがえるにも及びません」

と、豪語した。誰かと見れば、会稽余姚の人虞翻である。孫権は、莞爾と見て、

「虞翻、いかなる計やある。遠慮なくいえ」と、いった。

虞翻は一礼して、

「さればそれがしと傅士仁とは、幼少からの友だちです。かならずそれがしの説く利害には彼も耳をかしましょう。故に、公安の無血占領は信じて疑いません」

「おもしろい。行って説いてみろ」

孫権は彼に五百騎をさずけた。虞翻は自信にみちて公安へ赴いた。事実、彼は胸中にこの使いの成功を信じている。なぜならば傅士仁の日頃の人間をよく知っていたから。

しかし一方の傅士仁たるや、このところ戦々兢々たるものがあった。壕を深め城門を閉じ、物見を放って鋭敏になっていた。

ところへ友人の虞翻が五百騎ほど連れてくると聞いたが、なお疑心にとらわれて城中に鳴りをしずめていた。虞翻は近々と城門の下へ寄り、書簡を矢にはさんで城中へ射こんだ。

「何、矢文が落ちたと。……どれ、どう云ってきたか？」

傅士仁はそれをひらいて、虞翻の文言を読み下した。幾たびもくり返して、蚤を見る

ように文字を見ていたが、彼の猜疑もついに怪しむ辞句を見出せなかった。

「そうだ、たとえここを守り通しても、いずれ関羽が帰れば、戦前の罪を問われ、罪と功が棒引きになるぐらいが上の部だ。もし呉軍に囲まれて、関羽の来援が間に合わなかったら、完全にここで自滅だ。虞翻の説くところは心から俺を思ってくれることばに違いない」

彼は駈け出して、卒に門をひらかせた。そして虞翻を迎え入れると、

「会いたかった」と、まず旧情を訴え、

「よろしく頼む」と、次に一切を委した。

「自分が来たからには、諸事安心し給え」

虞翻は彼を伴って、さっそく荊州へ帰った。孫権はもちろんこの結果を上機嫌でうけ容れた。虞翻には大賞を与え、また傅士仁に告げては、

「汝の心底を見たからには決して旧臣とわけへだてはせぬ。立ち帰った上は、よく部下を諭し、呉に以後の忠誠を誓わせろ。そして前の通り公安の守将たることをゆるす」と寛度を示した。

恩を謝して傅士仁が退城しようとすると、呂蒙が呉侯の袖をひいた。

「あれをあのまま、お帰しになるつもりですか」

「今さら、殺すわけにもゆかんではないか」

「手ぶらで帰してしまうことこそ、折角の人間をころしているというものです。なぜ、

彼にこういう使命を背負わせておやりにならないので……」

呂蒙に何かささやかれると、孫権は急に侍臣を走らせて、傅士仁をよび戻した。そしてたちまち一問を発し、また命令した。

「南郡の麋芳とは親交があるだろう。当然、きのうまでの味方だから」

「はっ……。交わりがありますが」

「では、友情をもって、麋芳を説くことは、汝の義務だともいえるな。もし彼を説いて、予の面前へつれてきたら、麋芳は厚く用い、汝にはさらに恩賞を加えるだろう。どうだ」

「さっそく南都へ赴きましょう」

傅士仁は倉皇と帰ってゆく。孫権は呂蒙をかえりみてにやりと笑った。

二

「たいへんな難役を背負ってしまった」

傅士仁は浮かない顔で、友の虞翻のところへ相談に行った。そして愚痴まじりに、

「どうも今になってみると、貴公のいうことをきいたのは、大きな過ちだったような気がする。呉侯の命に対して、——ご難題です。麋芳を説きつけるなんて無理です。ご免こうむりましょう、といったら、たちまち俺は二心ありと首にされ、公安の城はただ取りにされてしまうだろう。……といって、何しろ麋芳は、蜀のうちでも余人とちがい、

玄徳が微賤をもって旗上げした頃からの宿将だ。俺の舌三寸でおめおめ降るわけはないし」

と、困惑を訴えると、虞翻はその小心を笑って、彼の背を一つ打った。

「おいっ、しっかりせい。自己の浮沈の岐れ目じゃないか。いかに糜芳でも石仏ではあるまい。いや彼の一族は元来、湖北の豪商で大金持であった。たまたまその退屈な財産家が、玄徳という風雲児の事業に興味をもち、そっと裏面から軍資金を貢いでやったのが因で、いつか糜竺、糜芳の兄弟とも、玄徳の帷幕に加わってしまった。——というのが彼の経歴ではないか。それをもって察すれば、糜芳の胸は、今とてかならず数字算用ははっきりと持っているに違いない。名も生命もいらんという人間では手におえぬが、利害の明瞭な人物ほど説きよいものだ。……まあ信念をもって、ひとつこう出て見たまえ」

「こう出てみろとは？」

「すなわち、こう出るのだ」

有合う紙片のうえに、虞翻は何か筆を走らせる。傅士仁は首を寄せて黙読していたが、急に悟ったような顔をして、

「あっ、そうか。なるほど」と、ひどく感心したかと思うと、たちまち勇気づいた様子で、

「では、行ってくる」と、立ち去った。

十騎ばかりを従えて、彼は南都へ立った。糜芳は城を出て、友を出迎え、まず関羽の消息を問い、荆州の落城を嘆じて、悲涙を押し拭う。

「いや……実はその、そのことで今日は、あなたへも相談に来たわけだが」

「相談とは、軍議について？」

「なに、それがしとて、忠義は知らぬわけではない、荆州が敗れては、もはや万事休すだ。いたずらに士卒を死なせ、百姓に苦しみをかけるよりはと深思して、実はすでに、呉へ降伏を誓った」

「えっ。降参したと」

「足下も旗を巻いて、それがしと共に、孫権に謁し給え。呉侯はまだ若くて将来があるし、しかもなかなか名君らしい」

「傅士仁。人を見てものをいえ。この糜芳と漢中王との君臣の契りを何と見ているか」

「……だが」

「だまれ。多年、厚恩をうけた漢中王をこの期になって裏切るごとき自分ではない」

ところへあわただしく、糜芳の臣が告げにきた。戦場の関羽から早馬打っての使者だとある。

「通せ」

糜芳は云った。使者はそこへ来て、火急の事ゆえ、口上をもって述べますと断り、次のような関羽の要求を伝えた。

「樊川地方の大洪水のため、戦況は有利にすすんだなれど、兵粮の欠乏は言語に絶しており、全軍疲弊の極に達しておる。ついては、南都公安の両地方から至急、粮米十万石を調達され、関羽の陣まで輸送していただきたい。もし怠りあらば、成都に上申し、厳罰に処すべしとの令でござる」

　糜芳と傅士仁は顔見合わせた。まったく無理な注文である。粮米十万石も困難だし、荊州の陥ちた今、輸送方法もありはしない。

「どうしたものであろう」

　糜芳は腕拱いて面を埋めてしまった。変心した傅士仁はもう相談あいてにならないし、関羽の命にそむけば、後々いかなる禍いになるか測り知れない。

「――ぎゃッ！」

　突然、血しぶきの下に、使者が仆れた。糜芳も驚いて跳び上がった。剣を抜いて、いきなり使者を斬ったのは傅士仁であった。その血刀を提げたまま、彼はさらに糜芳へ迫ってきた。

三

　糜芳は喪心したように、蒼白になって顫いていたが、やがて、

「乱暴にも程がある。いったい貴公は、何故に、関羽の使者を斬り殺したのか……」

傅士仁も真っ青になっていう。

「ご辺の決断を促すためだ。またわれわれの生命を保つためだ。足下には関羽の心が読めないのか。関羽はその不可能を知りながら無理難題をいいつけて、後に荆州の敗因をわれらの怠慢にありとする肚黒い考えでおるのだ。――麋芳っ。さあ呉侯のもとへ行こう。いずくんぞ手を束ねて犬死せんやだ。さあ城を出よう！」

彼は剣を収めて、麋芳の手を引っ張った。もちろんこれは虞翻がさずけた策で、関羽の伝令も嘘だし、その使いも偽使者であることはいうまでもない。

麋芳はなお迷っていた。多少の疑いをそれにも抱いたからである。ところがこの時、喊の声や鼓の音が地を震わすばかり聞えてきた――愕然、城壁の上に走り出て見ると、呉の大軍がはや城を囲んでいた。

「なぜ足下は、生きることを歓ばないのだ」

と、傅士仁は、茫然自失している麋芳の腕を組んで、無理やりに城を出た。そして虞翻を介して呂蒙に会い、呂蒙はまた麋芳を伴って孫権にまみえた。

×　　×　　×

魏の首府へ、呉の特使が情報を持って入った。

特使はいう。――呉すでに荆州を破る。魏はなぜこの機会をつかんで関羽を討たないかと。

もちろん曹操は、この形勢を無為に見ているものではない。ただ呉の態度の確然とするまで機をうかがっていたものだ。

「今はよし」と、彼はうごき出した。魏の大軍をひきいて、洛陽の南へ出た。そこからさらに南方の陽陵坡には、すでに先発していた徐晃軍五万が敵に対峙している。

「魏王御みずから出陣されて、このたびこそは敵関羽を完滅せしめんと御意遊ばされておる。不日、さらに数十里、ご前進あらん。徐晃軍にはまずその先鋒をもって、敵の先鋒陣に、一当て加えられよ」

軍使は、徐晃の陣へ臨んで、曹操の旨をそう伝えた。

「心得て候」と、徐晃は直ちに、徐商と呂建の二隊に、自身の大将旗をかかげさせて正攻法をとらせ、彼自身は五百余騎の奇襲部隊を編制して、沔水のながれに沿い敵の中核と見られる偃城の後方へ迂廻した。

ときに関羽の子関平は、偃城に屯しており、部下の廖化は四冢に陣していた。その間、連々と十二ヵ所の寨塁を曠野の起伏につらね、一面樊城を囲み、一面魏の増援軍に備えていた。

「陽陵坡の魏軍がにわかに活動を起しました。徐晃の大将旗をふりかざして」

偃城の兵はどよめき告げた。関平は手具脛ひいて、その近づくを待ち、

「徐晃みずから来るとあれば、敵にとって不足はない」と、精兵三千を引き具して城門を出、地の利をとって陣列を展開し、鼓をそろえて鉦を鳴らし、旌旗天を震うの概があった。

――が、魏の大将旗は、偽りである。その下から駈け出して来たのは、徐商であり呂

建であった。ふたりは槍を揃え、

「帰さぬぞよ、小童」と、関平を挟撃した。

けれど関平の勇は、徐商を追い、呂建を斬り立て、かえって彼らをあわてさせた。そして遂に逃げ走る二人を追いかけ追いかけ、十余里も追撃した。

すると全く予測していなかった方面から、一彪の軍馬が旋風となって側面へかかって来た。そして一人の大将が、

「知らずや関平。荆州はすでに呉の孫権に奪られておるぞ。――汝、家なき敗将の小倅。何を目あてに、なお戦場をまごまごしておるかっ」と、罵った。

それが真の徐晃であった。

鬢糸の雪

一

「えっ、荆州が陥ちた？」

関平は戦う気も萎え、徐晃をすてて一散に引っ返した。混乱するあたまの中で、

「ほんとだろうか？　まさか？」

と、わくわく思い迷った。

　そして偃城近くまで駈けてくると、こはいかに城は濛々と黒煙を噴いている。そして炎の下から蜘蛛の子のように逃げ分かれてくる味方の兵に問えば、

「いつのまにか搦手へ迫ってきた徐晃の手勢が、火焔を漲らして攻め込んだ」と、口々にいう。

「さては今日の戦こそ、彼の思うつぼにはまった味方の拙戦であったか」

　地だんだ踏んで叫んだが、事すでに及ばない。関平は駒を打って、四家の陣へ急いだ。

　廖化は、彼を迎えて、営中へ入るとすぐ、

「きょう何処からともなく、荊州が陥ちた、荊州は呉に占領されたと、しきりに沙汰する声が聞えてきましたが、あなたもお聞きになりましたか」と、たずねた。

　関平は剣を抜いて、味方の軍勢の中へ立ち、廖化へする返事を全軍へ向ってした。

「流言はすべて、敵の戦意をくじく謀だ。猥りに嘘言を伝え、嘘言に興味を持つ者は斬るぞ」

　数日のあいだは、もっぱら守って、附近の要害と敵状を見くらべていた。四家は前に沔水の流れをひかえて、要路は鹿垣をむすび、搦手は谷あり山あり深林ありして鳥も翔け難いほどな地相である。

「いま徐晃は勝ちに乗って、急激な前進をつづけ、彼方の山まで来ておると、偵察の者

の報告だ。思うにあの裸山は地の利を得ていない。反対にわが四家の陣地は、堅固無双、ここは手薄でも守り得よう。ひとつご辺と自分とひそかに出て、彼を夜討ちにしようではないか」

偃城を失った関平は、勢いその雪辱にあせり気味だった。ついに、廖化を誘って、本拠を出た。もちろん連れてゆく兵は精鋭中の精鋭を択りすぐって。

曠野の一丘に、一の陣屋がある。いわゆる最前線部隊である。この小部隊は、点々と横に配されて、十二ヵ所の長距離に連っている。

この線を敵に突破されることは恐い。一ヵ所突破されれば十二の部隊がばらばらになるからである。関平の血気に従って廖化のうごいた所以も、要するにその重要性があるからだった。

「今夜、敵の裸山へは、自分が攻め上ってゆく。ご辺はこの線を守り、敵の乱れを見たら、十二陣聯珠となって彼を圧縮し、四散する敗兵をみなごろしになし給え」

云いのこして、廖化をあとに、関平だけが、深夜、裸山を急襲した。

ところが山上には、旗影だけで、人はいなかった。

「しまった」

急に駈けくだろうとすると、諸所の窟や岩の陰や、裏山のほうから、いちどに地殻も割れたかと思うような喊声、爆声、罵声、激声——さながら声の山海嘯である。

呂建、徐商の二将は、

「小伜、汝の父は、逃げることばかり教えたのか」

と、関平を追いまわした。野に出ても、魏軍はふえるばかりだった。草みな魏兵と化して関平を追うかと思われた。

廖化の守っていた線も、この怒濤をさえぎり切れず、いちどに崩壊してしまった。いやいや、そこはまだしも、四家の陣からも、炎々たる火焔が夜空を焦き始めた。あえぎあえぎ沔水のながれまで来てみれば、まっ先に徐晃が馬を立てて、

「ひとりも渡すな」

と、手落ちなき、殲滅陣をめぐらしている。

今は挽回の工夫もない。全面的な敗北だ。関平と廖化はやむなく樊城へ奔った。そして関羽の前へ出るや、

「面目もありません」

と、拳で悲涙を拭った。

「兵家の常だ」

関羽は叱らなかった。けれど関平が荊州方面の噂を告げると、

「ばかな！」と叱って——「陸口の将は小児、烽火台の備えもあるし、荊州の守りは泰山の安きにある。そちまでが敵の流言に乗せられてどうするか」

と、語気あらく戒めた。

二

曹操の中軍も、徐晃の先鋒も、目ざましく進出した。何十万とも知れぬ大軍はいまや山野に満ちてひたひたと関羽の陣に迫っている。

「見えたるか、徐晃」

関羽が左の臂の矢瘡は、いまは全く癒えたかに見えるが、その手に偃月の大青龍刀を握るのは、病後久しぶりであった。

「徐晃はお避けなさい」

関平は諫めたが、何の——と関羽は長髯を横に振って、

「徐晃はむかしの友だ。一言申し聞かせて、われ未だ老いず——を見せ示しておかねばならん」

いよいよ、両陣の相接した日、関羽は馬を出して徐晃と出会った。徐晃はうしろに十余人の猛将をつれていた。

馬上、礼をほどこし、さて、彼はいう。

「一別以来、いつか数年、想わざりき将軍の鬢髪、ことごとく雪の如くなるを。——昔それがし壮年の日、親しく教えをこうむりしこと、いまも忘却は仕らぬ。今日、幸いにお顔を拝す。感慨まことに無量。よろこびにたえません」

「おお、徐晃なるか。ご辺も近来赫々と英名を成す。ひそかに関羽も慶賀しておる。さ

はいえ何故、わが子関平に、苛烈なるか。昔日の親密を忘れずとあらば、人に功は譲っても、自身は後陣に潜むべきではないか」

「否とよ将軍、すでにお忘れありしか。むかし少年の日、あなたが我に教えた語には、*大義親を滅すとあったではないか。――それっ諸将。あの白髪首を争い奪れっ。恩賞は望みのままぞ！」

大声一呼、馬蹄に土を蹴るやいなや、うしろの猛将たちと共に、彼も斧をふるって、関羽へ撃ってかかった。

われ老いず！　われ老いず！　と関羽は自己を叱咤しつつ、雷閃雷霆のなかに数十合の青龍刀を揮った。

――が矢瘡はまだ完く癒えたとはいいきれない。わけて老来病後の身である。危ういこと実に見ていられない。わけて親子の情に駆らるる関平に於てをやだ。関平はたちまち退き鉦鳴らして兵を収めた。

この退き鉦は、まさに虫の知らせだった。同じ頃、久しく籠城中の樊城の兵が、門を開いて突出してきた。これは死にもの狂いの兵なので、包囲は苦もなく突破され、そこにあった関羽軍は、襄江の岸へとなだれを打って追われた。

この二方面の頽勢から、関羽軍は全面的の潰えを来し、夜に入ると続々、襄江の上流さして敗走しだした。

道々、魏の大軍は、各所から起って、この弱勢の分散へ拍車をかけた。わけて呂常の一軍の奇襲には、寸断の憂き目をうけて、江に溺れ死ぬもの、数知れぬほどだった。ようやく江を渡って、襄陽に入り、味方を顧みれば、何たる少数、何たる酸鼻、さしもの関羽も悲涙なきを得なかった。

のみならず、ここに着いて、初めて荊州陥落の嘘伝でないことが分った。呉の大将呂蒙の手にかかってわが一族妻子も生かされている有様と聞き、関羽は慨然また長嘆、天を仰いだまましばしことばもない。

魏軍はすぐ江上から市外にわたって満ち満ち、襄陽にも長くいられなかった。――さらば公安の城へとさして行けば、途中、味方の一将が落ちてきて、その公安も傅士仁が城を開いて呉へ渡してしまい、南都の糜芳も彼に誘われて孫権へ降伏したという悲報をもたらした。

「ううむ、いかなれば、かくは……」と、牙を咬み、恨気天を突いて、眦も裂けよと一方を睨んでいたと思うと、如何にしけん関羽はがばと、馬のたてがみへうっ伏してしまった。

臂の瘡口が裂けたのである。

抱きおろして、人々は介抱を加えたが、関羽は、自己の不明を慚愧してやまず、呂蒙の策や烽火台の変を聞いては、

「われ過って、豎子の謀にあたる。何の面目あって、生きて家兄(玄徳)にまみえんや」

と、鎧の袖に面をつつんで声涙ともに咽んでいた。

一方、樊城(はんじょう)を出て、一夜に攻守転倒、追撃に移っていた曹仁は、その臣、司馬趙儼(ちょうげん)の、

「もうこれ以上、関羽を窮地へ追うのは愚です。呉に害を残しておくために——」という深謀に諫(いさ)められ、いかにもと兵を収めて、曹操の中軍にことごとく集まった。

曹操は徐晃をこのたびの第一級の勲功とたたえ、平南将軍に封じて、襄陽を守らせた。

月落(つきお)つ麦城(ばくじょう)

一

進まんか、前に荆州の呉軍がある。退(しりぞ)かんか、後には魏の大軍がみちている。

眇々(びょうびょう)、敗軍の落ちてゆく野には、ただ悲風のみ腸(はらわた)を断つ。

「大将軍。試みに、呂蒙(りょもう)へお手紙を送ってみたら如何ですか。かつて呂蒙が陸口にいた時分は、よく彼のほうから密書をとどけ、時来らば提携して、呉を討ち、魏を亡ぼさんと、刎頸(ふんけい)の交(まじ)わりを求めてきたものです。或いは今もその気持をふかく抱いているやも

知れません……」

家来の趙累がすすめた。

「そうも致してみるか」

暗夜行路にひとしい。一点の灯なと見つけようと思う。

関羽は書簡をしたためた。

それを携えて、使いは荊州へ行った。——と聞いて呂蒙はわざわざ城外まで迎えに出、駒をならべて自身案内した。

「羽将軍のお使いが来たというぞ。関羽様のご家臣なら、樊川へ従軍したわしらの子の便りも知っていよう」

聞き伝えて、荊州の領民は、わが子の消息はどうか、わが良人、わが親ども、わが弟、わが叔父、わが甥どもは、生きているやら、戦死したことやら、その後の様子を知らせてよと、使者のまわりへ群れ集まった。

「帰りに。帰りに」と、使者はなだめて、ようやく城中へ入った。

呂蒙は書簡を見て、

「関将軍のお立場は察し入る。また旧交も忘れていません。しかし交わりは私のこと。今日の事は国家の命である。おからだをお大切に、ただよろしく申したとお伝えあれ」

使者には充分な馳走をし、土産には金帛を送って、懇ろに城門へ送った。

帰る使者の姿を見ると、荊州の民は、かねて書いておいた手紙やら慰問品を手に手に

持って、

「これを子に届けて給われ、これをわが良人へ」と、使者に托した。

そしてなお口々にいうには、

「わしらはみな、呂蒙様のご仁政のおかげで、以前に増して温く着、病む者には薬を下され、難に遭った者は救っていただくなど、少しも心配のない暮しをしておりまするで、そのことも、伜や良人に伝えてくだされ」

使者は辛かった。耳をふさいで逃げたかった。

やがて蕭条たる曠野の中の野陣へ帰ってきて、関羽に、ありのままを告げると、関羽は長嘆久しゅうして、

「ああ、われはとうてい、呂蒙の遠謀には及ばない。今思うに、すべて呂蒙の遠い慮りであった。荊州の民をも、それまで帰服せしめてしまうとは、恐るべき人物……」

あとは口を閉じて何もいわなかった。ただ眼底の一涙がきらと光ったのみである。

野営は長く留まれない。大雨がくるとたちまち附近は沼となり河となる。このうえは玉砕主義をとって、荊州へ突き進もう。呂蒙と一戦を交えるも快である。

命令を出して、明日は野陣を払って立つときめた。ところが、夜が明けてみると、兵の大半はいつの間にか逃げ落ちてしまい、いよいよ残り少ない軍力となってしまった。

「ああしまった。こんなことになるなら、荊州の民に頼まれた手紙や品物や、また言伝なども兵に聞かすのではなかったものを」

使者に行った将は、ひそかに悔いたが、もう間にあわない。残っている兵の顔にも、慕郷や未練のかげが濃く、戦意はまったくあがらなかった。

「去る者は去れ。一人になっても我は荆州に入る」

関羽は断乎として進んだ。

けれど途中に、呉の蔣欽、周泰の二将が、嶮路を扼して待っていた。河辺にたたかい、野に喚きあい、闇夜の山にまた吠え合った。——しかもそこではさらに、呉の徐盛が、雷鼓して伏兵を起し、山上山下から襲ってきた。

「百万の敵も何かは」

日頃と変らない沈着の中に、関羽の武勇は疲れを知らなかった。けれど、山峡のあいだに、皎々として半月の冴える頃、こだまする人々の声を聞いては、さすがの彼も戦う力を失った。

親は子を呼び、子は親を呼ぶ。或いは良人の名を、或いは妻の名を、互いに呼び交わす声が悲風の中に絶え絶え聞える。そしてここかしこ、関羽の兵は、白旗を振って、荆州の方へ馳けこんでゆく。

「ああ。これも呂蒙の計か」

関羽は憮然として、月に竦み立っていた。

二

飛び去る鳥の群れは呼べども返らない。行く水は手をもて招いても振り向かない。およそ戦意を失い未練に駆られて離散逃亡し始めた兵の足を、ふたたび軍旗の下に呼び帰すことはどんな名将でもできないことである。もう手を拱いて見ているしかない。

「万事休す」

関羽のすがたは冷たい石像のように動かなかった。残る将士は四、五百に足らない有様だ。しかし関平と廖化とは、

「何とかして活路を見出したいもの」

と、わずかな手勢をまとめては敵の囲みを奇襲し、ようやく一方の血路をひらいて、

「ひとまず、麦城まで落ちのびましょう」と、関羽を護って、麓へ走った。

麦城はほど近い所にあった。けれどそこは今、地名だけに遺っている前秦時代の古城があるに過ぎない。もちろん久しく人も住まず壁石垣も荒れ崩れている。

「時にとって、五百の精霊が一体となって立てこもれば、これでも金城鉄壁といえないことはない」

ここへ入って、廖化がそう士気を鼓舞すると、関平もまず自ら気を旺に示して、

「そうだとも。未練な弱兵はことごとく落ち失せて、ここに残った将士こそ篩にかけられた真の大丈夫ばかりである。一騎よく千騎に当る猛卒のみだ。兵力の寡少は問題でない」

と、あえて豪語した。

さはいえその関平も廖化も内心では事態の最悪を充分に覚悟している。ふたりは関羽の前へ出てはまたこう進言した。

「ここから上庸の地はさして遠くありません。上庸の城には蜀の劉封、孟達などがおります。救いを求めて、彼の蜀軍を呼び、力を新たにして、魏を蹴散らすぶんには、荊州を奪りかえすことは十中九まで確信してよいかと思われますが」

「まさにその一策しかない」

関羽は、矢倉へ上った。そして古城の外をながめた。愕くべし満地の山川ことごとく呉旗呉兵と化している。いわゆる蟻も通さぬ鉄桶の囲いである。しかも隊伍斉々、士気は高く、馬のいななきも旺である。

関羽は顧みて云った。

「誰かよくこの重囲を破って上庸へ使いし得よう。出ればたちまち死の道だが」

聞くやいな廖化が答えた。

「誓って、それがしがお使いを果してみせます。もし能わぬときは、一死あるのみ。すぐ第二のご使者を出して下さい」

その夜、廖化は関羽の一書を衣に縫いこみ、人々に送られて、古城の一門から外へまぎれ出た。

たちまち、暗夜の途は金鼓鉄槍に鳴りひびいた。呉の大将丁奉の部下が早くも見つけて追ってくる。それを城中から関平の一隊が出てさんざんに駈け乱した。廖化はようやく死線を越えた。

彼はあらゆる辛酸をなめ、乞食のような姿になって、ついに目的の上庸に行き着いた。そして城を訪れるや直ぐ、劉封に会って仔細を告げ、

「さしもの関将軍もいまや麦城のうちに進退全くきわまっておられる。もし救いが遅延すれば関将軍は最期を遂げるしかありません。一日いや一刻も争うときです。すぐ援軍をお向けねがいたい」

と、一椀の水すら口にしないうちに極言した。

劉封はうなずいた。――が何と思ったか、

「ともかく孟達に相談してみるから」

と、彼を待たせておいて、にわかに孟達を呼びにやった。

やがて孟達は、べつな閣へ来ていた。劉封はそこへ行って、ただ二人きりで問題を凝議しだした。――何分この上庸でも今、各地の小戦争に兵を分散しているところであった。この上にも本城の自軍を割いて遠くへ送るなどということは、二人にとって決して好ましい問題ではない。

三

孟達は難しい顔して劉封を説いた。

「断りましょう。折角だが、関羽の求めに応じるわけにはゆきません。なぜというまで

もなく荊州九郡にはいますくなくも四十万の呉軍があり、江漢には曹操の魏軍がこれも四、五十万はうごいておる。――そこへわずか二千や三千の援軍を送ってみた所でどうなるものですか。かえって、この上庸をも危うくするものです」

孟達の言は常識だ。しかし劉封には苦悶があった。なぜならば関羽は彼の叔父だからである。

孟達はその顔色を読んで、

「あなたは劉家のご養子ですから、本来、漢中王の太子たるに、それを邪げた者は関羽でした。始め、その儀について、漢中王が孔明に訊ねたところ、孔明は悧巧者ですから、一家の事は関羽か張飛にご相談なさい――と巧く逃げた。で、関羽へお訊ねが行ったところ関羽は――太子には庶子を立てないのが古今の定法である。劉封はもと螟蛉の子、山中の一城でも与えておかれればよいでしょう――と、まるであなたを芥のようにしか視ていない復命をしたものです」

「……とはいえ、いま関羽を見殺しにしたら、世の誹りは如何あろう？」

「誰が、一杯の水で薪車の炎を消し得なかったと咎めましょう」

劉封も遂にその気になり廖化に会って断わった。廖化は愕然として頭をたたき、面を床にすりつけて、

「もしお援け下さらねば、関将軍は麦城に亡びますぞ。見殺しになさる気か」

と、痛哭した。

「――一杯ノ水、安ンゾ能ク薪車ノ火ヲ救ワン」

劉封はそう云い捨てて奥へ逃げてしまった。

廖化はさらに孟達へ面会を求めたが、仮病をつかってどうしても会わない。彼は地だんだ踏んで上庸を去った。そして罵り罵り馬に鞭打って、はるか成都へさして馳けた。千山万水、道はいかに遠くても、この上は漢中王へ直々に救いを仰ぐしかないと決意したからである。

× × ×

麦城は日に日に衰色を示した。関羽、関平以下五百の将士は首を長くして、

「きょうか、明日か」

と廖化の帰りを待ち、援軍の旗を待っていたが、折々、空をゆく渡り鳥の群れしか見えなかった。

糧も尽き、心も疲れ、人馬ともに生色なく、墓場にも似た古城の内にただ草ばかり伸びてゆく。

関羽は幽暗な一室に瞑目していた。趙累が前にひれ伏して、

「城中の運命はもうここ旦夕のうちです。如何にせばよいでしょうか」

「ただよく守れ。最後まで」

関羽は一言しかいわなかった。

時に。――城門をたたく者があった。呉の督軍参謀でまた蜀の孔明が兄でもあるとい

う。すなわち諸葛瑾だった。

「まことにお久し振りでした」

瑾は関羽に会うと、呉侯の胸として伝えた。

「時務を知るは名将の活眼。大勢はすでに決しました。荊州九郡の内、残るは麦城の一窟のみ、今やことごとく呉軍でないものはありません。しかも内に糧なく、外に救いなき以上、いかに将軍が節を持しても無駄ではありませんか。主人孫権はそれがしを差し向け、慇懃に将軍を迎えて来いと仰せられました。いかがです私と共に栄華長生の道へ、すなわち呉の陣門へ降りませんか」

関羽は肩で苦笑した。

「呉侯は人をみる明がない。懦夫に説くような甘言はよせ。窮したりといえど、関羽は武門の珠だ。砕けても光は失わず白きは変えぬ。不日、城を出て孫権といさぎよく一戦を決するであろう。立ち帰ってそう告げられよ」

「何故将軍はそのように好んで自滅を求め給うか」

すると一隅から、黙れッと大喝して、鞘走る剣と共に、諸葛瑾へ跳びかからんとする若者があった。関羽は叱咤して、その関平の臂を抑え、

「待てまて。孔明の兄だ、孔明に免じて、放してやれ」

そして瑾を城外へ追い返すと、関羽はふたたび寂として瞼をとじた。

蜀山遠し

一

閑話休題――

千七百年前の支那にも今日の中国が見られ、現代の中国にも三国時代の支那がしばしば眺められる。

戦乱は古今を通じて、支那歴史をつらぬく黄河の流れであり長江の波濤である。何の宿命かこの国の大陸には数千年のあいだ半世紀といえど戦乱の絶無だったということはない。

だから支那の代表的人物はことごとく戦乱の中に人と為り戦乱の裡に人生を積んできた。また民衆もその絶えまなき動流の土に耕し、その戦々兢々たるもとに子を生み、流亡も離合も苦楽もまたすべての生計も、土蜂の如く戦禍のうちに営んできた。

わけて後漢の三国対立は、支那全土を挙げて戦火に連なる戦火の燎原と化せしめ、その広汎な陣炎は、北は蒙疆の遠くを侵し、南は今日の雲南から仏印地方（インドシナ半島）

にまでわたるという黄土大陸全体の大旋風期であった。大乱世の坩堝であった。

このときに救民仁愛を旗として起ったのが劉備玄徳であり、漢朝の名をかり王威をかざして覇道を行くもの魏の曹操であり、江南の富強と士馬精鋭を蓄えて常に溯上を計るもの建業（現今の南京）の呉侯孫権だった。

建安二十四年。

曹操が本来の野望を実現して、自ら魏王の位につき、*天使の車服を冒すにいたり、劉備玄徳もまた、孔明のすすめに従って蜀の成都に漢中王を称えた。そして魏呉両国に境する荊州には関羽をおいて、しばらくは内政拡充に努めていたのである。

果然、蜀の大不幸は、その時に、その荊州から起った。関羽の死と、荊州の喪失とである。

後の史家は、紛議して、これを玄徳の順調と好運がふと招いた大油断であるといい、また王佐の任にある孔明の一大失態であるとも論じて、劉備と孔明のふたりを非難したりした。

けれど。

大局からみると、蜀にとって、中原の大事は、荊州よりも、むしろ漢中にある。そしてその漢中には、魏の曹操が自ら大軍を率して、奪回を計っていた。――この際、当然、蜀の関心は曹操にそそがれていた。

その曹操と呉の孫権とは、赤壁以来の宿敵である。まさか一夜にしてその積年の障壁が外交工作によってとりのぞかれ、魏呉友好をむすんで、呉の大艦船が長江を溯り、荊州を圧そうなどとは夢想もできない転変だったにちがいない。

加うるに、劉備も孔明も、いささか関羽の勇略をたのみすぎていた。忠烈勇智、実に関羽は当代の名将にちがいなかった。けれどそれにしても限度がある。ひとたびその荊州の足場を失っては、さすがの関羽も、末路の惨、老来の戦い疲れ、描くにも忍びないものがある。全土の戦雲今やたけなわの折に、この大将星が燿として麦城の草に落命するのを境として、三国の大戦史は、これまでを前三国志と呼ぶべく、これから先を後三国志といってもよかろうと思う。「後三国志」こそは、玄徳の遺孤を奉じて、五丈原頭に倒れる日まで忠涙義血に生涯した諸葛孔明が中心となるものである。出師の表を読んで泣かざるものは男児に非ずとさえ古来われわれの祖先もいっている。誤りなく彼も東洋の人である。以て今日の日本において、この新釈を書く意義を筆者も信念するものである。ねがわくは読者もその意義を読んで、常に同根同生の戦乱や権変に禍いさるる華民の友国に寄する理解と関心の一資ともしていただきたい。

二

孔明の兄、諸葛瑾は、いつも苦しい立場にあり、またいつも辛い使いにばかり向けられた。

温厚にして博識、彼も一かどの人物だったが余りにずば抜けている弟孔明の偉さに消されて、とかく彼の名も振わず、その存在も忘れられ勝ちである。何しろ自分は呉に仕え、弟の孔明は蜀にいるのだ。呉侯を始め呉の将士から疑われもせず、呉の陣中にいるだけでも、彼がいかに正直で節操のある人物かということはわかる。

――にもかかわらず、彼が用いられたり、使者として選ばれる時は、対蜀外交の策謀とか、関羽を味方へ抱き込む工作とか、どっちにしても、間接に肉親へ弓を引くような苦しいそして至難な役目をいつかる場合にのみ限られていた。

以前、荊州へ使いしたときも苦い思いをなめたが、こんどもまた、麦城に入って、関羽を説くのに、心のうちでは、どんなに辛い気がしたか知れなかった。

「玄徳とは若い頃に桃園で義兄弟の義をむすび、弟の孔明もつねに尊敬しておかないほどな将軍である。どんな好餌や甘言をもって説いたところで、あの人が節を変えて呉へ降るなどということはありえない」と、会わないうちから分りきっていたからである。

だが、一縷の望みは、

「麦城の運命はもう知れている。糧もない、兵力もない、後方の援けもない、飢餓に迫っている部下五百を救うために、或いは、人情もろい関羽のことだから、遂に降伏する気になるかもしれぬ」

ということだけであった。

けれどこれも諸葛瑾の空想だけにとどまっていた。毅然たる関羽の前に、彼はそんな使者に立って行ったことすら恥かしく思わずにいられなかった。何を説いても一笑に付せられたのみか、関羽の養子には剣をもって脅かされ、いわゆるほうほうの態で追い返されるの憂き目をあえて見てしまった。

「……惜しい。実に惜しい人物だ」

それでも彼はしみじみ独りつぶやいて帰った。

呉侯孫権は、寄手の本陣に、待ちわび顔であったが、瑾の帰りを見ると、

「どうだった？」

と、すぐ早口にたずねた。

「耳もかしません」

瑾はありのままを復命して、さらに、

「関羽の心は鉄石そのものです。所詮、凡人を説くような利害で招こうなどとしても、徒労に過ぎないのみか、かえってわが君のご心事を、彼の嘲笑に供えるだけのものにしかなりません」

と、つけ加えた。

すると側にいた呂範が、

「私が占ってみましょう」

と、孫権の顔を仰いだ。関羽が蜀へ寄せている忠烈を知れば知るほど、何とかして、関羽を殺したくない、そして呉の帷幕に招き入れたいと、種々に手を尽し心をくだいて

いるらしい主君の胸が、呂範にもよく見えたからである。

「む、む。占ってみるか」

呂範は君前をさがるとすぐ浄衣に着かえて祭壇のある一房へ籠った。＊伏犠神農の霊に禱り、ひれ伏すこと一刻、占うこと三度、地水師の卦を得た。

もう夜に入っていたが、ふたたび君前へもどって卦を披露に出ると、孫権と碁を囲んでいた呂蒙が、

「まさにその易はあたっている。――敵人遠くへ奔るという卦の象だ。それがしが思う所とよく一致する。おそらく関羽は麦城からのがれ出んものと今や必死に腐心しておる。それも大路は選ばず、城北へ細く険しい山道を目がけ、夜陰に乗じて、突破を試みるに違いない」

と、掌をさすようにいった。

孫権は手を打って、

「そのときだ。伏兵をして、彼を狭い山道に生捕るのは」

と、あわてて軍令に立ちかけたが、呂蒙はまだ碁盤に向って、独りにやにやと笑っていた。

三

「さあ、さしかけの局を、片づけてしまいましょう。今度はわが君の番ですが」

呂蒙は、碁盤をへだてて、孫権へ次の手をうながした。

孫権はもう心もそぞろに、

「それどころではない。碁をもうやめて、麦城の間道へ手配をせねば」

というと、呂蒙は、

「ご心配には及びません。たとえ関羽に地をくぐり空をかける術ありとも、もう絶対にあの中から逃げることはできないまでに、作戦の手順は行き届いておりますから」

「では、城の搦手にも、裏山の方面にも、すでに伏兵が向けてあるのか」

「もちろんです。——さあ、次の手をどうなさいますか」

と、また盤をつきつけた。孫権もそう聞いて落着きを得、ふたたび局面にむかって碁をさしているとこんどは呂蒙が急に、

「……そうだ、北の門の寄手がすこし手強すぎる。誰か、潘璋を呼んでくれぬか」

と、独り言をつぶやいて、うしろにいる武士へいいつけた。

すぐ潘璋が呼ばれてきた。呂蒙は碁をうちながら振り向いて、

「麦城の北門には、三千の寄手が向けてあるが、それを弱兵ばかり七、八百に減らして、ほかはすべて西北にあたる山中に埋伏するように、至急、君が行って指図してくれ」と、指令した。

潘璋が去ると、また、

「朱然を呼んでくれ給え」

と、近侍へたのみ、その朱然が見えると、

「新手四千騎を加えて、敵城の南、東、西の三方へいよいよ圧力を加え給え、そして足下はべつに千騎をひきい、北方の小道や山野など隈なく遊軍として見廻っているように」と、いった。

それからすぐ呂蒙は、碁盤の前を離れて、

「どうです、わたくしがやはり勝ったでしょう。せっかくですがまだ君公のお手のうちでは、呂蒙を降すことはできませんな」と、愉快そうに笑った。

負け碁となったが、孫権も共に哄笑した。囲碁には破れてもいまや敵城は余命旦夕、関羽を生擒ることも神算歴々と、心に大きな満足がべつにあったからである。

——それにひき代えて。

昨日今日の、麦城の内こそ、実に惨たるものだった。

五百の兵は、三百人に減っていた。傷病者は殖え、脱走者は絶えない。夜に入ると、古城の外から呉の陣にある荆州兵が、

「邱よ、出てこい」

「李よ。李よ。逃げてこい」

などと声をひそめて呼び出しにくる。その誘惑は力があった。

さすがの関羽もいまは百計尽きたかの如くであった。王甫や趙累にむかっても、

「もう最後である。顧みるに、この大敗を招いたのは、一に関羽の才が足らなかったと

いうしかない。廖化も途中で討たれたかどうしたか、所詮、援軍を待つ望みも絶えた」

と、絶望を洩らした。

義胆忠魂、一代に鳴らした英傑も、いまは末路を覚るかと、王甫は思わず涙をながして、

「いやいや、まだ決して、百計が尽きたとはいえません。まだ活路はあります。先頃からうかがうに北門の搦手は、敵も手薄、そこを破って、北方の山中へ馳せ入り、蜀へさして、お落ちあれば——何ぞきょうの悲運を敵に与え返すことのできぬわけがありましょうか。……あとは王甫が生命がけで固めています。城もろとも微塵になるまで殿軍していま す。どうか少しも早く蜀へ」

と、落去をすすめた。

すでに糧もなく矢弾もない。関羽はついに涙をのんで王甫に別れた。すなわちわずか百余人を城中へ残し、あと二百足らずの兵をひきいて、一夜無月の闇を見さだめ麦城の北から不意に打って出たのであった。

四

関平と趙累の二将が、関羽の先に立って、まず北門附近の呉兵を蹴ちらし、主従二百騎、ひたすら山へ向って走った。

麦城の北に連なる峨々たる峰の背さえ越えれば、道は蜀に通じ、身は呉の包囲の外に

立つ。

「そこまでの辛抱ぞ」

「そこまでは敵の伏兵に出合っても目をくれるな。ただ追い散らせ、ただ急げ」

合言葉のように云い交わしながら関羽を守り囲んだ同勢は、やがて初更の真っ暗な山の細道へ登りかけた。

——がしばらくは、出で合う敵もなく、草木を揺がす伏兵の気ぶりもなかった。

一山を越えて、また次の一山を迎えた。その間は西方の沢が裾をひいて、まるで漆壺のような闇の盆地を抱いている。淙々として白きは水、岸々として高きは岩、関羽や関平の駒は幾たびも石ころや蔓草につまずきかけた。

すると突然、前面の沢からチラチラと無数の火が見えた。左の山からも一団の炬火が駆け下ってきた。右の峰からも、さらに後ろのほうからも、火光はここに集まって、やがて天を焦がすばかりの火となった。

「呉兵だ」

「伏兵だぞ」

すでに矢風は急雨のごとく身辺をかすめていた。

かねての覚悟、関羽は偃月刀を馬上に持ち直して、

「関平、道をひらけ」

といった。

「父上、こうお進みなさい」

と先に立って、関平はむらがる伏勢の中へ斬って入った。続いて関羽も駒をすすめかけると、

「羽将軍、待ち給え」

と、呉の大将朱然が横あいから呼びかけた。

関羽は、ちらと振り向いたが、戦うを好まず、そのまま駈け出した。朱然は追い慕って、

「かつて羽将軍が、敵にうしろを見せた例は聞かないのに、こよいは如何召されたか」

と執拗に槍をつけた。

「おうっ、それまでに、わが刃を首に欲するか」

関羽は馬をめぐらして、一颯、大青龍刀をうしろに送った。朱然は、面を伏せ、念力を凝らして、猛然突いてかかったが、もとより関羽の敵ではなく、やがて恐れ震えて逃げだした。

「――追うまじ」

と戒めていたが、騎虎の勢いというものか、関平の姿もいつか見失い、味方の小勢も散りぢりなので、彼はつい朱然を追って、いよいよ山の隘路まで行ってしまった。

そこは臨沮の小道といって、樵夫さえよくまごつく迷路だった。

突然、四山の岩は雪崩れて、駒の脚も埋めるかと思われた。彼のまわりを離れずにい

た七、八名の旗本もことごとく岩にあたって圧しつぶされた。

「おう、ここはこの世か、地獄か」

関羽はしまったと呟きながら急に馬を戻しかけたが、呉の大将潘璋の伏勢が、松明を投げて、彼の前後を阻み、いよいよ関羽が孤立して、そこに進退きわまっていることを確かめると、一斉に鼓を打ち鉦を鳴らし、獣王を狩り立てている勢子のように、わあっと、友軍を呼び、またわあっと、友軍へこたえた。

「父上っ、父上っ……」

どこかで関平の声がする。関羽は心がみだれた。子は何処？　趙累その他の味方は如何にと。

「羽将軍羽将軍。すでに趙累の首も打った。いつまで未練の苦戦をなし給うぞ。いさぎよく盔をぬいで天命を呉に託されい」

呉将潘璋は、やがて馬をすすめて関羽へ云った。長髯に風を与えて、関羽は駈け寄るや否、

「匹夫っ。何ぞ真の武魂を知ろうや」

と、ふりかぶる大青龍刀の下に彼を睨んだ。十合とも太刀打ちせずに潘璋は逃げ奔った。追いまくって密林の小道へ迫りかけた時、四方の巨木から乱離として鈎のついた投縄や分銅が降った。関羽の駒はまた何物かに脚をからまれていなないた。天命ここに終れるか、同時に関羽は鞍から落ちた。そこで潘璋の部下の馬忠というものが、熊手を

伸べ、刺股（さすまた）を懸けて、遂に関羽を捻じ圧（おさ）え、むらがり寄って高手小手に縛（いまし）めてしまった。

草喰（くさく）わぬ馬（うま）

一

関平も父の姿をさがし求めているうちに、朱然、潘璋の軍勢に生捕られた。そして荒縄にかけられて呉侯孫権の陣へひかれてゆく間も、父関羽の名を叫び、無念無念をくり返していた。

報を聞いて孫権は、翌る日、早暁に帳（とばり）を出て、馬忠に関羽をひかせ、清々（すがすが）しげに彼をながめて云った。

「自分はかねてより将軍を慕って、将軍の娘をわが子息へ迎えようとすらしたことがある。何で足下はあの時わが懇志（こんし）をしりぞけたか」

関羽は黙然たるのみであった。孫権は語をつづけて、

「また将軍は、常に天下無敵の人と思っていたが、なんで今日、わが軍の手に捕われた

のか。われに降って、呉に仕えよと、天がご辺に諭しているものと思われる」

関羽はしずかに眸を向けて、

「思いあがるを止めよ、碧眼の小児、紫髯の鼠輩。まず聞け、真の将のことばを」

と、容を正した。

「劉皇叔とこの方とは、桃園に義をむすんで、天下の清掃を志し、以来百戦の中にも、百難のあいだにも、疑うとか反くなどということは、夢寐にも知らぬ仲である。今日、過って呉の計に墜ち、たとえ一命を失うとも、九泉の下、なお桃園の誓いあり、九天の上、なお関羽の霊はある。汝ら呉の逆賊どもを亡ぼさずにおくべきか。降伏せよなどとは笑止笑止。はや首を打て」

それきり口をつぐんで再びものをいわない。さながら巌を前に置いているようだった。

「一代の英雄をわしは惜しむ。何とかならんか」

孫権は左右を顧みて、

と、ささやいた。

主簿の左咸が意見した。

「おやめなさい。おやめなさい。むかし曹操もこの人を得て、三日に小宴、五日に大宴を催し、栄誉には寿亭侯の爵を与え、煩悩には十人の美女を贈り、日夜、機嫌をとって、引き留めたものでしたが、ついに曹操の下に留まらず、五関の大将を斬って、玄徳の側へ帰ってしまった例もあるではありませんか」

「…………」

「失礼ですが、あの曹操にしてすらそうでした。いわんや呉の国へどうして居着くものですか。苦杯をなめた曹操も後に大きな悔いを抱きました。今彼を殺さなければ後には呉の大害となるにきまっています」

「…………」

孫権はなお唇をむすんでしばらく鼻腔で息をしていたが、やがて席を突っ立つや否や、われにも覚えぬような大声でいった。

「斬れっ。斬るのだっ。――それっ関羽を押し出せ」

武士はかたまり合って関羽を陣庭広場までひき立てた。そして養子関平と並べてその首を打ち落した。時、建安二十四年の十月で、この日、晩秋の雲はひくく麦城の野をおおい、雨とも霧ともつかぬ濛気が冷やかにたちこめた。

「馬忠への褒美には、関羽の乗っていた馬をとらせるであろう。関羽に恥じぬ手柄をあらわすがいい」

関羽の愛馬は世にも名高い駿足赤兎である。孫権は、馬忠にそれを与え、また潘璋にはこれも関羽の遺物となった青龍の偃月刀を与えた。

（名将にあやかりたい）は誰もの心理とみえて、敵人ながら関羽の遺物はその片袖その一すじの紐まで呉の将士に欲しがられた。その意味で馬忠は皆から羨望の的になったが、

「……これはいかん。どうしたのだろう？」

四、五日すると、彼はひどく悄気てしまった。

なぜならば拝領の赤兎馬は、関羽の死んだその日から草を喰わなくなったからである。秋日の下に曳きだして、いかに香わしい飼料をやっても、水辺に覗かせても、首を振っては悲しげに麦城のほうへ向っていななくのみであった。麦城にはまだ百余人が籠城していた。けれど、その後、呉軍が迫ると、すでに王甫も関羽の死を知ったとみえ矢倉の上から飛び降りて死んだ。また関羽の片腕といわれた周倉も自ら首を刎ねて憤死した。

二

関羽の死後にはいろいろな不思議が伝えられた。彼の武徳と民望が、それを深く惜しみ嘆く庶民の口々に醸されて、いつか神秘を加え説話をつくり、それが巷に語られるのであろう。とにかく種々な噂が生れた。

荊州の玉泉山に、普静という一老僧がいる。これはもと、汜水関の鎮国寺にいた僧で、関羽とは若い時代から知っていた師であり心友であったという。

近頃。この普静和尚が、月の白い晩、庵のなかで独り寂坐していると、

「普静普静」

と空中から人の声がして、

還我頭来。還我頭来。

と二度まで明らかに聞えた。

仰いでみると、雲間に関羽の顔がありありと現れ、右に周倉、左に関平、そのほかの将士も従っていた。普静は声をあげて、

「雲長関羽、いま何処にあるか」と訊ねた。

すると空中の声は、いとも無念そうに、

「呂蒙の奸計に陥ちて、呉の殺に遭えり。和尚、わが首を求めて、わが霊を震わしめよ」

と答えた。

普静は起って庭に出で、

「将軍、何ぞそれ迷うの愚を悟らざるか。将軍が今日まで歩み経てきた山野のあとには将軍と恨みをひとしゅうする白骨が累々とあるではないか。桃園の事はすでに終る。いまは瞑して九泉に安んじて可なりである。喝！」

と、*払子で月を搏つと、たちまち関羽の影は霧のように消え失せてしまった。

しかしその後も、月の夜、雨の夜、庵を叩いて、

「師の坊、高教を垂れよ」

とたびたび人の声がするというので、玉泉山の郷人たちは相談して一宇の廟を建て、関羽の霊をなぐさめたという。

また。

呉の孫権は荊州戦ののち大宴をひらいて将士をねぎらったが呂蒙が見えない。彼は呂蒙へその席から使いをやって、

「このたび、荊州を得たのはみな汝の深慮遠謀に依るものだ。汝がすがたの見えないのは淋しい。予は汝の来るまで杯をとらずに待つであろう」と、云い送った。

呂蒙は過分なるおことばと恐縮してすぐ席へ来た。孫権は杯をあげて、

「周瑜は赤壁に曹操を破ったが不幸早く世を去った。魯粛も帝王の大略を蔵していたが荊州を取るには到らなかった。けれどこの二人はたしかに予の半生中に会った快傑であった。ところが今日、荊州はわが物となり、しかもわが呂蒙は眼前になお健在だ。こんな愉快なことはない。まさに御身は周瑜、魯粛にも勝るわが呉の至宝である」と、その杯を彼にとらせた。

すると呂蒙は、やにわに杯をなげうって、孫権をはったと睨めつけ、

「碧眼の小児、紫髯の鼠賊、思いあがるを止めよ」

と大喝して、なお何か罵りだした。

満座の人々は総立ちになって、彼のまわりに集まり、ほかへ連れて行こうとしたが、呂蒙は怖ろしい力で振り放ち、愕き騒ぐ人々を踏みつけて、ついに上座を奪ってしまった。そして物の怪に憑かれた眼を怒らして、

「われ、戦場を縦横すること三十年、一旦、汝らの詐りに落ちて命を失うとも、かなら

ず霊は蜀軍の上にあって呉を亡ぼさずにはおかん。かくいう我はすなわち漢の寿亭侯関羽である」

と、吠ゆるが如く云った。

孫権も諸人もみな震えあがってほかの閣へ逃げてしまった。だが燈は消えて真っ暗になったそこから呂蒙は出てこなかった。後、諸人がそっと灯をともしてそこへ行ってみると、呂蒙は自分の髪の毛をつかんで、悶え死んでいた。

これも当時流布された巷の話の一つである。もとより真相に遠いことはいうまでもなかろう。けれど荊州占領の後、幾ばくもなくして呂蒙が病で世を去ったことだけは事実であった。

国葬

一

呉侯は、呂蒙の死に、万斛の涙をそそいで、爵を贈り、棺槨をそなえ、その大葬を手厚くとり行った後、

がめて、

「父の職をそのまま襲ぐがよい」

と、なぐさめた。その折、張昭が訊ねた。

「関羽の葬いはその後いかがなさいましたか」

「斬に処したまま取り捨ててある。首は塩漬けにして保存してあるだろう」

「それは何とかしなければなりますまい」

「葬儀をか？」

「いや後日の備えをです。――彼と玄徳と張飛とは、生きるも死ぬもかならず倶にせんと桃園に誓いを結んできた仲です。その関羽が斬られたことを知れば、蜀は国をあげて、この仇を報いずにいないでしょう。孔明の智、張飛の勇、馬超、黄忠、趙雲などの精猛が命を惜しまず呉へ震いかかってきたら、呉はいかにしてそれを防ぎますか」

「…………」

孫権は色を失った。孫権とてそれを考えていないではないが、張昭が心の底から将来の禍いを恐れているのを見ると、彼も改めて深刻にその必然を思わずにいられなかった。

張昭はさらに云った。

「建業から呂覇を呼べ」と、いいつけた。

呂覇は呂蒙の子である。やがて張昭に連れられて荆州へ来た。孫権は可憐な遺子をな

「呉にとって、なお恐るべき問題は、もう一つあります。それは蜀が目的のためには一時の不利をかえりみず魏へ接近を計るに相違ないと思われることです。蜀が一部の地を割いて曹操に与え魏蜀提携して呉へ南下して来たら、呉は立ち所に、四分五裂の敗を喫し、ふたたび長江に覇を載せて遡ることはできないでしょう」

「……張昭。それを未然に防ぐにはどうしたらよいだろう」

「故にです。――死せりといえど関羽の処置はこれを重大に考えなければなりません。関羽の死は、もともと曹操のさしずであり、曹操の所業であると、この禍いの鍵を魏へ転嫁してしまうに限る。張昭はさように考えるのです。――で、関羽の首を使いに持たせて、それを曹操のほうへ送り届けるとしますか、曹操は、もとより先に呉へ書簡を送って、関羽を討てといってきたことですから、嘉賞してそれを受取るでしょう」

「なるほど」

「そして呉は盛んに、天下に向って、関羽を亡ぼしたものは魏であると、彼の功をたたえる如く吹聴する。――さすれば玄徳の怨みは当然、魏の曹操へ向けられて、呉は第三者の立場に立って、その先を処してゆかれます」

こういう国際的な対策に微妙な計を按ずるものは、さすがに張昭をおいてほかにはない。孫権はこの宿老の言を珍重してすぐ使者を選び、関羽の首を持たせて、魏へ派遣した。

そのとき曹操はすでに凱旋して洛陽にかえっていたが、呉の使いが、関羽の首を献じ

てきたと聞き、

「ついに彼は首級となり、我は生きて、ここに会見する日が来たか」

と、遠い以前の事どもを追想しかたがた、孫権の態度も神妙なりと嘉して、群臣と共に使者を引いて、関羽の首を実検した。

すると、その席で、

「大王大王。ご喜悦の余りに、呉が送ってきた大きな禍いまでを、共に受け取ってはなりませんぞ」

と、諸人の中から吸嗚った者がある。

人々の眼はその顔を求めた。曹操が、何故かと、それへ向って訊ねると、彼は、

「これは呉が禍いを転じて、蜀のうらみを魏へ向けさせせんとする恐ろしい謀計です。関羽の首をもって魏蜀の相剋を作り、二国戦い疲れるを待つ呉の奸智たることに間違いはありません」

と、はばかりなく断言した。すなわち司馬懿、字は仲達であった。

二

呉の深謀も、ついに魏を欺けなかった。魏にも活眼の士はある。司馬仲達の言は、まさに完膚なきまで、呉の詐術を暴露したものであった。

曹操もおぞ毛を震って、仲達の言は、真に呉の意中を看破したものだとうなずいた。

そして、関羽の首はそのまま呉へ返そうかとまで評議したが、

「いや、それでは、大王のご襟度が小さくなります。ひとまず収めて、何気なく使者をお帰しになった上でまたべつにお考えを施せばよろしいでしょう」

と、それも仲達の意見だった。

やがて呉使が引き揚げると、曹操は喪を発して、百日のあいだ洛陽の音楽を停止させた。そして沈香の木をもって関羽の骸を刻ませ、首とともにこれを洛陽南門外の一丘に葬らせた。その葬祭は王侯の礼をもって執行され、葬儀委員長には司馬懿仲達がみずから当った。大小の百官すべて見送りに立ち、儀仗数百騎、弔華放鳥、贄の羊、祀りの牛など、蜿蜒洛陽の街をつらぬいた。そしてなおこの盛大な国葬の式場へは、特に、魏王曹操から奏請した勅使が立って、地下の関羽へ、

「荆王の位を贈り給う」

と、贈位の沙汰まであった。

呉は、禍いを魏へうつし、魏は禍いを転じて、蜀へ恩を売った。

三国間の戦いは、ただその屍山血河の天地ばかりでなく、今は外交の駈引きや人心の把握にも、虚々実々の智が火華を散らし始めてきた。これを曹操や玄徳が、世に出始めた序戦時代に較べると、もう戦争そのものの遂行も性格も全然違ってきたことが分る。すなわちかつてのように部分的な戦捷や戦果を以ては、われ勝てりと、祝杯に酔ってはいられなくなったのである。いまや蜀も魏も呉もその総力をあげて乾坤を決せねばなら

ぬ時代に入ると共に、この三国対立の形が、一対一で戦うか、変じてその二者が結んで他の一へ当るか、そういう国際的なうごきや外交戦の誘導などに、より重大な国運が賭けられてきたものといってよい。で、大戦展開の舞台裏にはなお戦争以上の戦争がつねに人智のあらゆるものを動員して戦っているものだという表裏の相を、この時代の戦争にもまた観ることができるのである。

時はすこしさかのぼるが——

成都にある玄徳は、これより以前に、劉瑁の未亡人で呉氏という同宗の寡婦を後宮にいれ、新たに王妃としていた。

呉氏は、貞賢で顔色も優れていた。玄徳が荊州にいた時代、呉国の孫権の妹を娶ったこともあるが、この呉妹と別れ去ってからは、久しく寂寞な家庭におかれていた彼も、その後、若い王妃呉氏とのあいだに、ふたりの男子をもうけていた。

兄は劉永、字は公寿。

弟は劉理、字は奉孝という。

その頃——

荊州方面から蜀へ来た者のはなしに、

「この頃、呉の孫権が関羽を抱きこもうとして、関羽のむすめを呉侯の嫡子へ迎えようと、使者をやったところ、関羽は、虎の子を犬の児の嫁にはやれんと、断ったそうですよ」

と、面白おかしく伝えた。

孔明の耳へ、噂が入ったのは、だいぶ後だったので、孔明が、荊州に変が起こることを直覚して、

「たれか代りをやって、関羽と交代させないと、荊州は危うくなりましょう」

と、玄徳へ注意した頃には、すでに荊州から戦況をもたらす早馬が日夜蜀へ入ってきた。けれど、それは皆、勝ち戦の報ばかりだったので、玄徳もむしろ歓んでいると、やがて秋十月の一夜、彼は机に倚ってうとうとと居眠っているところを、王妃の呉氏に呼び起され、今ふと見た夢に、慄然とあたりを見まわした。

成都鳴動

一

宮殿の廂をこえて、月の光は玄徳の膝の辺まで映している。妃は、燭が消えているのに気づいて、侍女を呼んで明りをつけさせながら、

「どうなさいましたか」

と、玄徳の側へ寄った。

「いや、几に倚って、独り書を読んでいたのだが……」

と、玄徳は呟いたが、すぐ自分の言葉を自分で否定するように、

「何か、わしの唸き声でも聞いたか」

と、反問した。

「ええ、うなされておいでになりました」

と、妃は微笑んで、二度までも大きなお声がしたので、何事かと見にきたのですと云った。

「そうか。ではいつか居眠って、夢でもみていたのだろう」

玄徳もようやくわれに返ったような笑顔を燭に見せた。そして和子たちを呼んで妃と共にしばらく興じていたが、やがて寝所に入った。

ところがその夜の明け方、彼はまたも、宵にみた夢と同じ夢を見た。

夢の中には、一痕の月があった。墨のごとき冷風は絶え間なく雲を戦がせ、その雲の声とも風の声ともつかない叫喚がやむと、寝所の帳のすそに、誰か平伏している者がある。

愕然、夢の中で、玄徳はその者へ呶鳴った。

(や。わが義弟ではないか。——関羽、関羽。こんな夜更けに、そも、何しに来たか)

まさしくそれは関羽の影にちがいないのだが、いつもの関羽に似もやらず、容易に面

もあげず、ただ凝然と涙を垂れている容子。——そして一言、

（桃園の縁もはかなき過去と成り果てました。家兄、はやく兵のご用意あって、義弟のうらみをそそぎ賜われ……）

と、いったかと思うと、黙然一礼して、水の如く、帳の外へ出て行くのだった。

（待て、待て。義弟）

玄徳は夢中にさけびながらその影を追って、前殿の廻廊まで走り出したが、そのとき宙天一痕の月が鞠のように飛んで西山へ落ちたと見えたので、あっと面をおいながらそれへ倒れてしまった。

夢は夢に過ぎなかったが、彼が前殿の廊で仆れていたのは事実であった。孔明はその朝、常より早めに軍師府へ姿を見せていたが、舎人から噂を聞いて、すぐ漢中王の内殿を訪れた。

「すこしお顔色がわるいようではございませんか。昨夜はよく御寝にならなかったのですか」

「オオ軍師か」と、玄徳は彼を待っていたように——「実はゆうべ二度まで同じ夢をみたので、ご辺を迎えにやろうかと思うていたところじゃ」と、ありのままを語った。

孔明は笑って、

「それはわが君がつねに、遠くある関羽の身を、朝となく夜となくお思い遊ばしておられるので、いわゆる煩悩夢を為すで、御心の疲れに描かれた幻想に過ぎません。まず今

がよいでしょう」

日は、秋園の麗かな下へ玉歩を運ばれて、妃や若君たちと終日嬉々とお遊びになられた

孔明はすぐ退がった。

そして中門廊まで来ると、太傅の許靖が、彼方から色を変えて急いでくる。彼は呼び止めて、

「太傅、何事かある？」と、たずねた。

許靖は早口に告げた。

「荊州が破れました。——今暁の早打ちに依ると」

「なに。荊州が」

「呉の呂蒙に計られ、関羽は荊州を奪われ、麦城へ落ちのびたとかで」

「……ウウム。恐らくは事実であろう。夜々、天文を観るに、荊州の天に、一抹の凶雲がただようているように思うていた。そうか。……だが太傅、まだその儀は、漢中王にご披露せぬがよかろう。にわかに驚かれると、或いはお体をそこねるやも知れぬ」

すると、廊の角に、玄徳が姿を見せて、

「軍師、さばかりは案じるな。予は健康である。また荊州の破れも関羽の変も、あらましは案じて、もう覚悟は致しておる」と、遠くからいった。

ところへ馬良や伊籍が来て、またおのおの口から、荊州陥落の悲報を伝えた。さらに、その日の午過ぎには関羽の幕下廖化が、まるで乞食のような姿をして、はるか麦城

からこれへたどりついた。

廖化の到着によって、事態はいよいよ明瞭になった。玄徳の悲痛な色は、この時から憤りに変った。

二

なぜならば、上庸にある劉封と孟達が、荊州の破れを見ても、関羽の窮状を知っても、また廖化がそこへ援兵を頼みに行ってさえ、頑として援兵を出さず、この大事態を、傍観しているという真相を、親しく、廖化の口からいま聞いたからである。

「やわか、義弟の関羽を、見殺しになすべきぞ、旁々憎むべき劉封、孟達の輩。断じて、罪せねばならぬ」

彼は、三軍に令し、自ら出陣せんといって、閬中にある張飛へ向けても、

「変あり。すぐ来り会せよ」

と、早馬をやった。

孔明は、彼の悲心と怒りを、極力なだめて、

「まずまず御心を静かに保ちたまえ。臣みずから一軍をひきいて、必ず孤立の関羽を救いだしましょう。劉封の君、孟達などのご処分は、後にして然るべきかと存じます」

やがて張飛も駈けつけ、蜀中の兵馬も、続々と成都に入り、ここ両三日、三峡の密雲も風をはらみ、何となく物々しかった折も折、国中を悲嘆の底へつきおとすような大悲

報は、遂に、最後の早馬によって、蜀宮の門に報じられた。

（一夜、関羽軍は、麦城を出て、蜀へ走らんとし、途中、臨沮という所で、とうとう呉の大将潘璋の身内の馬忠という者の手で捕われました。そして即日、呉陣において、父子とも御首を打たれ、敵なきご最期を遂げられて候う）という趣であった。

それを聞くと、かねて期していたことながら、玄徳は愕然と叫びを発した。

「おおっ、関羽はついに、この世の人でなくなったか」

と、慟哭のあまり、昏絶して、以来三日のあいだ、食もとらず、臣下にも会わなかった。――が、孔明だけは、強いて帳内に入ることを乞い、まるで婦人のように悲嘆してのみいる玄徳を仰いで叱るが如く諫めた。

「死生命アリ富貴天ニアリ。桃園の誓いも約束なら、人の死や別離も当然な約束事ではありませんか。もしわが君までお体をそこねたら何といたしますか」

「軍師、嗤うてくれ。女々しいとは知りながら、凡情いかんともなし難い」

「お察し申しあげます。けれどお嘆きあるばかりで、ご無念の容子がないのは不思議です」

「無念やる方なければこそ、人に面を会わせずにいるのに、軍師にはなぜそのような咎めをなすか。見よ、誓って、呉と日月をともにせず、呉にこの報復を与えずにはおかん」

「その御心さえしかと肚にお据えなれば、いつまで綿々嫋々と、婦女子の涙を真似ている秋ではございますまい。——以後次々と、また今朝も、府内に早馬が新しい報をもたらして来ていますが、帳を閉して深くお籠り遊ばしているため、情報官もそれを御前へ披露に及ぶ由もなく、みな困っておりまする」

「悪かった。改めよう」

「今朝の情報では、呉は関羽の首を魏へ送り、魏ではそれを王侯の礼をもって国葬に附したということです」

「呉の意は何にあるのか」

「わが蜀の怨みを怖れ、魏へ禍いを転嫁して、蜀の鉾を魏へ向けさせんとする企みです」

「たれか、そのような、欺瞞に乗せられようぞ。予は速やかに出陣する。そして呉を討ち、関羽の霊をなぐさめよう」

「甚だよろしくありません」

「なぜだ？　たった今、予の涙を、婦女子のようだと叱ったご辺が、そのことばを為すは、矛盾であろう」

「時を待つべきです。関羽がなお生存ならばどんな犠牲も厭うものではありませんが、もう焦心っても無益です。——この上はしばらく兵を収めてじっと時の移りを観、呉と魏のあいだに、何らかの不和を醸し、両者が争いの端を発したとき、蜀は初めて起つべきでしょう。それまではご無念も胸に畳んでおかれますように……」

この日、漢中王の名をもって、蜀中に喪は発せられ、成都宮の南門には、関羽を祭る壇が築かれ、そして雪積む冬中も弔旗は寒天に凍っていた。

梨の木

一

戦陣に在る日は、年を知らない曹操も凱旋して、すこし閑になずみ、栄耀贅沢をほしいままにしていると、どこが痛む、ここが悪いと、とかく体のことばかり訴える日が多かった。

いかんせん彼もすでに今年六十五という老齢である。体のままにならないのは自然だったが、自分ではまだそう思わないらしい。「どうもこう近頃のように勝れないのは、関羽の霊でも祟っているのではあるまいか――」などと時々気に病んでいたりした。

ある時、側臣たちが、

「この洛陽の＊行宮も、もうずいぶん殿宇が古くなっていますから、自然怪異のことが多うございます。居は気をかえると申しますから、べつに新殿を一宇お建てになられては如何ですか」

と、すすめた。

その前から曹操は、建始殿と名づける大楼を建造したいという望みを抱いていたが、ただ彼の求めるような良工がまだ見つからなかった。で、今もそのことをいうと侍側のひとりが、

「洛陽に蘇越という建築の名工がいます。これならきっとお気に入るにちがいありません」

と、いった。

賈詡に命じて、すぐ蘇越へその儀を達せよ、となった。蘇越は召されて後、賈詡の手を経て、設計図をさし出した。曹操が見ると、九間の大殿が中心となって、南楼北楼を連ね、奥の建始殿の構想など最も気に入ったらしかった。

けれど九間の大殿には、おそらくそんな長い棟木があるまいと思われたので、蘇越をよんで、

「そちの図はまことに良いが、画いた良さだけでは仕方がない。どこから、そんな巨きな材木を探してくるか」と、問うた。

蘇越は答えていう。

「洛陽から三十里、躍龍潭の淵に、一つの祠があります。そこにある梨の木は高さ十余丈、千古の神木です。これを伐って棟梁といたしましては如何でしょうか」

「なに、梨の木。それは珍しい。天下に二つとない建築物になろう」

老いても奇を好む習癖は失せないらしい。曹操は直ちに大勢の人を派して伐らせた。ところがその神木の幹は、鋸の刃も斧もてんで受けつけないということで、幾日経っても、材木は運ばれてこなかった。

曹操は聞いて、必定それは、人夫どもが祠の神木だという伝説に恐怖を抱いているせいだろう。自分がそこへ臨んで、彼らの迷信の蒙をひらいてやる、車の用意をせよ、と命じて、急に数百騎の供をつれ、躍龍潭へ出かけて行った。

車をおりて、梨の木を仰ぐと、梢は雲に接し、根は百龍のごとく淵に蟠っている。

曹操は根もとへ寄って、

「普天の下、われに怪をなすものはない。いま汝を伐って、わが建始殿の棟梁とする。汝、精あらば後生の冥加を歓んでよかろうぞ」

剣を抜いて、ちょうっと一颯、梨の幹へ、一伐を加えた。

するとそれを眺めていた土地の老翁や神官などが、みなあッと、声を放って哭いた。その声と共に、震々、梨の木は葉をふりこぼし、幹は血のごとき樹液をほとばしらせた。

「すでに予が斧初めの刃を入れた。もし木の精が祟るなら曹操へ祟るだろう。もう心配はないから恐れずに伐れ」

彼は、工匠の蘇越や人夫どもへそう告げて、すぐ洛陽へ立ち帰った。

しかしその車を宮門で降りたときは、すでに彼の顔色は常でなかった。すこし気分が悪いと呟いてすぐ寝殿へ入ってしまったのである。

間もなく、あたふたと、侍医がそこから退がってきて、

「どうも、お熱が高い」と、眉をひそめながら薬寮へ入って行った。

時々、寝殿の帳から、譫語が洩れてきた。そのたびに、侍臣が駈けこんで、枕頭をうかがっていると、曹操は眦をあげて、

「梨の木の怪神はどこへ行った」とじろじろ見まわした。

侍臣が、そんな者はおりませんというと、曹操はつよく首を振って、

「いや、真っ白な衣を着た怪神が、梨の精だと名乗って、幾たびも予の胸を圧した。探してみろ」

と、云い張って肯かなかった。

二

翌る日はなお頭痛を訴えてやまない曹操であった。時折、梨の木の怪を口走ることも前夜と同じなのである。

侍医はあらゆる薬餌を試みたが、病人の苦悩は少しも減じない。そして日の経るに従って、曹操の面には古い壁画の胡粉が剝落してゆくように、げっそりと窶れが見えてきた。

めずらしく今朝はすこし気分が快いらしく、曹操は、見舞に来た華歆とはなしこんでいた。華歆は、

「侍医の百計も、験がないと御意遊ばすなら、いま金城に住居すると聞く華陀をお召しになってごらんなさい。華陀は天下の名医です」

と、しきりにすすめているのだった。

病人も意をうごかして、

「名医華陀の名はつとに聞いていた。沛国譙郡の産で、以前、呉の周泰を療治した者ではないか」

「よくご存知でいらっしゃいます。仰せの通りの人物で、彼の手にかかって癒らない病人はない程にいわれております。臓を患い、腑を腐らしたような重病人も、麻肺湯を飲ますと、須臾の間に昏睡して、仮死の状態になります由で、すなわち彼は、刀をとって、腹を解剖き、臓腑を薬洗して、たちまち元のように収め、糸をもって傷口を縫うに、二十日を経ずして、まったく快癒した例などもあるそうでございまする」

「ふふむ……そんな荒療治をいたすのか」

「いやいや、その間、病人は少しも痛みを覚えないと申しまする。またこんな例も聞きました。甘陵の相夫人ですが、妊娠して六月目の頃、どうしたのかひどく腹痛がして苦悶三日三晩に及んだのを、華陀に診てもらったのです。華陀は脈をみるとすぐ、ああこれは惜しい、孕まれたのはせっかく男子らしいが、食毒にあたってすでに腹中

で絶命している。いま癒さなければ母命も危ういところだろうと、すなわち、調薬して病人に与えると、果たして男胎が下り、夫人は七日を経てもとの体にかえったそうです」

「そんなに神効があるものなら呼んでみよう。早速、計らってくれい」

病人は眸に希望をかがやかしてそう命じた。華歆は早速使いを走らせ、魏王の名とその勢力をもって、遠く金城の地から夜を日に次いで華陀を洛陽へ招きよせた。

華陀は到着すると、その日のうちに登殿して、曹操の病間へ伺候した。そして慎重に眼瞼や脈をしらべて、

「これは風息の病にちがいございません」と、診断した。

曹操はうなずいて、

「そうあろう、予の持病は、偏頭風とか申して、それが発作すると、無性に頭が痛み、数日は飲食もできなくなるのが常だ。せっかく名医に来て貰ったことだから、なんとか、その持病を根治する方法はないだろうか」

「さよう……」

と、華陀はちょっと難しい顔をして考えこんでいたが、ややあって、

「ないこともありません。けれど非常に難しい手術を要します。ご持病の病根は、脳袋のうちにあるので、薬を召しあがっても、所詮、病に何の効もないのです。ただ一つの方法は、麻肺湯を飲んで、仮死せるごとく、昏々と意識も知覚もなくしておいてから、

脳袋を解剖き、風涎の病根を切り除くのでございます。さすれば十中の八、九は、根治するやも知れません」

「もし、十中の一でも、巧くゆかなかったら、どうなるか」

「畏れながら、ご命数と、お諦め遊ばすしかございませぬ」

曹操は勃然と怒って、

「これ、やぶ医者。汝は予のいのちを、医刀の試みに用いるつもりか」

「ははは。私には自信がありますが、あえて謙遜して申しあげたのです。かつて荆州の関羽が毒矢にあたって苦しまれていた時も、手前が行って、その臂を切り、骨を削り、さしもの毒も取り除いて、全治させております。何で大王には、それしきの手術を恐れて、華陀の医術をお疑い遊ばすか」

「だまれ、臂と脳袋と、同じにいえるか。ははあ、さては汝は、関羽と親しい間がらの者であるな、察するに、予の病を絶好の機として近づき、関羽の仇を報ぜんとするのであろう。――者ども、者どもっ。この曲者を搦め捕って、獄へほうりこめ」

病人はがばと起き、阿修羅のごとく指さして罵った。

曹操死す

一

せっかく名医に会いながら、彼は名医の治療を受けなかった。のみならず華陀の言を疑って、獄へ投じてしまったのである。まさに、曹操の天寿もここに尽きるの兆というほかはない。

ところが、典獄の呉押獄は、罪なき華陀の災難を気の毒に思って、夜具や酒食を入れてやったり、拷問にかけよと命ぜられても、ひそかに庇って、ただ報告だけをしていた。

華陀はふかく恩を感じて、ある日、人目のない折、

「呉押獄。情けはありがたいが、もし上司に知れたら、御身はたちまち免職になるであろう。わしもすでに老齢じゃ。長からぬ命といまはさとっておる。以後はどうかほうっておいて欲しい」

と、落涙して云った。

「いやいや、先生に罪があるなら私も決して庇いませんが、自分は呉にいた頃から先生の人格と神技に深く敬慕を寄せていた者です。どうかそんなご心配なく」

「では、其許は呉の産か」

「ええ。姓も呉氏です。若い時分、医学が好きで、医者の書生となって勉強したこともありましたが、そのほうでは遂に志を得ず、司法の役人になってしまったのです」

「……ふふむ、そうか。しからば恩返しの一端に、わしが秘伝の書として家に蔵しておる医書を御身へ譲ってやろう。わしの亡き後は、その神効をことごとく学び取って、世の病者を救ってやってくれい」

「えっ。先生、それはほんとですか」

「いま、郷里の家人へ宛ててわしが書簡を書くから、金城のわしの家まで行って、その医書を貰って参るがよい。書簡の内へも書いておくが、それは青嚢の書といって、書庫の奥深くに秘して、今日まで他人に見せたことはないものじゃ」

華陀は留守のわが家へ宛てて手紙を書いた。そしてそれを呉押獄へ授けたが、折ふし曹操の病が重態を伝えられ、宮門の内外も各役所も何となく繁忙と緊張を加えていたので、彼は華陀から貰った手紙を深く肌身に秘して十日余りつい過していた。

すると、ある日の早暁、突然、剣を提げた七名の武士がどやどやと獄府へ来て、

「魏王のご命令である。ここを開けろ」

と、牢番に命じて、華陀のいる獄の扉をひらかせ、中へ躍りこんだと思うと、一声、

唸き声が外まで聞えた。

　呉押獄がそこへ来て見た時は、ちょうど血刀を提げた七名が、悠々と帰って行くところであった。武士らは彼のすがたをかえりみて、

「呉押獄、魏王のご命令で、ただ今、華陀は成敗したぞ、あいつめが、毎晩のように、お夢の中にあらわれるゆえ、斬殺して来いとのおいいつけに依ってだ」と云い捨てて行ってしまった。

　呉押獄はその日のうちに、役をやめて金城へ旅立った。そして華陀の家を尋ねて手紙を渡し、青嚢の書を乞いうけて郷里へ帰った。

「おれは典獄をやめて、これからは医者で立つ。しかも天下の大医になってみせる」

久し振り、酒など飲んで、妻にも語り、その晩はわが家に寝た。

　翌朝、ふと庭面を見ると、妻は庭の落ち葉を積んで、焚火をしていた。呉押獄は、あっと驚いて、

「ばかっ。何をするか」

　と、焚火を踏み消して叫んだが、青嚢の書はもう落葉の火と共に灰になっていた。

　彼の妻は、血相を変えて怒り立つ良人へ、灰の如く、冷やかに云い返した。

「たとえあなたの身が、どんなに流行るお医者になってくれても、もしあなたの身が、この事から捕われて獄へひかれたら、それまでではありませんか。私は禍いの書を焼き捨てたのです。いくら叱られてもかまいません。良人を獄中で死なすのを、妻として見

ているわけには参りませんから」

——ために華陀の「青嚢の書」は、遂に世に伝わらずにしまったものだということである。そして曹操の病も、その頃いよいよ重り、洛陽の雲は寒々と憂いの冬を迎えていた。

二

冬の初め、ひとたび危篤を伝えられたが、十二月に入ると、曹操の容態はまた持ち直して来た。

呉の孫権から、見舞の使節が入国した。書簡のうちに、呉はみずから臣孫権と書いて、

（魏が蜀を討つならば臣の軍隊はいつでも両川へ攻め入り、大王の一翼となって忠勤を励むでしょう）

と、媚を示していた。

曹操は病褥のうちであざ笑って、

「青二才の孫権が、予をして火中の栗を拾わしめようと謀りおる」

と、つぶやいた。

老龍ようやく淵に潜まんとする気運を観て、漢朝の廷臣や彼の侍中、尚書などの職にある一部の策動家のあいだに、この秋をもって、曹操を大魏皇帝の位にのぼせ、有るか

無きにひとしい漢朝を廃して、自分たちも共に栄耀を計ろうとする運動がひそかにすすんでいた。

――が、曹操は、

「予はただ周の文王たればよし」

と、いうのみで、自身が帝位に即こうとはいわなかった。けれどそれを以て言外のものを察しるならば、わが子を帝位に即かせて、自分は歴朝の太祖として崇められてゆけば満足である、という意は充分にあるらしくうかがわれた。

またある折、司馬懿仲達がそっと、枕辺に伺候して、

「せっかく、呉使が来て、みずから臣と称え、魏の下風に屈して参ったものですから、この際、孫権へ何か加恩の沙汰を加え、それを天下に知らしめておくのが良策ではありますまいか」

と、将来のために一言した。

曹操は、至極とうなずいて、

「そう、そう、よく気づいた。孫権へ驃騎将軍、南昌侯の印綬を送ってやろう。そして荊州の牧を命ずと、発表するがよい」と、手続きを命じた。

その晩、彼は夢を見た。

三頭の馬が、一つの飼桶に首を入れて、餌を争い喰っているそんな夢を見たのである。朝になって、賈詡へそのことを話すと、賈詡は笑って、

「馬の夢は吉夢ではありませんか。ですから、馬の夢を見ると、民間では、お祝いをするくらいですよ」といって、しきりに気に病む病人をよろこばせた。

いずくんぞ知らん、この一夢は、やがて曹家に代って、司馬氏が天下をとる前兆ではあった、と後になっては、附会して語る人々もあった。冬雲の凍る十二月半ばの頃から、曹操の容態はふたたび険悪に落ちた。一代の英雄児も病には克てない。彼は昼夜となく、悪夢にうなされた。洛陽の全殿大廈も震い崩るるような鳴動を時々耳に聞くのだという。そしてそのたびに、みなぎる黒雲の中から、かつて彼の命の下にあえなき最期をとげた漢朝の伏皇后や、董貴妃や、また国舅董承などの一族があらわれて、縹渺と、血にそみた白旗をひるがえして見せ、また雲の中に金鼓を鳴らし、鬨の声をあげたり、そうかと思うと、数万の男女が、声をあわせてどっと笑ったかと思うと、たちまち掻き消えてしまったりするのだという。

「みなこれ、怪異のなす業、ひとつ天下の道士をあつめて、ご祈禱を命ぜられてはいかがですか」

と侍臣がいうと、曹操はなお苦笑して、

「日々千金を費やすとも、天命ならば一日の寿も購うことはできまい。況んや、英雄が死に臨んで、道士に祓をさせたなどと聞えては、世のもの笑いであろう。無用無用」

と、退けて、その後で、重臣すべてを枕頭によびあつめ、

「予に、四人の子があるが、四人ともが、みな俊英秀才というわけにもゆかない。予の

観るところは、平常のうちに、おまえたちにも語っておる。汝らよくわが意を酌み、忠節を継ぎ、予に仕える如く、長男の曹丕を立てて長久の計をはかれよ。よろしいか」

おごそかに、こういうと、曹操はその瞬間に六十六年の生涯を一望に回顧したのであろう、涙雨のごとく頰をぬらし、一族群臣の嗚咽する眸の中に、忽然と最期の息を終った。——時、建安二十五年の春正月の下旬、洛陽の城下には石のような雹が降っていた。

武祖

一

曹操の死は天下の春を一時寂闇にした。ひとり魏一国だけでなく、蜀、呉の人々の胸へも云わず語らず、人間は遂に誰であろうとまぬがれ難い天命の下にあることを、今さらのように深く内省させた。

「故人となって見れば彼の偉大さがなお分る」

「彼の如き人物はやはり百年に一度も出まい、千年に一人もどうだか」

「短所も多かったが、長所も多い。もし曹操が現れなかったら、歴史はこうなって来なかったろう。何しても有史以来の風雲児だった。華やかなる奸雄だった。彼逝いて寂寥なき能わずじゃ」

ここしばらくの間というもの、洛陽の市人は、寄るとさわると、操の死を悼み、操の逸話を語り、操の人物を評し、何かにつけて、その生前を偲び合っていた。

われは漢の相国曹参の末裔たり。——とは、曹操みずからの称えていたことだが、事実はだいぶ違うようである。

彼の養祖父の曹騰は、漢朝の中常侍であるから、いわゆる宦官であり、宦官なるが故に、当然、子はなかった。——で、彼の父の嵩は他家から養子にきた者だし、いずれにしても余り良い家柄ではなかったらしい。

袁紹と戦ったとき、袁紹のために檄文を作った陳琳が、その文中に操をさして、

＝姦奄の遺醜。

と、彼の痛いところを突いているのでも分る。

少年から笈を負うて、洛陽に遊学し、大学を出てからも、放蕩任侠、後にやっと、宮門の警吏になって、久しく薄給で、虱のわいているような一張羅の官服で、大言ばかり吐いていたのだから、誰も相手にする者がなかったのは無理もない。その時代に、彼を一見した子将が、

「君は、治世の能臣、乱世の奸雄だよ」

と、一言で喝破したのは、たしかに操の性格と生涯を云いあてた名言であった。当時、操もまた、子将のその評に対して、

「それは本懐です」と、答えて去ったというから、薄給弱冠の一小吏の胸には、すでにその頃から天下の乱雲を仰いで、独りかたく期していたものがあったことは疑いもない。

彼の風采や趣向について、古書の記述を綜合してみると、玄徳の如く肥満してもいないし、孫権の如く胴長で脚の短い軀つきでもなかった。痩せ型で背が高く、これを「曹瞞伝」の描くところに従っていえば、

——佻易ニシテ威ナク、音楽ヲ好ミ、倡優、側に在リ、被服軽絹、常ニ手巾細物ヲ入レタル小嚢ヲ懸ケ、人ト語ルニハ戯弄多ク、歓ンデ大笑スルトキハ、頭ヲ几ニ没スルマデニ至リ、膳ノ肴ヲ吹キ飛バスガ如キ態ヲナス。

およそ彼の日常はこれで想像できるし、また彼が痩せッぽちであった証拠には、「英雄伝」の所載に、呂布が捕われて操の前へひかれて来たとき呂布が、

「公。何ぞ痩せたる」

と、揶揄したのに対して、操が言下に、

「靖乱反正。わが痩は、すなわち国事の為なり」

と、むしろ痩を誇っているような答えをなしているのでも分る。

夜は経書を読み、朝には詩を詠んだ。わけて群書を博覧し、郷党のために学業の精舎

を建て、府内には大文庫を設け、また古今の兵書を蒐蔵し、自分でも著すなど、彼は、決して、武のみの人ではなかった。

ただ彼のために惜しむものは、彼の奸雄的性格が、晩年にいたって、忠良の臣の善言に耳もかさず、ついに魏王を僭称し、さらに、漢朝の帝位をもうかがうまでに増長したことにある。彼が若年から戦うごとに世の群雄へ臨む秘訣としていた「尊朝救民」の大旆は、為にまったく自己が覇権を握るための嘘言に過ぎなかったことを、その肝腎な晩節の時へきてみずから暴露していることだった。――英雄も老ゆればまた愚にかえるか、と長嘆直言した良臣も、いまは多く九泉の下へ去っている。

かくて魏は、次の若い曹丕の世代に入った。曹丕は父の死の時、鄴都の城にいた。そしてやがて洛陽を出た喪の大列をここに迎えるの日、彼は哀号をあげて、それを城外の門に拝した。

二

曹丕は、曹家の長男である。

いま鄴都の魏王宮に、父の柩を迎えた彼は、そもそもどんな当惑と悲嘆を抱いたろう。余りに偉大な父をもち、余りに巨きな遺業を残された子は、骨肉の悲しみと共に、一時は為す術も知らなかったであろう。

――魏宮ノ上、雲ハ憂イニ閉ジ、殿裡ノ香煙、朝ヲ告ゲズ、日モ夜モ祭ヲナシテ、

哭ク声タダ大イニ震ウ

とある古書の記述もあながち誇張ではなかったに違いない。

時に、侍側の司馬孚(しばふ)は、

「太子には、いたずらに悲しみ沈んでおられる時ではありません。また左右の重臣たちも、なぜ嗣君(しくん)を励まして、一日も早く治国万代の政策を掲げ、民心を鎮め給わぬか」

と、さも腑甲斐(ふがい)なき人々よと云わんばかりにたしなめた。

重臣たちはそれに答えた。

「さようなことは、ご注意がなくても分っておるが、何よりも、魏王の御位へ太子を冊(かしず)き立て奉ることが先でなければならぬ。けれど如何せん、未だにそれを許すとの勅命が朝廷からくだっていない」

すると兵部尚書陳矯(ひょうぶのしょうしょちんきょう)がまたすすみ出て、やにわに声を荒らげ、

「やあ、いつもながら重臣方の優柔不断、聞くも歯がゆい仰せではある。国に一日の主なきもゆるさず。いま魏王薨(こう)ぜられ、太子御柩(みひつぎ)のかたわらに在り、たとえ勅命おそくとも、直ちに太子を上(のぼ)せて王位へ即(つ)け奉るに、誰かこれに従わぬ者があろうや。――もしまた、それを不可とし、阻(はば)め奉らん意志を抱く者があるなら、すすんでわが前にその名を名乗り給え」

と、剣を払って、睨(ね)めまわした。

重臣たちは、みな愕(おどろ)きの眼をすえて、一言と説を吐く者もなかった。

ところへ、故曹操の股肱の一人たる華歆が、許昌から早馬をとばしてきた。華歆来れりという取次ぎに、諸人はみな色を変じて、

「何事が勃発したのか」と、さらに固唾をのみ合っていた。

華歆はこれへ来ると、まず先君の霊壇に額ずき、太子曹丕に、百拝を終ってから、満堂の諸臣を見まわして、

「魏王の薨去が伝わって、全土の民は、天日を失ったごとく、震動哀哭、職も手につかない心地である。御身ら、多年高禄を喰みながら、今日この時、無為茫然、いったい何をまごまごしておられるのか。なぜ一日も早く太子を立てて新しき政綱を掲げ、天下に魏の不壊を示さないのか」

と、罵った。

諸人はまた口を揃えて、すでにその事は議しているが、まだ漢朝から何らのご沙汰がくだらないので、さしひかえているところであると陳弁した。

すると華歆はあざ笑って、

「漢の朝廷には今、そんな才覚のある朝臣もいないし、第一政事をなす機能すらすでに許都にはなくなっているのに、手をつかねて、勅命のくだるのを待っていたとて、いつのことになるか知れたものではない。故に、自分は直接、漢朝へ迫って、天子に奏し、ここに勅命をいただいて来た」

と、華歆は懐中から詔書を取り出して、一同に示したうえ、

「謹んで聴かれよ」

と、声高らかに読みあげた。

詔書の文は魏王曹操の大功を頌し、嗣子曹丕に対して、父の王位を即ぐことを命ぜられたもので――建安二十五年春二月詔すと明らかにむすんである。

重臣始め、諸人はみな眉をひらいて歓んだ。もとよりこれは漢帝のご本意でなかったこと勿論であろうが、その空気を察して、この際大いに魏へ私威を植えておこうとする華歆が、許都の朝廷へ迫ってむりに強請してきたものなのである。

が、名分はできた。形式はととのった。

曹丕はここに、魏王の位に即き、百官の拝賀をうけ、同時に、天下へその由を宣示した。

時に、一騎の早馬は、

（鄢陵侯曹彰の君。みずから十万の軍勢をしたがえ長安よりこれへ来給う）

という報をもたらした。曹丕は、大いに疑って、

「なに。弟が？」

と、会わないうちからひどく惧れた。曹彰は操の次男で、兄弟中では武剛第一の男である。察するに、王位を争わんためではないかと、曹丕は邪推して兢々と対策を考え始めた。

三

曹家には四人の実子があった。

生前曹操が最も可愛がっていたのは、三男の曹植であったが、植は華奢でまた余りに文化人的な繊細さを持ち過ぎているので、愛しはしても、

（わがあとを継ぐ質ではない）

と、夙に観ていた。

四男の曹熊は多病だし、次男の曹彰は勇猛だが経世の才に乏しい。で、彼が後事を託するに足るとしていたのは、やはり長男の曹丕でしかなかった。曹丕は親の目から見ても、篤厚にして恭謙、多少、俗にいう総領の甚六的なところもあるが、まず輔弼の任に良臣さえ得れば、曹家の将来は隆々たるものがあろうと、重臣たちにもその旨は遺言されてあった。

けれど王位継承のことは、兄弟同士の仲でもかねて無言のうちに自分を擬していた空気があるし、ことに遺子おのおのに付いている傅役の側臣中には歴然たる暗闘もあったことなので、今、兄弟中でも最も気の荒い曹彰が十万の兵をひいて長安から来たと聞いては、曹丕も安からぬ気がしたに違いなかった。

「お案じ遊ばすな。あの方のご気質はてまえがよく呑みこんでいます。まず私が参って、ご本心を糺してみましょう」

そういって、彼をなぐさめた諫議大夫の賈逵は、急いで魏城の門外へ出て行った。そして、曹彰を出迎えると、曹彰は彼を見るとすぐ云った。

「先君の印璽や綬はどこへやったかね？」

賈逵は色を正して答えた。

「家に長子あり、国に*儲君あり、亡君の印綬はおのずから在るべき所に在りましょう。あえて、あなたがご詮議になる理由はいったいどういうお心なのですか」

曹彰は黙ってしまった。

進んで、宮門へかかると、賈逵はそこでまた釘をさした。

「今日、あなたがこれへ参られたのは、父君の喪に服さんためですか、それとも王位を争わんためですか。さらに、忠孝の人たらんと思し召すか、大逆の子にならんとお思い遊ばすか」

曹彰は勃然と云った。

「なんでおれに異心などあるものか。これへ来たのは父の喪を発せんためだ」

「それなら十万人の兵隊をつれてお入りになることはありますまい。すべて、この所から退けて下さい」

かくて曹彰はただ一人になって宮門に入り、兄の曹丕に対面すると、共に手をとって、父の死を愁みかなしんだ。

曹丕が魏王の位をついだ日から改元して、建安二十五年は、同年の春から延康元年とよぶことになった。

華歆は功によって相国となり、賈詡は大尉に封ぜられ、王朗は御史大夫に昇進した。そのほか大小の官僚武人すべてに褒賞の沙汰があり、故曹操の大葬終るの日、高陵の墳墓には特使が立って、

——以後、諡して、武祖と号し奉る。

という報告祭を営んだ。

さて。葬祭の万端も終ってから、相国の華歆は、一日、曹丕の前へ出て云った。

「ご舎弟の彰君には、さきに連れてきた十万の軍馬をことごとく魏城に附与して、すでに長安へお立ち帰りなされましたから、かの君にはまず疑いはありませんが、三男曹植の君と、四男の曹熊君には、父君の喪にも会し給わず、いまだに即位のご祝辞もありません。故に、令旨を下して、その罪をお責めになる必要がありましょう。不問に附しておくべきではありません」

曹丕はその言葉に従って、すぐ令旨を発し、二人の弟へ、おのおの使いを派して、その罪を鳴らした。

曹熊の所へ赴いた使者は、帰ってくると、涙をながして告げた。

「常々、ご病身でもあったせいでしょうが、問罪の状をお渡しすると、その夜、自らお頸を縊って、あわれ自害してお果て遊ばしました」

曹丕はひどく後悔したが、事及ばず、篤く葬らせた。そのうちに、三男の曹植のもと

へ赴いた使者も帰ってきたが、この使いの報告は、前のとは反対に、いたく曹丕を憤らせた。

七歩の詩

一

曹丕が甚だしく怒った理由というのはこうであった。

以下、すなわち令旨をたずさえて、曹植のところから帰ってきた使者の談話である。

「――私が伺いました日も、うわさに違わず、臨淄侯曹植様には、丁儀、丁廙などという寵臣を侍らせて、前の夜からご酒宴のようでした。それはまアよいとしても、かりそめにも御兄上魏王の令旨をもたらして参った使者と聞いたら、口を含嗽し、席を清めて、謹んでお迎えあるべきに、座もうごかず、杯盤の間へ私を通し、あまつさえ臣下の丁儀が頭から使者たる手前に向って……汝、みだりに舌を動かすな。そもそも、先王ご存命のとき、すでに一度は、わが殿、曹植の君を太子に立てんと、明らかに仰せ出されたことがあったのだ。しかるに、讒者の言に邪げられ、ついにその事なく薨去せられたが、その大葬のすむや否、わが曹植の君に、問罪の使いを向けてよこすとは何事だ。いったい曹丕という君はそんな暗君なのか。……左右に良い臣もいないのか……。と、いやはや口を極めて罵りまする。するとまた、もうひとりの丁廙という家臣も口をそろえて。……知らずや汝、わが主曹植の君には、学徳世に超えたまい、詩藻は御ゆたかに、筆をとればたちまち章をなし、たちまち珠玉を成す。しかも生れながら王者の風を備えられておる。汝の侍く曹丕などとは天稟がちがう。わけて汝ら廟堂の臣ども、みなこれ凡眼の愚夫、豈、賢主暗君の見分けがつこうや。……と、まるでもうてんから頭ごなしで、二の句もいわせぬ権まくですから、ぜひなくただ令旨をお伝えしただけで、ほうほうの態にて立ち帰って参りましたような次第で――」

かくて曹丕の一旦の怒りは、ついに＊兄弟牆にせめぐの形を取ってあらわれた。彼の厳命をうけた許褚は、精兵三千余をひっさげて、直ちに、曹植の居城臨淄へ殺到した。

「われらは王軍である」

「令旨の軍隊だぞ」

許褚の将士は、口々にいって、門の守兵を四角八面に踏みちらし突き殺し、拒ぎ闘うひまも与えず閣中へ混み入って、折ふし今日も遊宴していた丁儀、丁廙を始め、弟君の植をも、ことごとく捕縛して車に乗せ、たちまち、鄴の魏城へ帰ってきた。

憎悪の炎を面に燃やして、曹丕は一類を階下にひかせて、一眄をくれるや否、

「まず、その二人から先に誅殺を加えろ」

と、許褚に命じた。

剣光のひらめく下に、二つの首は無造作に転がった。階欄は朱に映え、地は紅の泉をなした。

そのとき曹丕のうしろにあわただしい跫音が聞え、魂げるような老女の泣き声が彼の足もとへすがった。——ふたりの家臣が目のまえに斬られて、血しおの中に喪心していた曹植が、その蒼ざめた顔をあげてふと見ると、それは自分たち兄弟を生んだ実の母たる卞氏であった。

「あっ……わが母公」

植は思わず伸び上がって嬰児の如く哀れを乞う手をさし伸べると、老母は涙の目できっと睨めつけて、

「植……なぜ先王の御大葬にも会さなかったんですか。おまえのような不孝者はありません」

と、烈しく叱って、そして曹丕の裳を持った手は離さずに、

「丕よ、丕よ。ちょっと、妾のはなしを聞いておくれ。後生、一生のおねがいだから」

と、強ってわが子を引っ張って、偏殿の陰へ伴い、どうか同胞の情をもって、植の一命は助けてあげておくれと、老いの眼もつぶれんばかり泣き濡れて曹丕へ頼んだ。

「もう、もう……そんなにお嘆きなさいますな。なあに、もとより弟を殺す気なんかありません。ただ懲らしめのためですから」

曹丕はそのまま奥へ隠れて数日は政を執る朝にも姿を見せなかった。

華歆がそっと来て、彼の機嫌を伺った。そしてはなしのついでに、

「先日、母公が何か仰っしゃったでしょう。——曹植を廃すなかれ、と御意遊ばしはしませんか」

「相国はどこでそれを聞いておったのか？」

「いえ、立ち聞きなどは致しませんが、それくらいなことは分りきっています。が、大王のご決心は、いったいどうなのか、それは未だ私には分っておりません」

二

華歆はなおことばを続けた。

「あのご舎弟の才能は、好いわ好いわでほうっておくと、周囲の者が担ぎあげて、池中*の物としておかんでしょう。今のうちに、除いておしまいにならないと、後には大きな患いですぞ」

「……でも。予は母公に、もう約束してしまったからの」

「何とお約束なさいました」

「かならず弟の曹植を廃すようなことはせぬと……」

「なぜそんなことを」と、華歆は舌打ちして、

「でなくてさえ、曹家の才華は植弟君にある、植弟君が口を開けば、声は章をなし、咳

唾は珠を成すなどと、みな云っています。恐れながら、その衆評はみな暗に兄君たるあなたの才徳を晦うするものではありませんか」

「でも、ぜひがあるまい」

「いやいや。ひとつかように遊ばしては如何……」と、華歆は主君の耳へ口をよせた。

曹丕の面は弟の天分に対して、嫉妬の情を隠しきれなかった。佞臣の甘言は、若い主君の弱点をついた。

彼の入れ智慧は、こうであった。今この所へ曹植を呼びだし、その詩才を試してみて、もし不出来だったらそれを口実に殺しておしまいなさい。また噂のとおりな才華を示したら、官爵を貶して、遠地へ追い、この天下繁忙の時代に、詩文にのみ耽っている輩の見せしめとしたらよろしいでしょう。一挙両得の策というものではありませんか。

「よかろう。すぐ呼び出せ」

曹丕の召しに、植は恐れわななきながら兄の室へひかれて来た。丕は、強いて冷やかに告げた。

「こら弟、いや曹植。――平常の家法では兄弟だが国法においては君臣である。そのつもりで聞けよ」

「はい」

「先王も詩文がお好きだったので、汝はよく詩を賦して媚びへつらい、兄弟中でも一番愛せられていたが、その頃からひそかに他の兄弟たちも云っていた。植の詩は、あれは植が作るのではない、彼の側に詩文の名家がいて代作しているのだと。――予も実は疑っておる。嘘か実か、今日はここでその才を試してみようと思う。もし予の疑いがはれたら命は助けてやるが、その反対だった場合は、長く先王を欺き奉った罪を即座に糺すぞ。異存はないか」

すると曹植は、それまでの暗い眉を急ににこと開いて、

「はい。ありません」

と、神妙に答えた。

曹丕は、壁に懸っている大幅古画を指さした。二頭の牛の格闘を描いた墨画で、それへ蒼古な書体をもって何人かが、

二頭闘牆下　一牛墜井死

と賛してあったが、その題賛の字句を一字も用いないで、闘牛の詩を作ってみよという難題を、植に与えた。

「料紙と筆をおかし下さい」

と乞いうけて、植はたちどころに一詩を賦して兄の手もとへ出した。牛という字も、闘という字も用いずに、立派な闘牛之詩が賦されてあった。

曹丕も大勢の臣も、舌をまいてその才に驚いた。華歆はあわてて几の下からそっと曹丕の手へ何か書いたものを渡した。曹丕は眼をふと俯せてそれを見ると、たちまち声を高めて次の難題を出した。

「植っ。起て——そして室内を七歩あゆめ。もし七歩あゆむ間に、一詩を作らなければ、汝の首は、八歩目に、直ちに床へ落ちているものと思え」

「はい……」

植は、壁へ向って、歩み出した。一歩、二歩、三歩と。そして歩と共に哀吟(あいぎん)した。

豆ヲ煮ルニ豆ノ萁(マメガラ)ヲ燃(タ)ク
豆ハ釜中(フチユウ)ニ在ッテ泣ク
本(コ)是レ同根ヨリ生ズルヲ
相煎(アイニ)ルコト何ゾ太(ハナハ)ダ急ナル

「……………」

さすがの曹丕もついに涙を流し、群臣もみな泣いた。詩は人の心琴(しんきん)を奏(かな)で人の血を搏(う)つ。曹植の詩は曹植のいのちを救った。即日、安郷侯(あんきょう)に貶(へん)されて、孤影を馬の背に託し、悄然(しょうぜん)兄の魏王宮から別れ去ったのである。

私情を斬る

一

漢中王の劉玄徳は、この春、建安二十五年をもって、ちょうど六十歳になった。魏の曹操より六ツ年下であった。

その曹操の死は、早くも成都に聞え、多年の好敵手を失った玄徳の胸中には、一抹落莫の感なきを得なかったろう。敵ながら惜しむべき巨人と、歴戦の過去を顧みると同時に、

「我もまた人生六十齢」

と、やがては自分の上にも必然来るべきものを期せずにいられなかったに違いない。

年をとると気が短くなる――という人間の通有性は、大なり小なりそういう心理が無自覚に手伝ってくるせいもあろう。劉玄徳も多分に洩れず、自身の眼の黒いうちに、呉を征し、魏を亡ぼして、理想の実現を見ようとする気が、老来いよいよ急になっていた。

折ふしまた魏では、曹丕が王位に即いて、朝廷をないがしろにする風は益〻はなはだ

しいと聞き、玄徳はある日、成都の一宮に文武の臣を集めて、大いに魏の不道を鳴らし、また先に亡った関羽を惜しんで、

「まず呉に向って、関羽の仇をそそぎ、転じて、驕れる魏を、一撃に討たんと思うが、汝らの意見は如何に」と、衆議に計った。

人々の眼はかがやいた。いまや蜀の国力も充分に恢復し、兵馬は有事の日に備えて鍛錬おこたりない。それは誰も異存なき意志を示している眸であった。

ときに廖化が進んで云った。

「関羽を敵に討たせたのは、味方の劉封、孟達の二人でした。呉に仇を報う前に、彼らのご処分を正さなければ、復讐戦の意義が薄れましょう」

玄徳は大きくうなずいて、その儀は我も一日も忘れずといった。そして直ちに、劉封、孟達へ召状を発して処断せんと言を誓うと、孔明が側にあって、

「いや、火急に召状を発せられては、かならず異変を生じましょう。まず両名を一郡の太守に転封し、後、緩々お計り遊ばすがよいかと思います」と、諫めた。叛乱の動機は、つねにそうした弾みから起る。実にもと、人々は孔明の明察に感心した。

ところがその日の群臣のなかに彭義という者がいた。彼と孟達とは日頃から非常に親しかった。会議が終ると、何かそくさと急いで下城したようだったが、我が家へ帰るとすぐ書簡をしたためて、

（君の命は危ない。転封のお沙汰が届いても、油断するな。関羽の問題が再燃したのだ）

と、密報を出した。

しかし、この密書を持った使いの男は、南城門の外で、馬超の部下の夜警兵に捕まってしまった。

馬超は、手紙の内容を見て、一驚したが、念のため彭義の家を訪れて、彼の容子を見届けることにした。なにも感づかない彭義は、

「よく遊びにきてくれた」

と、酒を出して引き留め、深更まで快飲したが、そのうちに馬超の口につりこまれて、

「もし上庸の孟達が旗挙げしたら、足下も成都から内応し給え。不肖、彭義にも、充分勝算はある。足下の如き大丈夫が、いつまでも碌々蜀門の番犬に甘んじておるわけでもあるまいが」

などと慨然、胸底の気を吐いてしまった。

馬超は次の日、漢中王にまみえて、彭義の密書とともに前夜のことをことごとく告げた。玄徳は、直ちに彭義の逮捕を命じ、獄へ下して、なお余類を拷問にかけて調べた。

彭義は大いに後悔して、獄中から悔悟の書を孔明へ送り、どうか助けてくれと、彼の憐愍に訴えた。玄徳もその陳情を見て、

「軍師どうするか」と半ば、心を動かされた風であるが、孔明は冷然と、顔を振って、

「かかる愚痴は狂人の言と見ておかねばなりません。叛骨ある者は、一時恩を感じても、後またかならず叛骨をあらわしますから」

と、かえって急に断を下し、その夜、彭義に死を与えた。

彭義が誅されたことによって、遠隔の地にある孟達も、さてはと、身に危急を感じだした。彼にはもともと、離反の心があったものとみえ、その部下、申耽と申儀の兄弟は、

「魏へ走れば、曹丕が重く用いてくれるに違いありません」と、主に投降をすすめ、同じ城にいる劉封にも告げず、わずか五、六十騎を連れて夜中、脱走してしまった。

二

劉封は夜が明けてから孟達の脱走を聞いたが、なお信じきれない顔して、

「彼の部下はそっくり残っているし、昨日も変った容子はなかった。狩猟にでも出かけたのだろう」

と、左右の臣が、不審な実証をあげても、まさか？　とのみで悠々としていた。

すると、国境の柵門から、早打ちが飛んできた。約五十騎ほどの将士が関所を破って魏へ入ったという報らせである。さてはと慌てて兵馬を糾合し、劉封自身、追手となって急追したが、時すでに遅しで、空しく帰ってきた。

「なんだって、孟達は、この地位と軍隊をすてて、魏へ入国してしまったのだろう？」

まだ何も覚らない劉封は、ただ彼の心事をいぶかるにとどまっていたが、やがて成都の急使は、漢中王の命をここに伝えて、

「孟達の反心は歴然。なぜ拱手して見ているか。直ちに上庸、綿竹の兵をあげて、彼の

不義を鳴らし、彼の首を討ち取るべし」と、沙汰した。
これは孔明の深謀で、玄徳としては成都の蜀軍を派して、始末するつもりであった
が、孔明はそれを上策でないとして、孟達の追討を劉封に命じれば、その軍に勝っても
敗れても劉封は成都へ帰ってくるしかないから、その時に処断することが、対外策とし
ても最良の方法であると説いたのであった。
一方、魏へ投降した孟達は、曹丕の前に引かれて、一応、訊問をうけた。曹丕は、内
心この有力な大将の投降は歓迎していたが、なお半信半疑を抱いて、
「玄徳が特に汝を冷遇していたとは思われんが、一体、なんの理由で魏へ来たか」と質
問した。
孟達は、それに答えて、
「関羽の軍が全滅にあったとき、麦城へ救いに行かなかった点を、旧主玄徳はあくまで
責めてやみません。関羽を見殺しになしたるは孟達なりと、害意を抱いておらるる由
を、成都の便りに知ったからです」
ちょうど襄陽方面から急報が入った。劉封が五万余の兵を擁して、国境を侵し、諸所
焼き払いながら進攻してくるという注進であった。曹丕は、孟達を試すには適当な一戦
と思ったので、
「襄陽には、わが夏侯尚や徐晃などが籠っているから、決して不安はないが、試みに、
足下はまず同地の味方に加勢して、劉封の首をこれへ持って来給え。ご辺を如何に待遇

するかは、その上でまた考えるから」と取りあえず、散騎常侍、建武将軍の役に任じて、襄陽へ赴かせた。

孟達が襄陽へ着いたとき、劉封の軍勢はすでに郊外八十里まで来ていた。彼は一通の書簡をしたためて、軍使を仕立てて、「返辞を求めてこい」と、劉封の陣へそれを持たせてやった。

劉封が受けてそれを開いてみると、次のような意味が友情的な辞句を借りて書いてあった。

思ウ所アッテ自分ハ魏ノ臣ニナッタ。君モ魏へ降ッテ将来ノ富貴ヲ約束シテハドウカ。君ト漢中王トハ、養父子ノ間ニナッテイルガ、元々、君ハ羅侯子ノ子デアル。劉氏ノ統ハ既ニ漢中王ノ実子ガ継グコトニナッテイル。君モ足モトノ明ルイウチニ、魏へ移ッテ、旧ノ羅侯子ヲ興スベキデハナイカ。

劉封は読み終るとすぐ引き裂いて捨てた。

「今日までは未だ彼にいささかの友誼をのこしていたが、こんな不忠不孝を勧める悪人と分ればかえって思い切りがよい」

軍使の首を刎ねて、直ちに、兵を襄陽城へすすめた。

だが、劉封の戦いは、その日も次の日も、敗北を招いた。敵の陣頭にはいつも孟達が現れて、強かに劉封を痛めつけた。

加うるに襄陽城には魏の勇将として聞えの高い徐晃がいるし、夏侯尚があるし、とうてい太刀打ちにならなかった。

惨敗をかさねた劉封(りゅうほう)軍は、敵の三将に包囲されて、殲滅的な打撃にあい、遂に、上庸(じょうよう)へ潰走してきたが、そこもいつの間にか魏軍に占領されているというようなみじめな有様であった。

彼はとうとう百余騎の残兵をつれて、成都へ逃げ帰るのほか途がなくなってしまった。孔明の先見はあたっていた。

三

劉封が敗れて帰ってきたと侍臣から聞くと、玄徳は、

「堂上へ上げるな。階下に止めておけ」

と、侍者へいいつけ、孔明と顔見合わせて、そっと嘆息した。

彼は重い足を運んで、表の閣へ臨み、階下にひれ伏している養子の劉封をじろと見て云った。

「竪子(じゅし)。なんの面目があって、ここへ帰ってきたか」

劉封は、ようやく面をあげて、

「叔父（関羽(かんう)）の危難を救わなかったのは、まったく私の意志ではなかったのです。その折、孟達が頑強に拒(こば)んだため、つい彼のことばにひかれ、心にもなく自分も援軍に行かなかったので」

と、そのことをいわれぬ先に弁解しだした。

玄徳は眉を怒らして、

「うるさい。そのような言い訳を今さら聞く耳はもたぬ。そちも定めて、人の喰うものを喰い、人の着る衣を着ている人間であろうに、孟達の詭弁に同意し、みすみす恩ある叔父を見殺しになすとは犬か畜生か、蔑げ果てたやつではある。起てっ、去れっ。見るもけがらわしい」

いよいよ、烈しく叱ったが、多年育てた子と思えば、私情はまたべつと見える。眼に涙をたたえ、面を横にしたきり、再び階下の子を正視しなかった。

「……まったく私の不敏です。いえ、大落度でした。なにとぞこの度だけは、おゆるし下さいまし。この通りです」

劉封は涙を流して、何十遍も、額を地にすりつけていた。しかし、玄徳は横を向いたままである。自己を木石の如く、私情を仇の如く、じっと抑えていた。

そのうちに劉封は、わっと嬰児のようにむせび哭いた。その声には、さすがの玄徳も胸を掻きむしられた。ついに彼の怒れる眉は、慈父の面に変ろうとしかけた。

「………」

すると、それまで、口をつぐんで玄徳の容子を見ていた孔明は、眼を以て、彼の崩れかかる心をじっと支えた。意志の不足へ意志を補ったのである。玄徳は急に起って、

「武士ども。この豎子を押し出して、早く首を斬れ」と、左右の臣へ云い捨てるや否、

ほとんど逃げ込むように面を沈めて奥の一閣へかくれてしまった。

閉じ籠ったまま、彼は独り悵然と壁に対していた。すると一名の老侍郎が畏る畏るそれへ来ていうには、

「劉封の君について、襄陽の戦場から落ちてきた部下たちに、手前がいろいろ訊いてみますと、すでに劉封様には、上庸におられた時からいたく前非を悔い、孟達が魏へ奔った後はなおさら慚愧にたえぬご容子であったそうです。そして襄陽の陣でも、孟達からきた勧降の書を引き破り、その軍使も即座に斬って、戦をすすめられた由ですから、以て、その後のご心中はよく分りまする。なんとか、ご憐愍を垂れ給わんことを、我々臣下よりも切におねがい申し奉りまする」

さなきだに玄徳としては、助けたくてならなかったところである。彼は、誰かに、そういって貰いたい折に、こういう言葉を聞いたので、

「おお、彼にも、一片の良心はあったか。忠孝の何たるかは、少しでもわきまえていたとみえる。不愍なやつ、殺すまでには及ぶまい」

転ぶが如く、廊下へ出た。そして急に、助命を伝えよと、老侍郎を走らせた。

ところが、出合い頭に、数名の武士はすでに劉封の首を斬って、それへ持ってきた。

玄徳は一目見るや、

「な、なに。もはや斬に処してしまったとか。われとしたことが、軽々しくも、怒りにまかせて、遂に一人の股肱を死にいたらしめてしまった。ああ、悲しいかな」

と、痴者のごとく呟いて、腰もつかないばかりに嘆いた。

そこへ孔明が来て、嘆きやまぬ彼を一室へ抱き入れた。そしてことば静かに、

「お心もちはよく分ります。孔明とて木石ではありませんから。……けれど国家久遠の計を思うならば、ひとりの豎子、なんぞ惜しむに足らんやです。これしきの悲しみに会って、たちまち凡夫にかえるようなことで、どうして大業の基が建てられましょう。女童の情です。自らのお涙を自らお嗤いなさい。あなたは漢中王でいらせられますぞ」

「………」

玄徳はうなずいた。しかし老齢六十の彼には、このことも、後の病の一因にはなった。

改　元

一

魏では、その年の建安二十五年を、延康元年と改めた。

また夏の六月には、魏王曹丕の巡遊が実現された。亡父曹操の郷里、沛の譙県を訪れて、先祖の墳を祭らんと沙汰し、供には文武の百官を伴い、護衛には精兵三十万を従え

た。

沿道の官民は、道を掃いて儀仗の列にひれ伏した。わけて郷里の譙県では、道ばたに出て酒を献じ、餅を供え、

「高祖が沛の郷里にお帰りになった例もあるが、それでもこんなに盛んではなかったろう」

と、祝し合った。

が、曹丕の滞留はひどく短く、墓祭がすむ途端に帰ってしまったので、郷人たちは何か張り合い抜けがした。老夏侯惇が危篤という報を受けたためであったが、曹丕が帰国したときは、すでに大将軍夏侯惇は死んでいた。

曹丕は、東門に孝を掛けて、この父以来の功臣を、礼厚く葬った。

「凶事はつづくというが、正月以来この半歳は、どうも葬祭ばかりしておるようだ」

曹丕もつぶやいたが、臣下も少し気に病んでいたところが、八月以降は、ふしぎな吉事ばかりが続いた。

「石邑県の田舎へ鳳凰が舞い降りたそうです。改元の年に、大吉瑞だと騒いで、県民の代表がお祝いにきました」

侍者が、こう取次いで曹丕をよろこばせたと思うと、幾日か経って、

「臨淄に麒麟があらわれた由で、市民は檻に麒麟を入れて城門へ献上したそうです」

するとまた、秋の末頃、鄴郡の一地方に、黄龍が出現したと、誰からともなく云い伝

えられ、ある者は見たといい、ある者は見ないといい、やかましい取り沙汰だった。

おかしいことには、その噂と同時に、魏の譜代の面々が、日々、閣内に集まって、

「いま、上天吉祥を垂る。これは魏が漢に代って、天下を治めよ、という啓示にほかならぬものである。よろしく魏王にすすめ、漢帝に説き奉らせて受禅の大革を行うべきである」

と、勝手な理窟をつけて、しかも帝位を魏に奪う大陰謀を、公然と議していたのである。

侍中の劉廙、辛毘、劉曄、尚書令の桓楷、陳矯、陳群などを主として、宗徒の文武官四十数名は、ついに連署の決議文をたずさえて、重臣の大尉賈詡、相国の華歆、御史大夫王朗の三名を説きまわった。

「いや、諸員の思うところは、かねてわれらも心していたところである。先君武王のご遺言もあること、おそらく魏王におかれてもご異存はあるまい」

三重臣のことばも、符節を合わせたように一致していた。麒麟の出現も、鳳凰の舞も、この口ぶりからうかがうと、遠い地方に現れたのではなく、どうやらこれら重臣たちの額と額の間から出たものらしく思われる。

が、瓢簞から駒が出ようと、閣議室から黄龍が出現しようと、支那においては不思議でない。民衆もまた奇蹟を好む。鳳凰などというものはないという説よりも、それは有るのだという説のほうをもっぱら支持する通有性をもっている。朝廷を仰ぐにも、帝位

についての観念も、この大陸の民は黄龍鳳凰を考えるのと同じぐらいなものしか抱いていなかった。それのはっきりしている上層中流の人士でもかつての自国の歴史に徴して、その時代時代に適応した解釈を下し、自分たちの人為をすべて天象や瑞兆のせいにして、いわゆる機運を醸し、工作を運ぶという風であった。

王朗、華歆、中郎将李伏、太史丞許芝などという魏臣はついに許都の内殿へ伺佐して、

「畏れ多いことですが、もう漢朝の運気は尽きています。御位を魏王に禅り給うて、天命におしたがいあらんことを」

と、伏奏した。いや、冠をつらねて、帝の闕下に迫ったというべきであろう。

二

献帝はまだ御齢三十九歳であった。九歳の時董卓に擁立されて、万乗の御位について以来、戦火乱箭の中に幾たびか遷都し、荆棘の道に飢えをすら味わい、やがて許昌に都して、ようやく後漢の朝廟に無事の日は来ても、曹操の専横はやまず、魏臣の無礼、朝臣の逼塞、朝はあってなきが如きものだった。

およそ天の恵福の薄かったことは、東漢の歴代中でも、この献帝ほどの方は少ないであろう。そのご生涯は数奇にして薄幸そのものであったというほかはない。

しかも今また、魏の臣下から、臣下としてとうてい口にもすべきでないことを強いら

れたのである。お胸のうちこそどんなであったろうか。

　帝もともより、そのようなことを、即座に承諾になるわけはない。

「朕の不徳は、ただ自らをうらむほかはないが、儂不才なりといえ、いずくんぞ祖宗の大業を棄つるに忍びん。ただ公計に議せよ」

と、一言仰せられたまま、内殿へ起たれてしまった。

　華歆、李伏の徒は、その後もいくべつ参内して麒麟、鳳凰の奇瑞を説いたり、また、

「臣ら、夜天文を観るに、炎漢の気すでに衰え、帝星光をひそめ、魏王の乾象、それに反して、天を極め、地を限る。まさに魏が漢に代るべき兆です。司天台の暦官たちもみなさように申しております」と、暦数から迫ってみたり、ある時はなお、

「むかし三皇、五帝も、徳をもって御位を譲り、徳なきは徳あるに譲るを常とし、たとえ天理に伏さずとも、必ず自ら滅ぶか、或いは次代の帝たる勢力に追われておりましょう。漢朝すでに四百年、決して、陛下の御不徳にも非ず、自然にその時期に際会されておられるのです。ふかく聖慮をそこに用いられて、あえて迷いをとったり、求めて、禍いを招いたり遊ばさぬようご注意申しあげる」

など言語道断な得手勝手と、そして半ば、脅迫に似た言をすらもてあそんだ。

　しかし、帝はなお頑として
「祥瑞、天象のことなどは、みな取るにも足らぬ浮説である。虚説である」と、明確に喝破し、

「高祖三尺の剣をさげて、秦楚を亡ぼし、朕に及ぶこと四百年。なんぞ軽々しく不朽の基を捨て去らんや」と、あくまで彼らの佞弁を退け、依然として屈服遊ばす色を示さなかった。

だがこの間に、魏王の威力と、その黄金力や栄誉の誘惑はしんしんとして、朝廟の内官を腐蝕するに努めていた。さなきだにもう心から漢朝を思う忠臣は、多くは亡き数に入り、或いは老いさらばい、または野に退けられて、骨のある人物というものは全くいなかった。

滔々として、魏の権勢に媚び、震い怖れ、朝臣でありながら、魏の鼻息のみうかがっているような者のみが残っていた。

それかあらぬか、近ごろ帝が朝へ出御しても、朝廷の臣は、文武官なども、姿も見せない者が日にまし殖えてきた。或いは病気と称し、或いは先祖の祭り日と称し、或いは届けもなしに席を欠く者が実におびただしい。いや遂には、帝おひとりになってしまわれた。

「ああ。いかにせばよいか」

帝はひとり御涙を垂れていた。すると、帝のうしろから后の曹皇后がそっと歩み寄られて、

「陛下。兄の曹丕からわたくしに、すぐ参れという使いがみえました。玉体をお損ね遊ばさぬように」

意味ありげにそう云いのこして、楚々と立ち去りかけた。

帝は、皇后がふたたび帰らないことを、すぐ察したので、

「お身までが、朕をすてて、曹家へ帰るのか」

と、衣の袖を抑えた。

皇后は、そのまま、前殿の車寄せまで、足をとめずに歩んだ。帝はなお追ってこられた。すると、そこにたたずんでいた華歆が、

「陛下。なぜ臣の諫めを用いて、禍いをおのがれ遊ばさぬか。御后のことのみか、こうしていれば、刻々、禍いは御身にかかって参りますぞ」

と、今は拝跪の礼もとらずに傲然という有様であった。

三

なんたる非道、無礼。つねにお怺え深い献帝も、身をふるわせて震怒せられた。

「汝ら臣子の分として、何をいうか。朕、位に即いてより三十余年、兢々業々、そのあいだかりそめにも、かつて一度の悪政を命じた覚えもない。もし天下に今日の政を怨嗟するものがあれば、それは魏という幕府の専横にほかならぬことを、天人共によく知っておろう。たれか朕をうらみ、漢朝の変を希おうや」

すると、華歆もまた、声をあらげて、御衣のたもとをつかみ、

「陛下。お考え違いを遊ばすな。臣らとて決して不忠の言をなすものではありません。

忠なればこそ、万一の禍いを憂いておすすめ申しあげるのです。今は、ただ御一言をもって足りましょう。ここでご決意のほどを臣らへお洩らし下さい。許すとも、許さぬとも」

「…………」

帝はわななく唇をかみしめてただ無言を守っておられた。

すると華歆が、王朗へきっと眼くばせしたので、帝は御衣の袖を払って、急に奥の便殿へ馳け込んでしまわれた。

たちまち、宮廷のそこかしこに、常ならぬ跫音が乱れはじめた。ふと見れば、魏の親族たる曹休、曹洪のふたりが、剣を佩いたまま殿階へ躍り上がって、

「符宝郎はどこにいるかっ。符宝郎、符宝郎っ」と、大声で探し求めていた。

符宝郎とは、帝室の玉璽や宝器を守護する役名である。ひとりの人品の良い老朝臣が、怖るる色もなく二人の前へ近づいた。

「符宝郎祖弼はわたくしですが……？」

「うム。汝が符宝郎の職にある者か。玉璽を取りだしてわれわれに渡せ」

「あなた方は正気でそんなことを仰せあるのか」

「拒む気か？」

曹洪は剣を抜いて、祖弼の顔へつき出した。――が祖弼はひるむ色もなく、

「三歳の童子も知る。玉璽はすなわち天子の御宝です。何で臣下の手に触れしめてよい

ものぞ。道も礼も知らぬ下司ども、沓をぬいで、階下へ退れっ」と、叱咤した。

洪、休のふたりは、憤怒して、やにわに祖弼を庭上に引きずり出し、首を斬って泉水へほうり捨てた。

すでに禁門を犯してなだれこんだ魏兵は、甲を着、戈を持って、南殿北廂の苑に満ちみちていた。帝は、いそぎ朝臣をあつめて、御眦に血涙をにじませ、悲壮な玉音をふるわせて一同へ宣うた。

「祖宗以来歴代の業を、朕の世にいたって廃せんとは、そも、何の不徳であろうか。九泉の下にも、諸祖帝にたいし奉り、まみゆべき面目もないがいかにせん、事ついにここへ来てしもうた。この上は、魏王に世を禅り、朕は身をかくして唯ひたすら万民の安穏をのみ祈ろうと思う……」

玉涙、潸として、頰をながれ、嗚咽する朝臣の声とともに、しばしそこは雨しげき暮秋の池のようであった。

すると、ずかずかここへ立ち入ってきた魏臣賈詡が、

「おう、よくぞ御心をお定め遊ばした。陛下！　一刻もはやく詔書を降して、闕下に血をみるの難を未然におふせぎあれ」と、促した。

綸言ひとたび発して、国禅りの大事をご承認なされたものの、帝はなお御涙にくるるのみであったが、賈詡はたちまち桓楷、陳群などを呼んで、ほとんど、強制的に禅国の詔書を作らせ、即座に、華歆を使いとして、これに玉璽を捧げしめ、

「勅使、魏王宮に赴く」と、称えて禁門から出たのであった。もちろん朝廷の百官をその随員とし、あくまで帝の御意を奉じて儀仗美々しく出向いたので、沿道の諸民や一般には、宮中における魏の悪逆な行為は容易に洩れなかった。

「来たか」

曹丕は定めしほくそ笑んだであろう。詔書を拝すや、直ちに禅りをお受けせん、と答えそうな容子に、司馬懿仲達があわてて、

「いけません。そう軽々しくおうけしては」と、たしなめた。

四

たとえ欲しくてたまらないものでもすぐ手を出してはいけない。何事にも、いわゆる再三謙辞して、而うして受く、というのが礼節とされている。まして天下の誹りを瞞ますには、より厳かに、その退謙と辞礼を誇大に示すのが、策を得たものではないでしょうか。――司馬仲達は眼をもってそう主君の曹丕へ云ったのである。

曹丕は、すぐ覚って、

「儂はとうてい、その生れにあらず、万乗を統ぐはただ万乗の君あるのみ」

と、肚とはまったく反対なことばを勅使に答えて、うやうやしくも王朝に表を書かせ、一たん玉璽を返し奉った。

勅使の返事を聞かれて、帝はひどくお迷いになった。侍従の人々を顧みられて、

「曹丕は受けぬという。どうしたものであろう？」

と、いささかそれに依って御眉を開かれたようにすら見えた。

華歆は、お側を離れない。彼はすぐこう奏上した。

「むかし堯の御世に、娥皇、女英という二人の御娘がありました。堯が舜に世を禅ろうというとき、舜はこばんで受けません。そこで堯帝はふたりの御娘を舜王に娶わせて、後に帝位を禅られたという例がございます。……陛下。ご賢察を垂れたまえ」

献帝はまたしても無念の御涙をどうすることもできない面持ちを示された。ぜひなく、次の日ふたたび高廟使張音を勅使とし、最愛の皇女おふた方を車に乗せ、玉璽を捧げて、魏王宮へいたらしめた。

曹丕はたいへん歓んだ。けれど今度もまた謀臣賈詡が側にいて、

「いけません。まだいけません」というような顔をして首を振った。

空しく勅使を返したあとで、曹丕は少しふくれ顔して彼を詰問った。

「堯舜の例もあるのに、なぜこんども断れといったのか」

「もうそんなにお急ぎになる必要はないではございませんか。賈詡の慮りは、唯々世人の誹りを防がんためで、曹家の子、ついに帝位を奪えりと、世の智者どもが、口をそろえて誹りだしては、怖ろしいことでございますからな」

「では、三度勅使を待つのか」

「いやいや、こんどはそっと、華歆へ内意を通じておきましょう。すなわち、華歆をし

て、一つの高台を造営させ、これを受禅台と名づけて、某月吉日をえらび、天子御みずから玉璽を捧げて、魏王にこれを禅るという、大典を挙げ行うことをお薦め申すべきです」

実に、魏の僭位は、これほど念に念を入れた上に行われたものであった。

受禅台は、繁陽の地を卜して、その年十月に、竣工を見た。三重の高台と式典の四門はまばゆきばかり装飾され、朝廷王府の官員数千人、御林の軍八千、虎賁の軍隊三十余万が、旌旗や旆旛を林立して、台下に立ちならび、このほか匈奴の黒童や化外の人々も、およそ位階あり王府に仕えるものは挙って、この祭典を仰ぐの光栄に浴した。

十月庚午の日。寅の刻。

この日、心なしか、薄雲がみなぎって、日輪は寒々とただ紅かった。

献帝は台に立たれた。

そして、帝位を魏王に禅るという冊文を読まれたのである。玉音はかすれがちに時折はふるえておられた。

曹丕は、八盤の大礼という儀式の後、台にのぼって玉璽をうけ、帝は大小の旧朝臣を従えて、御涙をかくしながら階下に降られた。

天地の諸声をあざむく奏楽が同時に耳を聾すばかり沸きあがった。万歳の声は雲をふるわした。その夕方、大きな雹が石のごとく降った。

曹丕、すなわち魏帝は、

「以後国名を大魏と号す」

と宣し、また年号も、黄初元年とあらためた。

故曹操にはまた「太祖武徳皇帝」と諡された。

ここにお気のどくなのは献帝である。魏帝の使いは仮借なく居を訪れて、

「今上の仁慈、汝をころすに忍び給わず、封じて山陽公となす。即日、山陽に赴き、ふたたび都へ入るなかれ」

という刻薄な沙汰をつたえた。公はわずかな旧臣を伴って、一頭の驢馬に召され、悄然として、冬空の田舎へ落ちて行かれた。

蜀また倣う

一

曹丕が大魏皇帝の位についたと伝え聞いて、蜀の成都にあって玄徳は、

「何たることだ！」と、悲憤して、日夜、世の逆しまを痛恨していた。

都を逐われた献帝は、その翌年、地方で薨去せられたという沙汰も聞えた。玄徳はさ

らに嘆き悲しんで、陰ながら祭をなし、孝愍皇帝と諡し奉って、深く喪に籠ったまま政務も見ない日が多かった。すべてを孔明に任せきって、近頃は飲食もまことにすすまない容子だった。

「困ったものではある」

内外の経策から蜀の前途にたいする憂いまで、孔明の胸には案じても案じきれないほどな問題が積っていた。

だが玄徳は六十一。彼はまだ四十一の若さであった。加うるに隠忍よく耐える人である。百忍自ラ憂イナシ、としていた。彼は彼みずから、

(こういう生れ性なのだ)と、苦労の中に独りなぐさめているふうだった。

彼はあまり動かない人である。口かずもきかないし、どっちかといえば少し陰気くさいところすらあった。だから玄徳でも閉じ籠っていると、彼も苦労負けして鬱いでいるように見える。無能の如くちょっと見には見えるのであった。

——が、ほんとうの彼は一刻として休むを知らない頭脳の持ち主なので、誰よりもよくその性を知っている彼自身が、

(……こういう生れ性なのだ)と、自らを慰める理由もそこにあるのであった。

後漢の朝廷が亡んだ翌年の三月頃である。襄陽の張嘉という一漁翁が、

「夜、襄江で網をかけておりましたところ、一道の光とともに、河底からこんなものが揚がりましたので」と、遥々、その品を、蜀へたずさえてきて、孔明に献じた。

黄金の印章であった。

金色燦爛として、印面には、八字の篆文が刻してある。すなわちこう読まれた。

受命于天　既寿永昌

孔明はひと目見るやたいへん驚いて、

「これこそ、ほんとうの伝国の玉璽である。洛陽大乱のみぎり、漢家から持ち出されて、久しく行方知れずになっていると聞いておるあの宝章にちがいない。曹丕に伝わったものは、そのため、仮に朝廷で作られた後の物に相違なかろう」

彼は、太傅許靖や、光禄大夫譙周などを、にわかにあつめて、故典事例を調べさせた。人々は伝え聞いて、

「それこそ、漢朝の宗親たるわが君が、進んで漢の正統を継ぐべきであると、天の啓示されたものにちがいない」と云い囃し、また何事につけ天象を例にひく者たちは、

「そういえば近頃、成都の西北の天に、毎夜のごとく、瑞気ある光芒が立ち昇っている」

と、説いたりした。

要するに、孔明の思う気運というものが、大体蜀中に盛り上がって来たので、ある日、彼は諸臣とともに、漢中王の室へ伺候して、

「今こそ、皇帝の御位について、漢朝の*正閏を正し、祖廟の霊をなぐさめ、またもって、万民を安んずべき時でありましょう」

と、帝立の議をすすめた。

玄徳は、愕いて、

「そちたちは、予をして、末代までの不忠不義の人とするつもりか」と、ひどく怒った。

孔明は、襟を正して、

「逆子曹丕と、わが君とを、同一視するものではございません。彼の如き弑逆の大罪を、いったい誰がよく懲らしますか。景帝のご嫡流たるあなた様以外にはないではございませんか」

「でも、ひとたび臣下の群れに落ちた涿郡の一村夫である。普天の下、率土の浜。まだ一つの王徳も施さないうちに、たとえ後漢の朝は亡んだにせよ、予がそのあとを襲ったら、やはり曹丕のような悪名をうけるであろう。ふたたび云うな。予にはそんな望みはない」

どうしても玄徳はききいれないのであった。

孔明は黙然と退出した。

そして、そのことから後、病と称して、政議の席にも、一切、顔を出さなくなった。

「よほど、重態のようか」

玄徳は心配しだした。ついに耐え難く思ったものか、一日、彼はみずから孔明の邸を訪うて、その病を親しく見舞った。

二

孔明は恐懼して病褥を出、清衣して、玄徳を迎えた。彼の病室へ入ってくるなり玄徳はあわてて云った。

「横臥しておればよいに、無理をして病を重くしては、せっかく見舞いにきたのが、かえって悪いことになる。軍師、遠慮せずに、横になっておれ」

「もったいないことです。君侯御自ら臣下の家へお越し給わるさえ恐懼にたえませんのに、みぐるしい病人の枕頭へ親しくお見舞いくださるとは、何と申してよいかわかりません」

「すこし痩せたのう。食餌はどうか」

「余りすすみませぬ」

「いったいどういう病か」

「心の煩いです。肉体には病はないつもりです」

「心の病とは」

「ただご賢察ねがうほかありません」

孔明は、目をふさいだ。そして玄徳がいくら訊ねても、肉体に病はないが、心の病はいまや胸を焚くようです。としか答えなかった。

「軍師。先頃の進言を予が拒んだので、それが煩いの因じゃと申すのか」

「さればです。臣、草廬(そうろ)を出てよりはや十余年、菲才(ひさい)を以て君に仕え、いま巴蜀(はしょく)を取ってようやく理想の一端は実現されたかの感があります。しかしなおここに万代の基礎をたてて、さらに、この鴻業(こうぎょう)、この耀(かがや)きを、不朽ならしめんとするに当って、如何なる思召しやら、あなた様にはこの期(ご)に至って、世の俗論をおそれ、一身の名分にばかりこだわり、ついに天下の大宗たるお志もないようであります。一世の紛乱の暗黒を統(す)べ闢(ひら)き、万代にわたる泰平の基をたつるは、天に選ばれた人のみがよく為しとげることで、志さえ立てれば誰でも為し能うものではありません。――不肖臣亮(ふしょうしんりょう)が廬を出てあなた様に仕えたのは全くその人こそあなた様をおいてはほかにないと信じたからでした。またあなた様におかれても当年の大志は明らかに百世万民のために赫々(かっかく)と燃えるような意気を確かにお持ちでした。……しかるに、ああ、ついに劉皇叔ともあるお方も、老いては小成に安んじて、一身の無事のみが、ただ希(ねが)うところになるものかと、あれこれ思うものですから、臣の病も日々重くなるものとみえまする」

孔明のことばは沈痛を極めた。また彼のことばには裏にも表にも微塵(みじん)の私心私慾はなかった。玄徳は服せざるをえなかった。

元来、彼は非常に名分を尊ぶ人である。世の毀誉褒貶(きよほうへん)を気にする性であった。それだけにこの問題については、当初から孔明の意見にも容易に従う色は見せなかったが、周囲の事態形勢、また蜀中の内部的なうごきも、遂に、玄徳の逡巡(しゅんじゅん)を今はゆるさなかった。

「よくわかった。予の思慮はまだ余りに小乗的であったようだ。予がこのまま黙っていたら、かえって、魏の曹丕の即位を認めているように天下の人が思うかも知れない。軍師の病が癒ったらかならず進言を容れるであろう」

玄徳はそう約して帰った。

数日のうちに、孔明はもう明るい眉を蜀営の政務所に見せていた。太傅許靖、安漢将軍糜竺、青衣侯尚挙、陽泉侯劉豹、治中従事楊洪、昭文博士伊籍、学士尹黙、そのほかのおびただしい文武官は毎日のように会議して大典の典礼故実を調べたり、即位式の運びについて、議をかさねていた。

建安二十六年の四月。成都は、成都が開けて以来の盛事に賑わった。大礼台は武担の南に築かれ、鑾駕は宮門を出、満地を埋むるごとき軍隊と、星のごとく繞る文武官の万歳を唱える中に、玄徳は玉璽をうけ、ここに蜀の皇帝たる旨を天下に宣したのであった。

拝舞の礼終って、直ちに、

（章武元年となす）

という改元のことも発布され、また国は、

（大蜀と号す）

と定められた。

大魏に大魏皇帝立ち、大蜀に大蜀皇帝が立ったのである。天に二日なしという千古の鉄則はここにやぶれた。呉は、果たして、これに対してどういう動きを示すだろうか。

三

蜀皇帝の位についてからの玄徳は、その容顔までが、一だん変って、自然に万乗の重きを漢中王の頃とはまた加え、何ともいえぬ晩年の気品をおびてきた。

もっと異ってきたのは彼の気魄であった。一時は非常に引っ込み思案で、名分や人道主義にばかりとらわれて、青春から壮年期にわたって抱いていた大志も、老来まったくしぼんでしまったかと思われたが、孔明の家を見舞って、彼の病中の苦言を聞いてから後は、何か翻然と悟ったらしい人間の大きさと幅と、そして文武両面の政務にもつかれを知らない晩年人の老熟とを示してきた。

「朕の生涯にはなおなさねばならぬ宿題がある。それは呉を伐つことだ。むかし桃園に盟をむすんだ関羽の仇を討つことである。わが大蜀の軍備はただその目的のために邁進して来たものといっても過言ではない。朕、いま傾国の兵をあげ、昔日の盟を果たさんことを、あえて関羽の霊に告ぐ。汝ら、それを努めよ」

一日。

蜀帝の力ある玉音は群臣のうえにこう宣した。朝に侍す百官は粛として咳声もない。綸言豈疑義あらんやと人はみな耀く目を以て答え、血のさしのぼる面をもって決意をあらわしていた。

すると趙雲子龍が、ひとり反対してはばかる色もなく諫めた。

「無用無用」と、「呉はいま伐(う)つべからずです。魏を伐てば呉は自然に亡ぶものでしょう。もし魏を後にして、呉へかからば、かならず魏呉同体となって蜀は苦境に立たざるを得ないだろうと思われます」

「何をいうぞ、趙雲」

玄徳はその切れ長い眦(まなじり)から彼を一眄(べん)して、むしろ叱るが如くいった。

「呉は倶(とも)に天を戴(いただ)かざるの仇敵だ。朕(ちん)の義弟を討ったばかりでなく、朕の麾下を脱した傅士仁、糜芳(びほう)、潘璋(はんしょう)、馬忠らの徒がみな拠って棲息しておる国ではないか。その肉を啖(くら)い、九族を亡ぼし、以て悪逆の末路を世に示さなければ、朕が大蜀皇帝として立った意義はない」

「あいや、骨肉のうらみも、不忠の臣の膺懲(ようちょう)も、要するに、それは陛下の御私憤にすぎません。蜀帝国の運命はもっと重うございます」

「関羽は国家の重鎮、馬忠、傅士仁(ふしじん)の徒はことごとく国賊。その正邪を正し、怨みをそそぐは、当然、国家の意志ではないか。なんで私情の怒りというか。民もみな怒りきるほどの敵愾心(てきがいしん)と、戦いの名分が明らかにあってこそ、初めて戦いには勝つものだ。汝の言は、理としては聞えるが、尊ぶには足らん」

蜀帝の決意は固かった。

その後、蜀帝の勅使は、ひそかに南蛮（雲南・昆明）へ往来した。

そして南蛮兵五万余を借り出すことに成功を見た。

その間に、張飛の一身に一奇禍が起った。張飛はその頃、閬中（四川省閬中）にいたが、車騎将軍領司隷校尉に叙封され、また閬州一円の牧を兼任すべしとの恩命に接したのであった。

「わが家兄は、万乗の御位についても、なおこの至らない愚弟をお忘れないとみえる」

感情のつよい彼は、そういって勅使の前で哭いた。

関羽の死が聞えて以来、張飛はことに感情づよくなっていた。酔うては怒り、醒めては罵り、または独り哭いて、呉の空を睨み、

（いつかきっと、義兄貴のうらみをはらしてくるるぞ）と剣をたたき、歯をくいしばっていたりすることがままあった。陣中の兵は、この激情にふれて、よく撲られたり、蹴られたりした。故に、将士のあいだには、ひそかに張飛に遺恨を抱く者すらあるような空気だった。

恩爵の勅に接した日も、張飛は勅使をもてなした後で、

「なぜ、蜀の朝臣どもは、帝にすすめて、一日もはやく、呉を伐たんのか」

と、まるで勅使のせいのように激論をふっかけた。

桃園終春

一

斗酒を傾けてもなお飽かない張飛であった。こめかみの筋を太らせて、顔ばかりか眼の内まで朱くして、勅使に唾を飛ばして云った。

「いったい、朝廷の臣ばかりでなく、孔明なども実に腑抜けの旗頭だ。聞けば、孔明はこんど皇帝の補佐たる丞相の任についたそうだが、彼を始め、蜀朝の文武は、栄爵に甘んじて、もう戦争の苦しみなどは、ひそかに厭っておるんじゃないか。……実に、嘆かわしい小人どもではある。不肖、張飛の如きにまで、今日、有難い恩爵を賜わって、不平どころか、有難いと思うことは人一倍も感じておるが、それにつけても、関羽が世にいないことを思うと、呉に対して、いよいよ報復の軍を誓わずにおれん。……無念だ、残念だ、呉を亡ぼさぬうちに、自分たちのみが、こんな恩命に温まって無事泰平に暮しておるのは、相済まなくて仕方がない。地下の関羽が、どんなに歯ぎしりしているかと思うと……」

張飛は哭きだした。

酔いと感情が、極点に達すると、彼はいつも、悲憤して哭くのが癖であった。けれど、彼のことばは、決して一場の酔言ではなく、そうした気持は、常に抱いているものに違いない。

その証拠には、やがて勅使が帰ると、すぐその後で、蜀の蹶起をうながさんと、彼も直ちに成都へ上っている。

ふかく桃園の盟を守って、ともに誓っていることは、皇帝玄徳といえども今も同じであった。身の老齢を思い、一たん人生の晩節を悟って、

(我れ呉と倶に生きず)と、宣言してからの彼は、以来毎日のように練兵場へ行幸して、みずから兵を閲し、軍馬を訓練し、ひたすらその日を期していた。

けれど、孔明を始め、社稷の将来を思う文武の百官は、

(陛下には、まだ九五の御位について日も浅いのに、ふたたびここで大戦を起すなどは、決して、宗廟の政を重んずるゆえんでない)と、反対の説が多く、ために、玄徳も心ならずも、出兵を遷延している状態であった。

折ふし張飛は成都へ出てきた。

その日も玄徳は朝廷を出て、練兵場の演武堂におると聞き、彼は禁門に入るまえにすぐそこへ行って帝に拝謁した。

その時張飛は、玉座の下に拝伏するや、帝の御足を抱いて、声を放って哭いたという

ことである。

玄徳もまた張飛の背を撫でて、

「よく参った。関羽はすでに世に亡く、桃園に会した義兄弟も今はそちとただ二人ぞ。体は壮健か」と濃やかに彼の悲情を慰めた。

張飛が、拳を握って、

「陛下には、なおその昔の盟をお忘れありませんか。不肖も、関羽の仇を報ぜぬうちは、いかなる富貴も栄爵も少しも心の楽しみとはなりません」

と涙を払っていうと、玄徳もともに悲涙をたたえて、

「朕の心も同じである。いつの日にか必ず汝と共に呉へ攻め行くであろう」と、いった。

張飛は雀躍りして、

「陛下にそのご勇気があるならば、いつの日かなどといっていないで、すぐにも張飛はお供いたしたいと思います。はや平和の日になれて、ひたすら小我の安逸へ奔ろうとする文官や一部の武人にさえぎられていたら、生あるうちに、この恨みを胸からそそぐ日はないでしょう」

「然なり、然なり」

と玄徳はこの一瞬に勇断を奮って、ついに張飛へ直接大命を降してしまったのである。

「直ちに、そちは軍備して閬中から南へ出でよ。朕、また大軍をひきいて、江州に出で、汝と合し、呉を伐つであろう」

張飛は、頭を叩いて歓び、階を跳び下りて、すぐ閬中へ帰って行った。

けれども、帝の軍備には、たちまち内部の反対が燃え、学士秦宓のごときは、直言して、その非を諫奏した。

「朕と関羽とは一体である。いまやその関羽なく、呉は驕り誇っている。なんで坐視するに忍ぼうや、汝らこれ以上、朕を阻むにおいては獄へ投じ、首を斬らん」

頑として、玄徳は耳もかさなかった。彼の温和で保守的な性格からいえば、晩年のこの挙はまったく別人のような観がある。

二

孔明もまた、表を奉った。

——呉を伐つもよいが、いまはその時でありません。

と、極力諫奏したが、ついに玄徳を思い止まらすことはできなかった。

蜀の章武元年七月の上旬、蜀軍七十五万は、成都を発した。

このうちには、かねて南蛮から援軍に借りうけておいた赤髪黒奴の蛮夷隊もまじっていた。

「御身は、太子を傅して、留守しておれ」と、孔明は成都に残した。

馬超、馬岱の従兄弟も、鎮北将軍魏延とともに、漢中の守備にのこされた。ただし漢中の地は、前線へ兵糧を送るためにも、重要な部署ではあった。

で、発向した出征軍は、先陣に黄忠、副将に馮習、張南。中軍護尉に趙融、廖淳。うしろ備えには直臣の諸大将。宗徒の旗本など、堅陣雲の如く、蜀の峡中から南へ南へと押し流れて行った。

——ところが。

ここに蜀にとって悲しむべき一事件が突発した。それは張飛の一身に起った不測の災難である。

あれから閬中の自領へ急いで帰った張飛は、すでに呉を呑むごとき気概で、陣の将士に、

「すぐ出陣の用意をしろ」と令し、また部下の将、范疆、張達のふたりを招いて、

「このたび討呉の一戦は、義兄関羽の弔い合戦だ。兵船の幕から武具、旗、甲、戦袍の類まで、すべて白となし、白旗白袍の軍装で出向こうと思う。ついては、おまえ達が奉仕して、三日のあいだにそれを調えろ。四日の早天には閬中を出発するから、違背なくいたせよ」と、いいつけた。

「……は」とはいったが、ふたりは眼をまろくした。無理な日限である。どう考えたってできるわけではない、とすぐ思ったからだった。

けれど、張飛の性質を知っているので、一たん引退がって協議してみた。そしてふた

たび張飛の前に来て、

「少なくも十日のご猶予を下さい。とうてい、そんな短時日には、できるわけがございません」

と、事情を訴えた。

「なに、できない」

張飛は、酒へ火が落ちたように、かっと青筋を立てた。側には、参謀たちもいて、すでに作戦にかかり、彼の気もちは、もう戦場にある日と変りないものになっていたのである。

「出陣を前に、便々と十日も猶予しておられようか。わが命に違反なす奴、懲らしめてやれ」

武士に命じて、ふたりを縛り、陣前の大樹にくくりつけた。

のみならず、張飛は、鞭(むち)をもって二人を撲(なぐ)った。味方の者の見ている前で、このことを与えられた范彊(はんきょう)兄弟は、絶対なる侮辱を覚えたにちがいない。

けれども二人は、やがて悲鳴の中から、罪を謝してさけんだ。

「おゆるし下さい。やります。きっと三日のうちに、ご用命の物を調達いたします」

至極単純な張飛は、

「それみろ、やればできるくせに。放してやるから、必死になって、調えろ」

と、縄を解いてやった。

　その夜、彼は諸将と共に、酒を飲んで眠った。平常もありがちなことだが、その晩はわけても大酔したらしく、帳中へはいると床のうえに、鼾をかいて寝てしまったのである。

　すると、二更の頃。

　ふたりの怪漢が忍びこんで、やや久しく帳内の壁にへばりついていた。范彊、張達の兄弟だった。張飛の寝息を充分にうかがいすまし、懐中の短剣をぎらりと持つや否、

「うぬ！」

と一声、やにわに寝姿へおどりかかって張飛の寝首を掻いてしまった。

首をさげて、飛鳥の如く、外の闇へ走ったかと思うと、閬江のほとりに待たせてあった一船へ跳びこみ、一家一族数十人とともに、流れを下って、ついに呉の国へ奔ってしまった。

　実に惜しむべきは、張飛の死であった。好漢惜しむらくは性情粗であり短慮であった。まだまだ彼の勇は蜀のために用うる日は多かったのに、桃園の花燃ゆる日から始まって、ここにその人生を終った。年五十五であったという。

雁(かり)のみだれ

一

大暑七月、蜀七十五万の軍は、すでに成都を離れて、蜿蜒(えんえん)と行軍をつづけていた。

孔明は、帝に侍して、百里の外まで送ってきたが、

「ただ太子の身をたのむ。さらばぞ」

と玄徳に促されて、心なしか愁然(しゅうぜん)と、成都へ帰った。

すると次の日。

野営を張って、途中に陣していると、張飛の部下、呉班(ごはん)という者が、馬も人も汗にぬれて、追いついてきた。

「ごらん下さい。これを」

息を喘(き)って、ただ一通の表をさし出した。侍側の手から受取って、玄徳は一読するや否や、

「あっ? 張飛が!」

ぐらぐらと眩いを覚えたらしく、あやうく昏絶しそうになった額を抑えて、その後、

「ううむ……」

と、ただ唸いていた。

手脚はおののき、顔色は真っ蒼に変り、額から冷たい汗をながしていたが、やがて、

「むしの知らせか、昨夜は、二度も夜半に眼がさめて、何となく、魂が愕いてならなかったが……」

と、つぶやき、やがてさんさんと涙して、

「ぜひもない宿命。せめてこよいは祭をせん。壇を設けよ」

と、白い唇から力なく言った。

翌朝。この地を立とうとすると、ひとりの若い大将が、白い戦袍をつけ、白銀の盔甲を着て、一隊の軍馬をひきいて、これへ急いで来た。

「張飛の嫡子、張苞です」

と名乗ったので、直ちに、玄徳の前へ導くと、玄徳は見て、

「オオ、父に似て、勇ましい若者。呉班とともに、朕の先陣に立つか」

と、悲しみのうちにも一つの歓びと、大いに気をとり直した様子であった。

張苞は答えていう。

「どうぞ先手の端にお加え下さい。そして父に代って、父に勝るてがらを立てなければ、父も九泉の下で浮かばれまいと思われます」

ところが同じ日に、関羽の次男関興も、一手の兵をつれて、この軍に会した。

玄徳は、関羽の子を見て、また涙を新たにした。

この大戦の門出に、余りに涙することばかり多いので、近側の大将は、

「――龍涙地に落つるは亢旱三年、という古言もあります。陛下、社稷の重きを思い給わば、何とぞ玉体をお損ね遊ばさぬように。そして努めて、士気の昂揚をご宸念あそばして下さい」

と、奏した。

「――いかにも」

玄徳もすぐ悟った。

年六旬をこえた身で、千里の境外に、七十余万の大軍をひきいて、今やその征途にあるのである。まだ戦いに入らぬうちに、心をいため、身をそこねてどうして呉に勝つことができよう。――そう彼自身も思い直すのであった。

また彼の一喜一憂がすぐ全軍の士気に大きく影響することももちろんで、将士のあいだには何となく、前途の吉凶にたいして、天文や地変をしきりと気にする声もあった。

陳震が或るとき、玄徳にこう告げた。

「この附近に、青城山という霊峰があります。そこに棲む李意という一仙士は、天文地利をくわしく占い、当世の神仙と世人にいわれております。勅をもって、彼を招き、このたびの事の吉凶をいちど占わせてみては如何でしょうか」

玄徳はあまり気のすすまない態であったが、他の諸将にもすすめる者が多かったので、さらばと陳震を使いにして、李意を陣中へ招いてみることにした。

陳震はさっそく青城山へ上って行った。やがて山路へさしかかると、なるほど世人のうわさの如く、清雲縹緲として、まことに神仙の住居はこんな所にこそあるであろうと思われた。

二

行くほどに、登るほどに、道はいよいよせばみ、水は渓をなし滝をなし、木々には瑞気の霧がゆるやかに渦巻いて、嶺のあらし、禽の声、耳も心も洗われて、陳震は自分の使命も忘れてしまった。

するとと彼方からひとりの童子が歩いてきて、彼の前へくると足を止めてにこりと笑った。

「あなたは陳震先生でしょう」

いきなりいわれたので、彼は大いに愕いて、

「どうしてわしの名を知っているのか」と目をまるくした。

「きのう私の師が仰っしゃっていました。あしたあたり蜀帝のお使いで陳震という人が山へ登ってくるだろうって……」

「えっ。ではお前の師というのは、李意仙士か」

「そうです。……けれど私の師は、誰が来たって、会わないよ」

「そんなことをいわずに、ぜひ案内してくれ。たのむ。……ほかならぬ天子のお使いじゃ。もし仙士がお会い下さらねば、わしは帰ることができない」

「じゃあ、お取次ぎしてみるから、来てごらん」

童子は先に立って歩いた。

行くこと数里、平かな一仙境があった。童子は庵へ入って、師の李意に告げた。李意はやむなく出て勅使を迎え、

「帝のお使いとは、何事ですか」と、たずねた。

陳震は、いま南征の途上にある蜀帝の旨を仔細に語って、

「ぜひ、仙翁をわずらわして、お問いいたしたいと仰せられます。それがしがお供いたしますから、一日、下山して、蜀の陣までご足労願われますまいか」

李意は渋っていたが、
慇懃、礼を尽して云った。

「詔とあれば、ぜひもない」と、黙々、陳震について、山を降りて行った。

玄徳は、やがてこの仙翁を前に、忌憚なく述懐して質問した。

「すでに存じておろうが、朕は、弱冠のときより関羽、張飛と刎頸の交わりを結び、戎馬奔命の中に生きること三十余年、ようやく蜀を定めて後、諸人は、朕が中山靖王の裔であるところから帝位に推しすすめ、ここに基業を創てたが、計らずも、朕の義弟二人

は害せられて、その讐たる者はことごとく呉の国に在る。ゆえに、朕は意を決し、呉を伐つため、これまで進発して来た途中であるが、前途の吉凶いかがあろうか。忌憚なく、仙翁のトう旨を聞かせてもらいたい」

李意は、膠もなく云った。

「それは分りません。すべて天数――すなわち天運ですから」

「翁は、その天数にくわしいと承る。ねがわくば易を垂れよ」

「山中の賤人。何ぞ、そのような大宇宙のことをよく知り得ましょうや」

「いやいや、それは翁の謙遜にちがいない。どうか、一言なりと、朕に教えてくれ」

再三の下問に、李意もとうとう否みかねたか、

「では、紙と筆をこれへ」と求め、やがて黙然と、何か描きだした。

見ると、児どもの画のように、兵馬武器の類を描いて、それをまた、片っぱしから破いては捨てた。画いては捨て、画いては捨て、百帖の紙をみな反古にした。

そして、最後の一枚には、一個の人形が仰向けに臥して、そばに一人の人物が土を掘ってその人形を埋めようとしている態を図に描いた。李意は少し筆をやすめて自分の絵を見ていたが、やがてその図の上に一字「白」と書いて筆を投じ、

「どうも畏れ多いことで」と、何やら意味のわからないことを呟いて玄徳を百拝し、霧の如くすうと帰ってしまった。彼の去ったあとを眺めて、玄徳はよろこばない顔色をしていた。そして近側の大将たちへ、

「つまらぬ者を迎えて、無用な暇をつぶした。おそらくは狂人であろう。はやくこの紙屑を焼きすててしまえ」と、いいつけた。

ときに、張飛の子張苞（ちょうほう）が、帝座の下に来て、かく告げた。

「すでに前面へ呉の軍があらわれたようです。どうか、私に先陣をお命じください」

三

「オオ、壮（さか）んなるかな、その志。張苞、はや行って、功を立てよ」

玄徳は、先鋒の印綬を取って、手ずから張苞へ授けようとした。すると、階下の諸将の中からやにわにこういう者があった。

「陛下。しばしお待ち下さい。先鋒の印は、かく申す私にこそ、曲げてお授け賜わるように」

誰かと、諸人目をそばだてて声の主（ぬし）を見ると、関羽の次男関興（かんこう）であった。

関興は進み出て、地に拝伏し、涙をながして、なお帝に向って訴えた。

「それがしの亡き父こそ、実に今日の戦を——また私の働きをば、地下において、刮目（かつもく）して待っているものです。なんで、先鋒の一陣を、余人に任せてよいものですか。ぜひとも先鋒の役は、それがしに命じ賜わりますように……」

すると張苞が、

「やよ関興。ご辺は何の能があって、あえて自ら先鋒を望むか」と、横から云いかけた。

関興はにこにことして、

「我いささか箭をたしなむ」

と答えた。張苞もまた、

「武芸なら余人におくれをとる張苞ではない。この方とて張飛の子だ」

と、ひかない色を示した。

玄徳はあいだにあってこの裁きには難儀な容子を示していたが、

「では、二人して、互いの武技を競うてみよ。勝れたる者へ、印綬を降さん」と、云いわたした。

「さらば、見給え」と張苞は気負って、まず三百歩の彼方に、旗を植えならべ、その旗の上に、紅の小さい的をつけて、弓を放つに、一箭一箭、紅的を砕いて、一つとして過らなかった。

「さすがは、張飛の子よ」

と、諸人は万雷の如き喝采を送った。――と、関興もまた次に、弓をとって前に進み、

「張苞の弓勢ごときは、何も奇とするには足りない。広言に似たれど、わが箭のゆく先を見よかし」といいながら、身を半月の如くそらし、引きしぼった箭を宙天に向けた。

折々、雁の声が、雲をかすめていた。しばらく息をこめて、空をにらんでいるうち

に、一列の雁行が真上にかかるや、関興は、弦音たかく一矢を放った。一羽の雁は、矢うなりと共に、その矢を負って、ひらーと地に落ちてきた。余りの見事さに、文武の諸官声をそろえて、

「射たりや、射たり」

と賞めたたえ、嘆賞のどよめきがしばし絶えなかった。

張苞は、躍起となって、

「やい関興。弓ばかりでは戦陣の役に立たんぞ。汝は、矛をあつかう術を知っているか」

と、呶鳴った。

関興も負けてはいず、すぐ馬に跳び乗って、

「たくさんは知らぬが、まずこのくらい」

と、剣を払って、張苞の頭上に擬した。

「なにを、猪口才」

と、張苞もまた、父の遺愛たる丈八の矛を持って、あわや一戦に及ぼうとした。

「ひかえろ！ 子どもら」

玄徳は上から叱って、

「そちたちは、父の喪もまだ明けたばかりなのに、何で味方同士の喧嘩をするか。そもそもお前達の父と父とは、義を血にすすり、親を魂に結んでいた仲ではないか。もし一

方に傷でも負わせたら、泉下の父は、どのように嘆くことか」

「はっ」と、ふたりは矛をすて馬をとび降りて、共に、その頭を、階下の地にすりつけた。

「これからは亡き関羽と張飛も同様に、汝らも仲よくせよ。そして年上のほうを兄と定め、父に劣らぬ交わりをしてゆくがよい」

帝のことばに、二人は再拝して違背なき旨を誓った。関興は張苞より一ツ年上なので、兄となって、兄弟のちかいを立てた。

敵軍はすでにだいぶ近づいて来たと、警報頻々であった。すなわち先陣水陸軍のふた手に、二人を立てて、玄徳自身、すぐその後から後陣としてつづいた。その日以後、行軍はもう臨戦隊形になって、怒濤のごとく、呉の境へいそいだのであった。

呉の外交

一

──それより前に。

張飛の首を船底に隠して、蜀の上流から千里を一帆に逃げ降った范彊、張達のふたりは、その後、呉の都建業に来て、張飛の首を孫権に献じ、今後の随身と忠節を誓ったあげく、

「蜀軍七十余万が、近く呉に向って襲せてきます。一刻もはやく国境へ大兵をお送りにならないことには、玄徳以下、積年のうらみに燃ゆる蜀の輩、堤を切った怒濤のごとく、この江南、江東を席巻してしまうでしょう」と、声を大にして告げた。

聞く者みな色を失った。孫権も寝耳に水であったから、即日、衆臣をあつめて、

「ついに玄徳は、蜀の力をあげて、乾坤一擲の気概をもって攻めてきた。思うに、関羽を討たれた恨みは、彼らの骨髄に徹しているだろう。どうしたらその猛攻を拒ぎ得るか」

彼の言は終っても、座中しばらく答える者がなかった。敵の決死的の意気の容易ならないものであることが誰にも戦慄をもって想像されたからである。

すると諸葛瑾が、

「一命を賭して、私が和睦の使いに参りましょう」と、云った。

人々は冷笑の眼をもって彼をながめた。およそ諸葛瑾が行って使命に成功したためしはないからだ。けれど、たとい不成功に終るにせよ、その間に逸る敵の鋭気をなだめ、味方の軍備を万全となす効力はある。孫権はゆるした。

「そうだ、まず、和睦を試みろ」

命をうけると、諸葛瑾はすぐ江船の奉行に帆支度をいいつけ、書簡を奉じて長江を溯った。

とき、章武元年の秋八月であった。

その頃、蜀帝玄徳は、すでに大軍をすすめて、虁関（四川省・奉節）に着き、その地の白帝城を大本営として、先陣は川口の辺りまで進出していた。

ところへ呉の使者として諸葛瑾が来たのである。玄徳にはもう会わないうちに呉の肚は読めていた。しかし黄権がしきりと、

「お会い遊ばさずに追い返してはかえって敵に狭量と見られましょう。むしろ彼を通して、こちらの云い分を、思うさま告げてお返しあれば、戦の名分も明らかに、またご威光もさらに振うというものではございますまいか」

と、会見をすすめたので、さらばと、瑾を面前に通した。瑾は、伏して云った。

「臣の弟孔明は、陛下に仕えて、久しく蜀にあります。故に、余人より幾分か、陛下のご眷顧も仰がれようかと、主人孫権が、特に不肖を使いとなして、呉の衷心を申しあげる次第でございます」

「簡単に聞こう。使いの主旨は、どういうことか」

「まずご諒解を仰ぎたい儀は、関羽将軍の死であります。呉はもとより蜀にたいし何のうらみもありません。荊州の問題も、さきに主人孫権の妹君を陛下の室にお娶わせしてからは、陛下の兵に依って治められるならば呉の領地も同じようなものだとまで、呉で

は超然とあきらめておりましたが、そこの守りたる関羽将軍には、呉の出先の呂蒙と事ごとに不和を醸し、平地に波瀾をまねいて、ついにあんな事に立ち到ってしまいました。実にこの事は主人孫権も、遺憾としておるところで、もし魏の圧迫さえなかったら、決して、関羽どのを討たすではなかったにと、その後も常に繰り返しているほどであります」

帝は目をふさいで、一語も発しない。諸葛瑾は、なお語をつづけて、

「関羽将軍の死も、蜀呉の葛藤も、つき詰めてみれば、みな魏の策略におどらされているに過ぎない。両大国が戦って、魏に漁夫の利を占めさせるなどは、実に愚の骨頂というものである。どうか、矛を収めて、以前の親善を呼びもどし、呉に帰っている呉妹夫人を、もういちど蜀の後宮へ容れられて、長く唇歯の国交を継続していただきたい。主人孫権の望みはそれ以外の何ものでもありません――」と、弁をふるって説きつづけた。

二

しかもなお、玄徳は、無言を守りきっている。諸葛瑾は、畢生の弁舌と智をしぼって、もう一言つけ加えてみた。

「陛下にも夙に、ご承知でありましょう。魏の曹丕の悪事を。――ついに漢帝を廃し、自身、帝位に昇って、億民を悲憤に哭かしめているではありませんか。いま、漢室の裔

たる陛下が、仇を討つなら、魏をこそ討つべきで、その簒逆の罪も正し給わず、呉へ戦いを向けられては、大義を知らず、小義に逸る君かなと、一世のもの笑いにもなりましょう。そこをも深くご賢慮遊ばして……」

ここで玄徳は、くわっと眼をひらいて、瑾の能弁を手をもって制した。

「呉使、大儀であった。もうよい。席を退がって呉へ立ち帰れ。そして孫権にかたく告げおけよ。朕ちかって近日まみえん。頸を洗うて待ちうけよと」

「……はっ」

と、威にうたれて、瑾は頭をさげた。

沓音があらく玉座に鳴った。面をあげてみると、もう玄徳はそこにいなかった。

温厚仁慈、むしろ引っ込み思案のひとといわれている玄徳が、かくまでの壮語を敵国の使者へ云い放ったためしはない。瑾も、ここまで努力してみたが、とたんに心中で、

（これはだめだ……）と、見きりをつけずにいられなかった。そしてこの陣に、弟の孔明が参加していないことも、いかに玄徳の決意が固いものであるかを証拠だてていると思った。

彼の帰国に依って、呉はさらに大きな衝撃を感じた。

対戦一途。未曾有の決戦。そうした空気が急激にみなぎった。

すでに江水また山野から、前線に出る兵馬は続々送られていた。そのあわただしい中を、中大夫趙咨という者が魏へ向って出発していた。

もちろんこれも呉の使節として赴いたものである。精馬強兵は北国の伝統であり、外交才能の優は南方人たる呉の得意とするところだ。いかなる変に臨んでも機に応じてまず側面の外交を試みる熱と粘りは怠らない。

「なに。呉の国が使節をもって、朕に表を捧げてきたとか」

大魏皇帝曹丕は、にやりと笑ってその表をざっと読んだ。

近頃、閑暇に富んでいるとみえ、曹丕は、使者の趙咨に謁見を与えた後、なおいろいろなことを訊ねた。半ばからかい半分に、半ば呉の人物や内情を、談笑のうちに探ろうとするような、口吻だった。

「使節に問うが、汝の主人孫権は、ひと口にいうと、どんな人物か」

趙咨は鼻のひしげた小男であったが、毅然として、

「聡明仁智勇略のお方です」

と答え、それから臆面もなく、曹丕を正視して、眼をぱちぱちさせながら、

「陛下、何をくすくすお笑い遊ばしますか」と、反問した。

「されば、朕は笑うまいとするに苦しむ。なぜなれば、自分の主君というものは、そんなにも過大に見えるかと思うたからだ」

「これは心外な仰せを」

「なぜ心外か」

「てまえにすれば、陛下の御前なので、甚だ遠慮して申し上げたつもりなのです。遠慮

なくそのわけを述べよと仰っしゃって下されば、陛下がお笑い遊ばさないようにお話しできると思います」

「申してみよ、存分に、孫権の豪さを」

「呉の大才魯粛を凡人の中から抜いたのは、その聡です。呂蒙を士卒から抜擢したのはその明です。于禁をとらえて殺さず、その仁です。荊州を取るに一兵も損ぜなかったのは、その智です。三江に拠って天下を虎視す、その雄です。身を屈して魏にしたがう、その略です。……豈、聡明智仁勇略の君といわずして何といいましょうか」

曹丕は笑いを収めて、この鼻曲りの小男を見直した。——身を屈して魏に従うこれ略なり、とはよくも思いきっていえたもの哉と、魏の群臣もその不敵さに皆あきれていた。

三

曹丕はくわっと眼をこらして彼を見くだしていた。大魏皇帝たる威厳を侵されたように感じたものとみえる。

やがて曹丕は、趙咨にむかって、あえてこういう言葉を弄した。

「朕はいま、心のうちに、呉を伐たんかと考えておる。汝はどう思うか」

趙咨は額をたたいて答えた。

「や。それも結構でしょう。大国に外征をする勢力があれば、小国にもまた守禦あり機略あり、何ぞ、ただ畏怖しておりましょうや」

「ふーむ。呉人はつねにも魏を怖れておらないというか」

「過大に恐れてもいませんが、過大に莫迦(ばか)にしてもおりません。わが精兵百万、艦船数百隻、三江の嶮(けん)を池として、呉はただ呉を信じているだけであります」

曹丕は内心舌を巻いて、

「呉の国には、汝のような人物は、どれほどおるか」と、また訊ねた。

すると趙咨は腹をかかえて笑い出し、

「それがし程度の人間なら桝(ます)で量って車にのせるほどあります」と、いった。

ついに曹丕は三嘆してこの使者を賞めちぎった。

「四方ニ使シテ君命ヲ辱(ハズカシ)メズというのは実にこの男のためにできていることばのようだ。うい奴、うい奴、酒をとらせよ」

趙咨はすっかり男を上げた。たいへんな歓待をうけたばかりでなく、彼の与えた好印象と呉の国威とは深く曹丕の心をとらえたとみえて、外交的にも予想以上の成功を収めた。

すなわち、大魏皇帝は、使者の帰国に際して将来の援助を確約し、また呉侯孫権にたいしては、

（封じて呉王となす）

と、九錫(きゅうしゃく)の栄誉を加え、臣下の太常卿邢貞(たいじょうけいけいてい)にその印綬をもたせて、趙咨(ちょうし)とともに呉

へ赴かせた。

皇帝みずから定められたので、魏の朝臣はどうすることもできなかったが、呉使が都を去るや否、疑義嘆声、こもごもに起って、

「あの小男めに一杯くわされたかたちだ」

となす者が多かった。

劉曄の如きは、面を冒して、皇帝に諫奏し、

「いま呉と蜀とが相戦うのは、実に天が彼らを滅ぼすようなもので、もし陛下の軍が呉蜀のあいだに進んで、内に呉を破り、外に蜀を攻めるなら、両国もたち所に崩壊を現すでしょう。それを余りにはっきりと呉に援けを約されたのは、この千載一遇の好機を可惜、逃がしたようなものかと存ぜられます。このうえは、呉へ味方すると称して呉の内部から攪乱し、一面、蜀を伐つ計を急遽おめぐらし遊ばしますように」

「否々。それはいかん。信を天下に失うであろう」

「とはいえ今、呉の譎詐に乗ぜられて、彼に呉王の位を贈り給い、また九錫の重きをお加え遊ばしたのは、わざわざ虎に翼をそえてやったようなもので、ほうっておいたら呉は急激に強大となり、将来事を醸したときはもう如何とも手がつけられなくなるでしょう」

「すでに彼は、朕に臣礼をとっておる。叛かぬ者を伐つ名分はない」

「それはまだ孫権の官位も軽く、驃騎将軍南昌侯という身分に過ぎないからでした。けれどもこれからは呉王と称して、陛下ともわずか一階を隔つる身になってくれば、自然

心は驕り、勢威はつき、何を云い出してくるかわかりません。そのとき陛下が逆鱗あそばして討伐の軍を発せられましょうとも、世人はそれを見て、魏は江南の富や美女を掠めんとするものであると口を揃えて非を鳴らすでしょう」

「否とよ。まあしばらく黙って見ておれ。朕は、蜀もたすけず、呉も救わず、ただ正統にいて、両者が戦って力の尽きるのを待っておる考えじゃ。多くをいうな」

そこまでの深慮遠謀があってのことなら、何をかいわんやと、劉曄は慙愧して、魏帝の前を退いた。

四

外交の大成功と、孫権が呉王に封ぜられた吉報とは、早くも内報的に建業城へ伝えられていた。

やがて、魏の勅使邢貞が船で着いたと聞えた。到着の日を待ちかねていた孫権は、

「お迎えに出なければ悪かろう」と、あわてて支度しかけた。

建業にも骨ッぽい臣はいる。孫権がいそいそ浮かれ気味の容子を見て、さっきからにがりきっていた顧雍がついにこう云った。

「何も魏の臣下などをお迎えに出るに及ばないでしょう。わが君にはすでに江東江南の国主ではありませんか。豈、今さら他人の官爵などを有難がって受ける必要があるものですか」

「いや顧雍。それは気が小さいことばだぞ。むかし漢の高祖は項羽から封を受けたこともあったが、後には漢中の王になられたではないか。みな時世時節と申すものだ」

群臣を従えて、孫権は建業の門を出た。遠く出て迎えの礼を篤くするためである。

邢貞は上国の勅使というのですこぶる傲然とそれへ臨んだ。しかも彼はあえて車を降りずに城門を通ろうとした。すると呉の宿将張昭は、甚だしく怒って、

「待て。車上の人間は、礼を知らぬ野人か、偽使者か。或いは呉に人なしと思うての無礼か、呉に剣なしと侮っての所業か」と、大喝を加えた。

すると、堵列の群臣も、声をあわせて、

「呉国三代、まだ他国に屈したことはない。しかるに、この非礼なる使者を迎えて、わが君に、他人の官爵をいただかせることの口惜しさよ、無念さよ！」

中には、激して、哭き声を発する者さえあった。

邢貞はあわてて車からとび降りて詫びた。そして堵列の将士にむかい、

「いま、哭き声で叫んだのは、誰でしたか」と、たずねた。

すると、言下に、

「それは、此方だが、何とした？」

と、名乗って出た大将がある。見れば偏将軍徐盛だった。

「……あなたか」

邢貞はもう一ぺんその者に非礼を謝して通った。そして心ひそかに、

（呉、侮るべからず）と、痛感したようであった。

しかし孫権はあらゆる礼遇と歓待とをもって使節に接した。そして大魏皇帝の名によって贈られた呉王の封爵も、

「ありがたく拝受いたします」

と、心からよろこんで受け、また即日、建業城中にこれを告げて、文武百官の拝賀をもうけた。

邢貞はまずよかったと心を安んじた。そして近く魏へ帰国する日となると、呉王は江南の善を尽し美を尽した別宴をひらき、席上、おびただしい土産ものを山と積んで、

「どうかお持ち帰りください」と、披露した。

大魏の宮中にいて豪華に馴れている邢貞も、その土産物の莫大なのに思わず目をまろくしたほどだった。

珠玉、金銀、織物、陶器、犀角、玳瑁、翡翠、珊瑚、孔雀、闘鴨、鳴鶏、世の七宝百珍にあらざる物はない。そしてそれは金鞍の白馬百頭の背に美しく積まれて、江岸の客船まで送りとどけられた。

あとで宿老の張昭はつぶやく如く呉王を難詰った。

「魏帝はきっと思い上がりましょうよ。いくら何でも、あのような礼物は余りに過大です。媚態すぎました」

孫権は軽く笑った。

「いやいや、慾には飽くことを知らないのが人間だ。先に取ってはさほど過大とは思わないだろう。要するに、彼とは利を以て結ぶしかない。だが後には、あんな礼物はみな石瓦に過ぎんさ」

「なるほど」

張昭は急に顔を解いてうれしそうにうなずいた。呉三代の主君に仕えてきた宿老として、とかく幼稚に思われてならなかった孫権がいつのまにかかくの如き大腹中の人となってきたことが、涙のこぼれるほど有難かったに違いない。

並居るほかの臣下も皆、孫権の深慮に嘆服した。

この一戦

一

その後、蜀の大軍は、白帝城もあふるるばかり駐屯(ちゅうとん)していたが、あえて発せず、おもむろに英気を練って、ひたすら南方と江北の動静をうかがっていた。

ときに諜報があって、

「呉は魏へ急遽援軍を求めたらしいが、魏はただ呉王の位を孫権へ贈ったのみで、曹丕の態度は依然、中立を固持しています」と、伝えてきた。

「朕の予測に過たず、曹丕は漁夫の利を獲んとするのであろう。よし、さらば立て」

帝玄徳は、断乎として、ここに初めて、帷幕から令を降した。

ところへ、南蛮の沙摩柯が、蛮土の猛兵数万をしたがえて参加するし、洞渓の大将杜路、劉寧のふたりも手勢を挙げて加わったので、全軍の戦気すでに呉を呑み、水路の軍船は巫口（四川省・巫山）へ、陸路の軍は秭帰（湖北省・秭帰）あたりまで進出した。

逆まく長江の波、頻々、伝わる上流の戦雲に対し、呉は、

――国難来る。

と、異常な緊迫感に襲われつつも、一方、魏のうごきと睨み合せる心理を多分に持っていた。

この際、他を恃むことの、いかに危険でまた愚かなことかを、孫権はすぐ覚った。魏は依然兵を出さない。

――で孫権はいよいよ一国対一国の大勝負を決意し、群臣にこれを諮ったが、閣議は粛然と無言の緊張を持つのみで、たれひとり自らこの一戦に当らんと意気を昂げる者もなかった。

すると、一隅から起って、慨然とさけんだ者がある。

「君が千日兵を養い給うのは、ただ一日の用に備えんためである。僕はまだまだ黄口

の若年ですが、こんな時こそ、日頃の机上の兵学を、この敵愾心と誠忠の心を以て、君に酬わんと思う者であります。どうか小生をまっ先に派遣してください」

誰かと見れば、孫権の甥にあたる武衛都尉の孫桓だった。年歯わずか二十五歳の青年である。

「おお、わが甥か」

孫権は眼ざしを注いで、いかにもよろこばしげに、彼の願いを許容した。

「その家には、李異と謝旌という万夫不当な勇将も二人養っているそうだ。大いによかろう、征って来い、なお副将には、老練な虎威将軍朱然をつけてやる」

かくて呉軍五万は、宜都（湖北省・宜都）までいそいだ。朱然は右都督、孫桓は左都督として、各〻二万五千を両翼に分って、蜀に対峙した。

白帝城を出、秭帰を経、この宜都までのあいだ、蜀軍は進むところを席巻して、地方地方の帰降兵を収容し、ほとんど、颱風の前に草木もないような勢いだった。

「聞くならく呉の孫桓もまだ青眉の若武者だそうです。この第一陣には、それがしを出して、彼と戦わせて下さい」

帝玄徳が敵をながめている日、関興はこう願い出た。

さきに先陣を争って、喧嘩になりかけた例があるので、帝玄徳は、

「義弟の張苞もつれて行け」と、条件付きでゆるした。

関羽の子、張飛の子、ふたりは勇躍して、手勢をわけ、まるで黒旋風の如く、呉軍の

なかへ駈け入った。

玄徳はすぐ馮習、張南の二大将を呼び、

「心もとない。いずれもかかる大戦に臨むのは初めての若者輩だ。すぐ強兵をすぐって彼らの後につづけ」

と、命じた。

結果は、実に蜀の大勝利となった。呉の大将孫桓も若いし初陣でもあったので、関興、張苞に完膚なきまで全陣地を蹂躙された。しかも左右の旗本とたのんでいた謝旌は張苞に討たれてしまうし、李異は矢にあたって逃げるところを、うしろから迫った関興のために、その大青龍刀で真っ二つにされてしまうという惨敗を蒙ったのであった。

ただ、張苞はあまり深入りしたので、気がついて、引っ返そうとすると、関興の姿が見えない。もしやと、さらに敵中へ駈け入って、

「義兄。義兄よ」

と声かぎり探していた。父関羽も父張飛も、ふたりの勇とこの情誼に、霊あらば地下で哭いていただろう。

二

曠野に陽も落ちて、あたりが真っ暗になっても、まだ張苞は帰らない。関興も帰ってこない。

「きょうの戦は、味方の大捷」

と、続々引き揚げてくる将士の声をきいても、帝玄徳はさらに歓ばない容子で、

「ふたりはどうしたか」と、野辺の陣に立って、ひたすら待ちこがれていた。

ようやく、その二人は、馬を並べて引き揚げてきた。見れば一人の敵将を捕虜として連れている。呉でも有名な譚雄という猛者だった。これを追って生捕るために、関興は味方を遠く離れてしまい、やっと張苞に会って共に帰ってきたのだと、帝へ語った。

「どっちも、父の名を辱めない者だ」

帝玄徳は二つの手で、二人の肩をたたいて賞めた。そして譚雄の首を刎ね、篝火を焚いて、人馬の魂魄をまつり、一同へ酒を賜った。

序戦に大敗を喫したのみか、三人の大将まで討たれ、呉の孫桓は慚愧した。とりあえず陣を一歩退いて、

「この辱を雪がずんば」と、備えを立て直し、兵は多く損じても、戦意はいやが上にも熾烈だった。

蜀軍は、徐々と次の戦機をうかがいながらも、

「あの意気では、ふたたび同じ戦法で行っても、先頃のような快勝はつかめまい」

馮習、張南、張苞、関興、すべて同意見だったので、一計をめぐらし、ひそかに手配にかかった。

呉の左翼たる陸軍は破れても、近き江岸にある右翼の水軍はまだ無傷だった。その江

岸の哨戒隊がある日、蜀の一兵を捕えて、水軍の都督部へ引っぱって来た。

「どうして捕まったか」

「道に迷いましたので」

「何で味方の陣を離れてこんな所へ迷ってきたのだ」

「主人馮習の密命で、今夜、孫桓の陣へ火を放って、夜討ちをかけるから、昼の間に、附近へひそんでいろと、五十人ばかり出てきましたが、後から油を運んでくるあいだに、部隊の者とはぐれてしまったのです」

この調べを、都督の朱然が聞いて、手を打ってよろこんだ。

「兵を陸へ揚げて、蜀軍が夜討ちに進む退路を断ち、逆に孫桓としめし合せて挟み撃ちにしてやろう」

すぐ書簡をしたためて、使いを孫桓の陣へやった。

ところが、その使いは、途中で待ち伏せしていた蜀の兵に斬られてしまった。これはまったく馮習や張南のめぐらした計略なので、朱然に、使いの通るのを察していたためである。

とも知らず、その夕方、朱然は大軍を船から上げて、すでに進もうとした。しかし大将崔禹は、

「どうも、少しおかしい。一士卒のことばを盲信して、これだけの行動を起すのは、ちと軽率です。都督にはやはり水軍を守ってここにいてください。それがしが行きますか

ら」と注意した。

朱然も、げにもと思い直し、自身は水軍にひかえて、崔禹に計をまかせ、一万足らずの兵をあずけた。

案の如く、二更の頃、孫桓の陣に、猛烈な火の手が揚がった。火攻めのあることは、昼のうちに朱然から通じてあるものとしていたが、その使いが、その途中で斬られていることまでは崔禹も思い到らなかった。

「それ援けに行け」と、にわかに急ぐと、途中の森林や低地から待っていたとばかり伏兵が起った。張苞、関興ふた手の軍勢だった。

崔禹は生捕られ、部下は大打撃をうけて、なだれ帰ってきた。朱然は周章して、その晩のうちに船手の総勢を、五、六十里ほど下へさげてしまった。

一度ならず二度まで敗北した孫桓は、陣営ことごとく敵に焼かれて、無念のまなじりをあげながらやむなく夷陵の城（湖北省・宜都、宜昌の東北）へ退却した。

蜀は仮借なくこれを追い込み、崔禹の首を刎ねて、いよいよ威を示した。そして序戦二回の大敗報は、やがて呉の建業城中を暗澹とさせた。

「王、さまで御心をいためることはありません。呉建国以来の名将はすでに世を辞して幾人もありませんが、なお用うべき良将は十余人ありましょう。まず甘寧をお招きなさい」

宿老張昭は励ました。

冬将軍

一

冬が来た。

連戦連勝の蜀軍は、巫峡、建平、夷陵にわたる七十余里の戦線を堅持して、章武二年の正月を迎えた。

賀春の酒を、近臣に賜うの日、帝玄徳も微酔して、

「雪か、わが鬢髪か。思えば朕も老いたが、また帷幕の諸大将も、多くは年老い、冬の陣も耐うるに徹えてきた。しかし関興、張苞の若いふたりが役立ってきたので、朕も大いに気づよく思うぞ」

などと述懐した。

するとその日の午過ぎ、

「黄忠がわずか十騎ばかり連れて呉へ投降してしまった」という風聞が伝わった。

帝玄徳は告げる者に笑って、

「いや黄忠は今朝ここにおった。さだめし老気を励まして呉へ討ち入ったものであろう。朕の述懐こそ心なき呟きであった。——あわれや彼も七十の老武者、過ちさせては不愍である。関興、張苞、すぐ行って彼を救え」と、いった。

玄徳の推察は過っていない。実に黄忠はその通りな気もちで、わずか十騎をつれて、敵中に一働きして見せんと、途中、味方の夷陵の陣地を通った。

馮習、張南が、見かけて、

「老将軍、どこへ行くのか」と、たずねた。

黄忠は、慨然と、帝の述懐を物語って、

「帝は賀春の席で帷幕みな多くは老い、物の用に立つものが少ないと宣うた。それがし、年七十にあまれど、なお十斤の肉を啖い、臂に二石の弓をひく、故に、これから呉軍に一泡ふかせて、帝の御心を安んじ奉ろうと思うのでござる」と、馬からおりもせず答えた。

「老人。それは無茶だ」

張南は極力なだめた。それこそ年寄りの冷や水といわないばかりに。

彼は諫めていう。いまや呉の陣は去年とは内容が一変している。若い孫桓を後方に下げて、前線は、新たに建業から大軍をひきいてきた韓当、周泰など老練を配し、先手には潘璋、うしろ備えには凌統、そして呉随一の戦上手といわれる甘寧が全軍をにらんで遊軍という位置にある。しかもその数、十万という新鋭。そんな所へわずか十騎をつれて何しに参られるか、と教えかつ大いに笑った。

しかし黄忠は耳にもかけず、其許たちは見物してござれ、と一言云い捨てて行ってしまった。張南、馮習はあきれ顔に見送っていたが、

「さてさて、死神にでもとりつかれたか。というて見殺しにもできず――」と、あわて一群を追い慕わせた。

黄忠はやがて呉の潘璋の陣中へかかった。わずか十騎で平然と中軍まで通ってしまったのである。変に思って番兵が味方を呼び立てたときは、彼はすでに主将潘璋と戦っていたのである。

「関羽が仇を報ぜんと、単騎ここに来る。かくいうは蜀第一の老骨黄忠なり」

と、そこの帷幕へ迫って大声に名のりかけたからである。

戦線に異変なく、中軍の内から起った戦である。潘璋の外陣はみな前をすてて、中心へかたまって来た。

そこへ張南の一軍が、黄忠を援けにきた。また少しおくれて関興、張苞が、数千騎をつれて吹雪のように翔け暴れてきた。乱軍となって、潘璋は討ちもらしたが、合戦としては十二分の捷を占めて、いちど蜀は野を隔てた。

「ご無事でよかった。さあ老将軍、帰りましょう」

張苞、関興などが引き揚げをうながすと、

「ばかな」

と、老人はうごかない。

「あすも戦うのだ。次の日も。――関羽のかたき奴を討ち果さんうちは」

そして翌日はまた、この七十余齢の武者は、突撃の先に立って、

「潘璋、出でよ」と、四角八面にあばれ廻っていた。

けれど、きょうは呉にも、備えがあった。彼は地の利の悪い危地へ取り籠められた。血路をひらいて遁れようとすると、四方から石が飛び黒風が捲いてきた。そして右の山から周泰、左の渓流から韓当、うしろの谷から馬忠、潘璋というふうに、呉の軍勢は霧のごとく彼の退路をふさいでしまった。

二

豪気な黄忠も、いまはどうすることもできない。身には幾すじも矢を負い、馬は石に当って斃れた。精は尽き、眼はかすみ、

「いまはこれまで」と、自ら首を刎ねて死のうとした。

呉の大将馬忠は、そのとき馬を飛ばして、砂礫とともに駈けおりて来た。それを知るや黄忠は、

「死出の道づれに、望むところの敵」

と、断末魔の勇を鼓して、馬忠のまえに幽鬼の如く立ちふさがった。

「そのような白髪首をまだ惜しむか」

馬忠の突いてくる槍の柄にしがみついて、黄忠は離さなかった。そのうちに四方の呉軍が何事か騒ぎ出したので、馬忠はいよいよ持て余し、かえって老黄忠のために槍を奪われ、その槍でりゅうりゅうと突きまくられた。

関興、張苞のふたりは、この山間に黄忠が追い込まれているのをようやく知って、それを救うべくこれへ急襲して来たのである。馬忠は身の危険をさとるとにわかに相手を捨てて谷ふところへ逃げ去ってしまった。

「老将軍。もうご安心なさい」

耳もとでいわれたが、黄忠はそれから後のことは何も覚えなかった。彼が気づいてみたときは、味方の陣中に安臥して、関興や張苞の手で看護されていた。

いや、誰かうしろで、自分の背を撫でてくれる人があるので、苦痛をこらえて、ふと振り向いて見ると、それは帝玄徳だった。

「老将軍。朕が過ちをゆるしてくれよ」

「あ……」と、愕いて、黄忠は起き上がろうとしたが、おびただしい出血と老衰とに、ただ苦しげな悶えをその表情に見せるだけだった。

「否とよ陛下。……陛下のような高徳の御方のそばに、七十五歳のこの年まで、久しくお仕えすることができたのは、実に人と生れた冥加この上もありません。この命、なんで惜しむに足らん。ただ、龍体を守らせ給え」

いい終ると、忽然、息が絶えた。

陣外には、白天地の夜を、吹雪が吹き暴れていた。

「ああまた一虎は逝いた。五虎の大将軍、すでに逝くもの三人」

成都へ彼の棺槨を送るの日、玄徳は曠野に立って灰色の雪空を長く仰いでいた。

「かくては」と、玄徳は自ら心を励まし、御林の軍をひきいて、凍る帝旗を、さらに、猇亭（湖北省・宜都の西方）まで進めた。

はからずもこの附近で、呉の韓当軍と会戦した。張苞は韓当の唯一の部下夏恂を打ち破り、関興は周泰の弟周平の首をあげた。帝はこれを眺めて、

「虎の子に犬の子なし」と、手を打って感嘆した。

一戦一進、蜀陣は屍の山を越え、血の流れを渡って進んだ。帝座のあたりを守る白旄黄鉞、また黄羅の傘蓋まで、ことごとく凍って、水晶の珠簾が揺ぎ進むようだった。

呉の水軍を統率していた甘寧は建業を立ってくる時から体がほんとでなかったので冬に入ってはいよいよ持病に悩み、味方の頽勢すこぶる憂うべきものがあったが、ぜひなく陸上軍の退却とともに、彼も江岸を馬に乗って落ちて行った。

すると途中、待ち伏せしていた蜀軍の南蛮部隊が、いちどに起ってこれを猛襲した。彼の軍はその大半以上が船中にあるので従えていた部下はごく少数だった。それに蛮軍の大将沙摩柯の勇猛さはまるで悪鬼か羅刹のようだったので、ほとんど、生き残る者もないほどな大殺戮に会ってしまった。

甘寧は、病床のうえに、沙摩柯の射た矢に肩を射られ、富池口（湖北省・公安の南）ま

でひとり逃げたが、最期をさとったとみえて、馬を大樹の下に捨て、その樹の根元に坐ったままついに落命していた。

二月に入った。

猇亭方面ではなお激戦がくり返されていた。蜀軍の兵にはもう必勝の信念がついていたし、呉兵には戦えば必ず負けるものという臆心がこびりついていた。

ところが、その日の戦に、全軍凱歌して引き揚げてきたのに、どうしたのか夜に入っても関興だけが一人帰ってこなかった。

「見て参れ。気がかりな」

と、帝は張苞にもいいつけ、その他の将にも、手分けして探せよと命じ、深夜まで眠りにつかなかった。

尉霊大望

一

奮迅奮迅、帰るも忘れて、呉の勢を追いかけた関興は、その乱軍のなかで、父関羽を殺した潘璋に出会ったのである。

やわか遁すべき――逃げ走る潘璋を追ってついに山の中まで入ってしまった。が、その仇は惜しや見失ってしまい、道に迷って闇夜の山中をさまよっていたのだった。

一軒の山家から灯がもれていたので、立ち寄って一飯一宿の恩を乞うと、

「さあ、どうぞ」と、ひとりの老翁が柴の戸をあけて内なる一堂へ導いた。あっと、関興はそこに立つや否、愕いて拝伏した。正面の小さい壇に明々と燈火を照らし、亡父関羽の画像が祀られてあるではないか。

「老翁。わしの父とこの家と、どういう縁故があったのか」

「では、あなた様は、関将軍のご子息でございますな」

「されば、その関興だが」

「この地は、かつて関将軍が治め給うた領地でした。将軍の生けるうちすら、わたくしどもはご恩徳を頌えて、家ごとに朝夕拝しておりました。いわんや今、神明と帰し給うをや」

老翁は、そういって、関興をねぎらい、この奇縁をよろこび、床下に蓄えていた酒瓶を開いて夜もすがら歓待した。

すると深夜、外から扉を烈しく叩く者があって、

「開けろ。ここを開けろ。それがしは呉の大将潘璋だが、道に迷って困却いたした。朝まで母屋を貸してくれ」と、大声して訪れた。

関興は突っ立って、

「あらふしぎ。これぞ亡父の引き合わせであろう」と、外へ躍り出るや否、

「父の仇、潘璋、逃げるなかれ」と、組みついた。

不意をくった潘璋は、組敷かれて、ついに首を掻かれてしまった。関興は歓喜して、その首を馬の鞍わきにくくりつけ、老翁に別れを告げて立ち去った。

すると麓のほうから潘璋の部下の馬忠が上がってきた。見ると、主人の首を鞍につけた若武者が降りてくる。しかもその手に抱えているのは、主人潘璋が、関羽を討ったとき功によって呉王から賜った、関羽が遺愛の有名なる偃月の青龍刀だ。

「やあ、何奴なれば」と、怒髪を逆だてるなり馬忠は打ってかかった。関興はオオッと迎えて、これも父の仇の片割れ、いざ来いと、力を尽して闘った。

ときに一彪の軍馬が炬火を振って登ってきた。玄徳の命をうけて、関興を探しにきた張苞の一軍だった。

「すわ、大敵」と、馬忠は逃げてしまった。張苞、関興のふたりは手をたずさえて味方の本陣へ帰り、帝にまみえて潘璋の首を献じた。

会戦このかた、連戦連敗の呉軍は、また潘璋を亡ってから、士卒のあいだには、

「とても蜀にはかなわぬ」

という空気がどことなく漂ってきた。

もともとこの軍には、さきに関羽を離れて、呉の呂蒙へ降参した荆州兵が多かったの

で、蜀帝にたいしては戦わないうちから一種の畏怖を抱いていたし、中には二心の者も相当にあった。

それらの兵は、この負け続きの虚に乗って、

「蜀の天子が憎んでいるものは、蜀を裏切って、関将軍を敵に売った糜芳、傅士仁の二人だ。だからあの二人の首を取って、蜀帝の陣に献上申せば、きっと重き恩賞を下さるにちがいない」

と、寄り寄りささやいて、不穏な兆候をあらわした。

糜芳、傅士仁は、身の危険を感じだすと、

「これは油断がならん。味方のうちからいつ暴動が起るかもしれない。蜀帝の憎み給うものは、むしろ馬忠にちがいない。いま、われらして馬忠の首を持ち、蜀帝のまえに赴いて前非を悔ゆるなら、きっとお許しあるは疑いもないことだ」

と相談して、自分たちの首を取られない前に、一夜彼らは馬忠の寝首を掻いた。そしてその首を取るや否、脱走して蜀の陣へ駈け込んでしまった。

二

糜芳と傅士仁のふたりを脚下に見ると、帝玄徳は怒龍のごとき激色をなして罵った。

「見るも浅ましき人非人ども、なんの面目あってこれへ来たか。ひとたび窮すれば、関羽を呉へ売り、ふたたび窮すれば、呉を裏切って馬忠の首を啣え来る。その心事の醜

悪、行為の卑劣、犬畜生というもなお足らぬ。もし汝らをゆるさば百世の武門を廃らし、世の節義は地に饐えるであろう。さらに関羽の霊位に対しても、断じて生かしておくことはできない。——関興関興、この仇二人は汝に授ける。首を刎ねて、父の霊を祭るがよい」

関興は、雀躍りして、

「ありがとうございまする」

と両手にふたりの襟がみをつかんで、関羽の霊前まで引きずって行き、首を斬ってそこに供えた。

本望をとげた彼のよろこびに引き代えて、張苞は、ひとりしおれていた。帝はその心事を察して、

「まだ汝の亡父を慰めてやれぬが、やがて呉の国に討入り、建業城下に迫る日は、必ず張飛の仇もそそがずにはおかぬ。張苞よ、悲しむなかれ」と、いたわった。

ところがこの頃すでに、その仇なる范疆、張達の両人は、身を鎖で縛められ、檻車に乗せられて、呉の建業から差し立てられ、道中駅路駅路で庶民の見世物に曝されていたのであった。

なぜかというに。

相次ぐ敗戦の悲報で、呉の建業では、常に保守派とみられる一部の重臣側から、急激に和平論が擡頭していた。この一派の意見としては、

（もともと、蜀は呉と結びたがっていたものだ。それが今日のように国を挙げて敵愾心を奮い起して攻めてきたのは呂蒙、潘璋、傅士仁、糜芳などに対する憤怒で、今はそれらの者もみな亡んでしまった。残っているのは、范彊、張達の二名に過ぎない。しかしあんな人物のために、呉がおびただしい代償を払う理由などは毫もない。早々召捕って、張飛の首と共に、蜀の陣へ返してやるべきである。——そして荊州の地も玄徳へもどしてやり、呉妹夫人ももとの室へお送りあるように、表を以て和を求めたなら、蜀軍はたちまち旗を収め、これ以上、呉が天下に威信を墜とすことはないであろう。現状の推移にまかせていたら、ついにこの建業の城下に蜀の旗を見るような重大事に立ちいたるやも測り知れぬ）

というのであって、それには勿論、主戦派の猛烈な論争も火の如く駁されたが、結局、一日戦えば一日呉の地が危なく見えてきたので、孫権もそれに同意する結果となってしまったのである。

で、程秉を使者として、書簡をささげて、猇亭へいたらしめた。すなわち彼は、檻車の中に囚えてきた范彊、張達の二醜に添うるに、なお沈香の銘木で作った匣に塩浸しとした張飛の首を封じ、併せて、蜀帝玄徳の前にさし出した。

玄徳はこれを収めた。

そして、二醜は、

「孝子へ与えん」

と、張苞の手にまかせた。

張苞は、額をたたいて、

「これぞ、天の与えか」

と、躍りかかって、檻車の鉄扉を開き、ひとりひとりつかみ出して、猛獣を屠殺するごとく斬り殺した。

そして、二つの首を、父の霊に供えて、おいおい声をあげて哭いた。呉の使いの程秉はそれをながめておぞ気をふるった。

玄徳は沈黙している。そこで程秉が、

「主君の仰せには、呉妹君をもとの室へお返しして、ふたたび長く好誼をむすびたいと、切にご希望しておられる次第ですが」

と回答をうながした。

玄徳は、明瞭に、その媚態外交を、一蹴した。そして、

「朕のねがいはこれしきの事にとどまらん。呉を討ち、魏を平げ、天下ひとつの楽土を現じ、光武の中興に倣わんとするものである」

と明らかに宣した。

一書生

一

程秉（ていへい）は逃げ帰るように急いで呉国へ引き揚げた。その結果、ふたたび建業城中の大会議となって、閣員以下、呉の諸将は、今さらの如く蜀の旺盛な戦意を再認識して、満堂の悽気、恐愕（きょうがく）のわななき、おおうべくもなかった。

「諸員。何をか恐れるか。呉には、幸いにも、国家の柱ともいうべき大才が生れておる。なぜ各位は、かかる時、この人を王にすすめて、以て蜀を破ろうとしないのか」

ときに一議席からこう提唱した者がある。闞沢（かんたく）、字（あざな）は徳潤（とくじゅん）であった。

孫権はにわかに眼（まなこ）をかがやかして、

「わが呉下に、そのような大器量な人物がいようとは、予もまだ知らなかった。いまや呉は危急存亡の境にある。もし呉を興すほどな真の大才にして野におるならば、我はその人の履（くつ）を取って迎えることでもするであろう」と、その誰なるかを、闞沢に質（ただ）した。

闞沢がそれに答えて、

「余人でもありません。それはいま荆州にいる陸遜です」

というと、議場はたちまちがやがやし出して、中には、嘲笑の声すら聞えた。

「……？」孫権は首をかしげている。諸人は騒然と非をささやく。そして張昭、顧雍などの重臣連も、苦笑をたたえて、こもごも反対した。

「呉の国柱と仰がれた人は、その初めを周瑜公となし、次いで魯粛公がこれを享け、先頃までは、呂蒙公を以て、国家の大事も、この人あればと、衆みな信望していたものでした。――ところが、いま呂蒙も亡く、国中この難局に心をいため、これらの故人を、仰ぎ慕うこと、まことに切なるものがありますが、まだ以て、黄口の一儒生にすぎない陸遜を目して、護国の英傑と恃むものは一人もないでしょう。闞沢はなにを勘ちがいされたか」

張昭がいうと、顧雍も、

「陸遜は元来、文字の人で、軍事には何の才もありはしない。それに年は若いし、世の儒生と同じように柔弱で、どう贔屓目に見ても、取り立ててこれという程な秀才とも思われぬから、おそらくは用いてみても、部下の諸将が彼に服すまい。上将に服せざるは乱の兆という。要するに、彼を用いて、蜀を破らんなどとは、痴人の夢にすぎないものだ」

と、痛烈にこき下ろした。

そのほか反対者はずいぶん多かったが、孫権は一同の反論を退けて、

「陸遜を呼べ」と、すぐ荊州へ早馬をもって命を伝えた。彼にその英断を下させたものは、闞沢が、

（もし私の言に誤りがあったら私の首をお取りになってもよい）

とまで、責めを一身に負って推挙に努めたにもよるが、もっと心をうごかしていたのは、死んだ呂蒙が生前に陸遜を賞めていたことばであり、また、

（あの呂蒙が、自分の代りに荊州の境の守りに抜擢したほどの者とすれば、年は若くても、何か見どころのある人物にちがいあるまい）と、考えたからであった。陸遜は、召しに依って、急遽、建業へ帰って、呉王に謁した。そして呉王から、この大任をうけて、汝よくそれに応うる自信ありや、と問われると、陸遜は、

「国家存亡の時、辞すべきではありませんから、謹んで大命を拝します」

と、言外に自信をほのめかしてから、こう云い足した。

「御口ずから大命を降したもう以上、これで充分ですが、願わくは文武の諸大将をことごとく召して、厳かな儀式を営まれ、その上で御命の剣を臣にお授けください」

孫権は、承知した。

そこで建業城の北庭に、夜を日についで台を築かせ、百官を列し、式部、楽人を配して、陸遜を壇に登らせた。

そして呉王孫権手ずから剣を授け、また白旄、黄鉞、印綬、兵符などすべてを委して、

「いま足下を封じて大都督護軍鎮西将軍とし、婁侯の称を贈る。以後、六郡八十一州ならびに荊州諸路の軍馬を総領せよ」

と、陸遜に大権をゆだねた。

二

陸遜が新たに総司令官として戦場へ臨むという沙汰が聞えると、呉の前線諸陣地にある諸将は、甚だしく不満をあらわして、口々に、

「あんな黄口の小児が、大都督護軍将軍に任ぜられるとはいったい何事だ」

「あんな文弱の徒に、軍の指揮ができると思うておられるのか」

「呉王のお旨が解し難い。これは何か周囲の者の策謀によるものだろう」

などと、早くも呉の全面的崩壊を口にいう者すらあった。

そこへ陸遜は着任した。

荊州諸路の軍馬を集め、丁奉、徐盛などの諸将を新たに加えて、堂々と新鋭の旗幟を、総司令部に植えならべた。

けれど従前から各部署にいる大将連は、昂然として、みな敢えて服さない色を示していた。賀を陳べてくる者すらない。

陸遜はすこしも気にかけるふうもなく、日を量って、

(軍議をひらくにより参集あるべし)と通告を発し、その日、やむなく集まってきた諸

将を下に、彼は一段高い将台に立って、こう云い渡した。

「自分が建業を発するとき、呉王は親しくこの身に宝剣印綬を授けたまい、閾の内は王これを司らん、閾の外の事は将軍これを制せよ。もし配下に紊す者あらば、まず斬って後に報ずべしとまで仰せられた。――自分は王のこのご信任に感泣して、一身を顧みるいとまもなくかくは赴任してきたわけである」

と、まず抱懐の一端をのべて味方のうちにある根拠なき妄説の一つを粉砕し、また、

「軍中つねに法あり。王法に親なしともいう。各部隊は層一層、軍律を厳に守られたい。もし肯かずんば、敵を破るまえに、内部の賊を斬らん」と、語尾つよく宣言した。

諸人は黙然としてただ仏頂面をそむけていた。するとその不満組の一人たる周泰がすこしすすんで将台の上へ呼びかけた。

「さきに前線へ来て悪戦苦闘を続けておられたわが呉王の甥君たる孫桓は、先頃から夷陵の城に取り籠められ、内に兵糧なく、外は蜀兵に遮断されておる。いま大都督の幸いにこれに臨まれた上は、一日もはやく妙計をめぐらして、まず孫桓を救い出し、もって呉王のお旨を安め奉り、あわせてわれらの士気を昂揚されたい。――借問す、大都督には、かかる大計をお持ちなりや」

陸遜はほとんど問題にしなかった。

「夷陵の一城などは、枝葉にすぎない。それに孫桓はよく部下を用いる人だから必ず力を協せてよく守るだろう。急に救わなくても落城する気づかいはない。むしろ自分が破

ろうとするのは蜀軍の中核にある。敵の中核が崩れれば、夷陵の如きはひとりでに囲みが解けてしまうのである」

聞くと諸将はみな、どっとあざ笑って、

「果たせるかな、この人、無策」と侮蔑のささやきを交わしながら退散した。

韓当、周泰のふたりなどは、

「かかる大都督を上にいただいていては滅ぶしかない」と、面色を変えたほどだった。

すると次の日、大都督の名をもって、各部署へ、

（攻め口をかたく守り、敢えて進まんとするなかれ。一人出でて戦うもこれを禁ず）

という軍令が下った。

「ばかな。もう黙ってはいられない」

諸将は、憤懣、不平の眦をそろえて、大都督部へ難詰に押しかけた。

「われわれは戦に来ているものだ。すでに命を捨ててここに来ている。しかるに、これ以上、手を拱いて、自滅を待つような命を発せられるとは、如何なるお考えであるか。よも、わが呉王としても、そんな消極的なお旨で貴公を任じられたわけではあるまい」

韓当、周泰などを先にして、各〻、口を極めて反対すると、陸遜は手に剣をとって、

「自分は一介の書生にすぎぬが呉王に代って諸君に令を下すものである。これ以上、異論をさしはさむにおいては、何者たるを問わず、斬って軍律を明らかにするぞ」

と声を励まして叱咤した。

諸将は黙った。恐れを抱いてみな帰ってしまった。しかし誰ひとり陸遜に服しはしない。むしろ来た時よりも、憤懣を内にふくんで、

「青書生めが、急に権力をもつと、ああしてやたらに威張ってみたくなるのだろう」

などと帰路でめいめい口ぎたなく嘲笑を交わしていた。

三

こういう間に、士気いよいよ高い蜀の大軍は、猇亭から川口にいたる広大な地域に、四十余ヵ所の陣屋と壕塁を築き、昼は旌旗雲と紛い、夜は篝火に天を焦がしていた。

「呉軍の総司令は、こんど陸遜とかいう者に代ったそうだが、聞いたことのない人物である。たれか彼を知っておらぬか」

敵の組織に改革が行われたと伝えられてきた日、蜀帝はすぐ左右に問うた。

答えたのは、馬良である。

「敵は思い切った人物を登用したものです。陸遜は江東の一書生でまだ若年ですが、呉の呂蒙すら、先生と敬って、決して書生扱いにはしなかったと聞いています。深才遠計、ちょっと底が知れない男です」

「それほどな才略を、なぜ今日まで呉は用いずにきたのであろう」

「おそらく彼の親しい友人でも、彼にそんな器量があろうとは、誰も知らなかったのではないでしょうか。さすがに呂蒙は目が高かったとみえ、はやくから彼を用い、呉軍が

荆州を襲ったのも、関羽を一敗地に仆したのも、呂蒙の奇略といわれていますが、実はすべて、陸遜の智嚢から出たものでした」

「では、陸遜こそ、わが義弟を討った仇ではないか」

「そう云ってもよろしいでしょう」

「なぜはやく告げなかった。さる仇敵ならば一日とて、朕が旗の前に誇らしてはおかなかったものを。すぐ兵を進めよ」

「まず、ご熟慮を仰ぎます。陸遜の才は、呂蒙に劣らず、周瑜の下でもありません」

「汝は、朕の兵略が、黄口の豎子にすら及ばんというか」

馬良はこれ以上いさめる語を知らなかった。帝玄徳は、諸将に令して、陣を押し進めた。

とかく一致を欠いていた呉の陣営も、蜀の猛陣をまぢかに見ては、もう私議私憤をとり交わしてはいられない。俄然、団結して総司令部の帷幕にかたまり、いかに迎え撃つべきかの指令を、陸遜の眉に求めた。

「現状固守、みだりに動くなかれ。それだけだ」

陸遜はそれだけいうと、

「や。あの山上は、韓当の持ち場ではないか。鋭気があり過ぎる」

心もとなく思ったか、自身馬をとばして、そこへ馳せて行った。そして、

「韓当。軽々しく山を下るな」

と、今しも、兵馬を揃えて、敵前へ駈け下ろうとする彼を押し止めた。

韓当はいきり立って、

「大都督、あれを見ないか、野にひるがえる黄羅の傘蓋こそ、まさしく蜀帝の陣坐するところだ。目前、それを見ながら、内に屈んでいるほどなら、もう戦などはせぬがいい」

「敵の奇変を見ず、ただ形を見れば、そう思うのはむりもない。蜀の玄徳ともある者が目に見えるだけの布陣を以て、身を呉の陣前にさらすわけはない。——浅慮に彼の罠へ士卒を投じるの愚をなすな。幸いなるかな、ときは今、大夏のこの炎天。われ出でず戦わず、ひたすら陣を守って日を移しておるならば、彼は、曠野の烈日に、日々気力をついやし、水に渇し、ついには陣を引いて山林の陰へ移るであろう。そのときに至れば、かならず陸遜は号令一下、諸将の奮迅をうながすであろう。将軍、これも呉国のためだ。乞う、涼風を懐中に入れて、敵の盲動と挑戦を、ただ笑って見物して居給え」

全線どこの部署も、うごかないので、韓当もやむなく、拳を握って、陸遜の命のままに、じっとしていた。

蜀軍はさんざん悪口嘲弄を放って、呉の怒りをしきりに誘った。

白帝城

一

敵を誘うに、漫罵愚弄して彼の怒りを駆ろうとするのは、もう兵法として古すぎる。で、蜀軍はわざと虚陣の油断を見せたり、弱兵を前に立てたり、日々工夫して、釣りだしを策してみたが、呉は土龍のように、依然として陣地から一歩も出てこなかった。一木の日陰もない曠野だった。夜はともかく昼の炎暑は草も枯れ土も燃えるようだった。それに水は遠くに求めなければならないし、病人は続出するし、士気はだれて、どうにも収拾がつかなくなった。

「いかん。一応、ほかへ陣を移そう。どこか涼しい山陰か水のある谷間へ」

帝玄徳も、ついにこの布令をなさずにはいられなくなった。

すると馬良が注意して、

「いちどにこれだけの軍を退いては大変です。かならず陸遜の追撃を喰いましょう」

と、いった。

「案じるなかれ、弱々しい老兵を殿軍にのこし、いつわり負けて逃ぐるをば、敵がもし図に乗って追ってきたら、朕みずから精鋭を伏せて、これを討つ。敵に計ありと覚れば、うかと長追いはして来ないだろう」

諸将は、それこそ帝の神機妙算なりとたたえた。けれど、こう説明を聞いてもまだ馬良は不安そうに、

「この頃、諸葛孔明はお留守のいとまに、折々、漢中まで出てきて、諸所の要害を、いよいよ大事と固めている由です。漢中といえば遠くもありませんから、大急ぎでこの辺りの地形布陣を図に写して使いにもたせ、軍師の意見をご下問になられてみた上、然るべしとあれば、その後で陣をお移し遊ばしても遅くはないかと思われますが」

と、なお止めたい顔をしていた。玄徳は微笑して、

「朕も兵法を知らない者ではない。遠征の途に臨んで、何でいちいち孔明に問合わせを出しておられよう。しかし折よく孔明が漢中まで来ておる時であるから、汝が行って、朕の近況を伝え、また戦の模様を語っておくのもよかろう。そして何か意見あらば聞いてまいれ」

と、馬良にその使いをいいつけた。

馬良は承って、敵味方の布陣から地形など、克明に写して行った。こう紙の上に描き取ってみると、それは四至八道という対陣になっていた。

次の日である。

呉の物見は、ひとつの山の上から鞠の転がるように駈け下りて、

「蜀の大軍が、次々と、遠い山林の方へ、陣を移しだしました」

と、韓当、周泰の前に急報した。

「やっ。そうか」

と、ふたりはまた、大都督陸遜の陣まで馬を飛ばして、

「只今、かくかくの報らせがあった」と、告げた。

このときの陸遜の顔はちょうど旱天に雨雲を見たように、何ともいえぬ歓びを明るい眉にあらわしていた。

「オオ。そうか！」

「大都督。すぐ全軍へ。追撃の令を発して下さい」

「いや、待った。――来給え我輩と一緒に」

馬を並べて、高地へ馳けた。

報告だけでは、まだうかつに行動できないとするもののように、彼はその目で、曠野を一眸に見た。

「……なるほど鮮やか」

陸遜は、感嘆の声を放った。兵を退くのは進む以上の技術を要するという。今見れば蜀の大軍は掃いたようにもうあらかた引き揚げていた。そして、呉の陣線の前には、殿軍の一隊が、一万たらず、残っていた。

「しまった。兵機は一瞬に過ぎるというに、大都督の悠長さが、またしても、絶好なときを逸してしまったではないか。この上は、韓当とそれがしとで、あの一万だけでも、殲滅してくれねば気がすまん」

周泰が地だんだ踏んでいうと、陸遜はそれすら抑えて、

「いや、もう三日待ち給え」

と、鞭をあげて、あらぬ方角を指しながら、あえて、逸り立つふたりの言は、耳にもいれなかった。

二

周泰は、憤然として、

「一刻を過ったために、この勝機を逸したのに、三日も待っていたら、一体どうなるのだ」

相手にするもばかばかしいといわんばかり横を向いて地に唾した。

しかし陸遜は、なお鞭をあげたまま彼方を指して、

「そこの谷間、先の山陰などに、陰々たる殺気がある。思うに蜀の伏兵であろう。さるを殿軍に、弱体の老兵ばかり一万も残して、敵が遠く退いたのは、われを誘わんとする、見えすいた謀にちがいない」と説明した。そしてかたく一同の出撃を禁じ、本陣へ帰ってしまった。

「書生論の兵学だ。いやはや……」

人々は陸遜の怯懦を嘲って、もう成るようにしかならない戦と——匙投げ気味に部署についていた。

その足もとをつけ込んでか、蜀の老兵は、呉の陣前で、わざと甲を解いて昼寝したり、大あくびをしてみせたり、またさんざんに悪口を放ったりして、

「出てこい。来られまい」

と、揶揄しつづけた。

「もう我慢ができない」

と周泰、韓当などの諸将は、三日目にまた陸遜のところへ詰めかけてきた——が、陸遜は依然としてゆるさず、

「匹夫の勇に逸るなどは、各〻の任ではあるまい」と、ほろ苦い顔して圧えた。

周泰は喰ってかかるように、

「もし蜀勢がことごとく、遠く退陣してしまったら何となさる？」

と、たたみかけた。陸遜は一言の下に、

「それこそ我輩のねがう所で、大慶この上もない」と、いった。

人々は大いに笑った。なるほど、それを唯一の願いとしているのでは無理もない。呆れ果てた大都督よと、その人の目の前で手を叩くという有様であった。

するとここへまた、物見隊の一将が来て、

「今朝がた、靄ふかきうちに、敵の老兵ども一万も、いつのまにか殿軍の地を退いて消え失せ、間もなくまた、谷間の底地から、約七、八千の蜀勢があらわれ、黄羅の傘蓋を囲んで、悠々、遠くへ退いてゆくのが見えました」と、報告した。

「ああ、それこそ玄徳だ。討ち洩らしたり」

と諸将はまた口惜しがったが、陸遜は、次のような解釈を下してなだめた。

「玄徳は一世の英雄。いかに各〻が切歯したところで、彼が正陣を布いているうちは、打ち破ることはできない。ただ長陣となっては、この炎暑と病人の続出と、士気の惰することは、如何ともすることができず、ために、水辺へ陣を移したのだが、それにも入念に計を設け、わざと弱々しい老兵軍をのこして我を誘い、自身は精鋭をそろえて、谷間にかくれていたものだろう。しかし、三日を待つといえども、わが呉軍がうごかないので、ついにしびれを切らして立ち去ってしまった。――順風徐々と我に利あり、見給え諸君、もう十日も出ないうちに、こんどこそ蜀軍は四分五裂の滅亡を遂げるから」

諸人は、またかという顔して、鼻先で聞いていた。ことに韓当はいまいましげに、

「なるほど。わが大都督は、立派な理論家でいらっしゃる」と、嘲言を弄した。

それらの者を目にも入れず、陸遜は即座に一書簡をしたためた。呉王孫権へ上すものであった。その書中にも彼は、

（蜀軍の全滅は近きにあります。大王以下、建業城中の諸公も、もはや枕を高うして可

なりと信じます）と、書いていた。

蜀軍のほうでは、その主力を水軍に移し始めていた。陸路には猇亭の要害があり、陸遜の重厚な陣線がある。いずれも粘りづよく頑張るのでいたずらに日を費やすのみと、玄徳はやや急を求め始めたのだった。そして呉国の本土へ深く攻め入り、有無なく、呉王孫権との決戦を心に期していたものと思われる。

それかあらぬかここ数日間、蜀の軍船は続々と長江を下り、江岸いたるところの敵を追ってはすぐそのあとに基地とする水寨を築いていた。

三

蜀と呉の開戦は、魏をよろこばせていた。いまや魏の諜報機関は最高な活躍を示している。

大魏皇帝曹丕は、或るとき、天を仰いで笑った。

「蜀は水軍に力を入れて、毎日百里以上も呉へ前進しているというが、いよいよ玄徳の死際が近づいてきた」

側臣は怪しんで訊ねた。

「そのおことばは如何なる御意によるものですか」

「わからんか、お前たちには。すでに蜀軍は陸に四十余ヵ所の陣屋をむすび、今また数百里を水路に進む。この蜿蜒八百里にわたる陣線に、その大軍を配すときは、蜀七十五万の兵力も、極めて薄いものとなってしまう。加うるに、陸遜の陣を措いて、水路から突き出したのは、玄徳が運の極まるものというべきだ。古語にもいう――叢原ヲ包ンデ屯スルハ兵家ノ忌――と。彼はまさにその忌を犯したものだ。見よ、近いうちに蜀は大敗を招くから」

だが、群臣はなお信じきれず、かえって蜀の勢いを怖れ、

「国境の備えこそ肝要ではありませんか」

と云ったが、曹丕は否と断言して――

「呉が蜀に勝てば、その勢いで、呉が蜀へ雪崩れこむだろう。この時こそ、わが兵馬が、呉を取るときだ」と、掌を指すごとく情勢を説き、やがて曹仁に一軍をさずけて濡須へ向わせ、曹休に一軍を付けて洞口方面へ急がせ、曹真に一軍を与えて南郡へやった。かくて三路から呉をうかがって、ひたすら待機させていたのは、さすがに彼も曹操の血をうけた者であった。

×　　×　　×

蜀の馬良は、漢中に着いた。ときに孔明は漢中に来ていた。

「ご意見もあらば伺ってこいとの帝の仰せでありました。わが軍は、八百余里のあいだ、江に添い、山に拠り、いまや四十数ヵ所の陣地をむすび、その先陣は舟行続々呉へ攻め下っている勢いにあります」

自分で写してきた例の絵図をも取り出して、つぶさに戦況を伝えた。

しまったといわぬばかりに、孔明ははたと膝を打って嘆じた。

「ああいけない！　誰がそんな作戦をおすすめしたのか」

「他人の容喙ではありません。帝御自ら遊ばした布陣です」

「ううむ……漢朝の命数すでに尽きたか」

「なぜさように落胆なされますか」

「水流にまかせて攻め下るは易く、水を溯って退くは難い。これ一つ。また叢原をつつんで陣屋をむすぶは兵家の忌、これ二つ。陣線長きに失して力の重厚を欠く、これ三つ。……そうだ、馬良、足下はすぐ大急ぎで戦場へ帰れ。そして孔明の言を奏して、禍いを避け給えと、極力お諫め申しあげてくれ」

「もしその間に、陸遜の軍にお敗れ遊ばしたときは？」

「否々。陸遜は深くは追ってこない。何となれば、彼は魏が機会を狙っていることを、知らないでいるはずはない。――もし事急に迫った場合は、帝を白帝城に入れ奉るがよい。先年、自分が蜀に入るとき、後日のため、そこの魚腹浦に、十万の兵を伏せておいた。もし陸遜がうかうか追ってくれば、彼は生捕られるばかりだろう」

「魚腹浦なら何度も往来していますが、ついぞ一兵も見たことはありません。嘘でしょう、今のおことばは」

「いや、今に分る」

一章をしたためて、孔明は成都へ帰り、馬良はふたたび呉の戦場へ馬をとばした。

呉の陸遜はすでに行動を開始していた。――機到れりと、諸軍をわけて、まず江南第四の蜀軍を捕捉にかかったのである。

そこは蜀の一将傅彤が守っていた。これへの夜襲に、呉の凌統、周泰、韓当などが、われこそと挙って先鋒を志願したが、陸遜は何か思う旨があるらしく、

「淳于丹に命じる」

と、特に指名して五千騎をさずけ、徐盛、丁奉を後詰にさし向けた。

× × ×

四

特に選ばれた奇襲の任を名誉として、その夜、蜀の第四陣へ襲せた淳于丹は、思いもかけぬ南蛮勢や敵将傅彤の武勇に撃退されて、ひどい損害をうけたのみか、一命まで危いところを、辛くも後詰の丁奉と徐盛の二軍に救われて帰ってきた。

「面目もありません。軍律に照して、敗戦の罪をお糺し下さい」

満身にうけた矢を抜きもあえず、彼は陸遜の前に出て詫び入った。

「少しもご辺の罪ではない」

陸遜はあえて科めない。むしろ自分の罪だといって、

「まこと昨夜の奇襲は、蜀の虚実を知るため、淳于丹をもって、ちょっと当らせてみただけに過ぎない。しかしそのため、我輩は蜀を破るの法を悟った」

徐盛がすかさず質問した。

「昨夜のようなことをくり返していたらいたずらに兵を損じましょう。破る法とは？」

「それは今、天下に孔明よりほか知るものはないだろう。幸いに、この戦陣に孔明はいない。これ天が我輩に成功を与えるものだ」

螺手を呼んで、彼は貝をふかせた。陣々大小の将士はそれによってたちまち彼の前に集合した。すなわち陸遜は軍令壇に立って諸大将に大号令を下した。

「われ戦わぬこと百数十日、天雨を注がぬこと月余。いまや機は熟し、天の利、地の利、人の利ことごとく我にあり矣。――まず朱然は、茅柴の類を船手に積み、江上に出て風を待て、おそらくは明日の午の刻を過ぎる頃から東南の風が波浪を捲くだろう。風起らば江北の敵陣へ寄せ、硫黄焔硝を投げて、彼の陣々を風に従って焼き払え。――また韓当は一軍を率いて、同時に江北の岸へ上陸する。周泰は江南の岸へ攻めかかれ。そのほかの手勢は臨機に我輩のさしずを待て。かくて明夜をいでず、玄徳のいのちは呉の掌のうちのものとなろう。いざ征け」

大都督の就任以来、このように積極的な命令が発せられたのは初めてであるから、朱然、韓当、周泰などもみな勇躍して準備についた。

果たせるかな、翌日午の刻の頃おいから、江上一帯に風波が立ちはじめた。その折、蜀の中軍に高々と翻っていた旗が折れた。――

「そも何の兆か」

玄徳が眉をひそめると、程畿が奉答した。

「これ、夜襲の兆と古くからいわれています」

するとそこへ江岸を見張っている番の一将が来て知らせた。

「昨夜から江の上に、無数の舟が漂って、この風浪にも立ち去りませんが」

玄徳はうなずいて、

「それはもう聞いておる。擬兵の計であろう。令なきうちは、みだりに動くなと、舟手へも厳戒しておけよ」

次にまた一報があった。

「呉軍の一部が、東へ東へと、移動してゆくそうであります」

「しきりに誘いを試みておるものと思われる。まだうごく時機ではない」

やがて日没の頃、江北の陣地から煙があがった。失火だろうと眺めていると、少し下流の陣からもまた火があがった。

「この強風に心もとない。関興、見廻って来い」

宵になっても火は消えない。いや北岸ばかりでなく、南岸にも火災が起った。玄徳はすぐ張苞を走らせて、万一の救けにさし向けた。

「いぶかしい火である」

夜空はいよいよ真っ赤に焦げただれるばかりだった。波の音か、人間の叫喚か、すさまじい烈風が飛沫を捲き、砂をとばした。

「や、や。ご本陣の近くにも」

誰やらがふいに絶叫した。

乾ききッている木の葉がちりちり焼け出している。それは帝玄徳の陣坐するすぐ附近の林からであった。

「すわ」

と、彼の帷幕が狼狽を起したときは、敵か味方か、見分けもつかぬ人影が、右往左往、煙の中を馳け乱れていた。

「敵だっ。呉兵だっ」

玄徳の眼の前で、もう激しい戦闘が描きだされた。彼は、諸人に囲まれて、馬の背へ押し上げられていた。けれど、そこから味方の馮習の陣まで走るあいだに、戦袍の袖にも、馬の鞍にも、火が燃えついていた。いや走る大地の草も空の梢も火となっている。

五

——ところが、辿りついた馮習の陣も、真っ黒な混乱の最中だった。ここでは火ばかりでなく、呉の大将徐盛が襲って、猛烈な炎を味方として、攻め立てていたのである。

「こは、何事?」と、玄徳は茫然としかけた。敵の計の渦中に墜ちているときは、自身の位置が的確に分らないものだった。玄徳の心理はそれに似ていた。

「だめです。ここも危険です。この上は、白帝城へ、一刻も早く白帝城へ」

誰か、扈従のうちで叫ぶ。その声はわななき、それに答える声は、煙にむせぶ。

夢中で、彼は駒をとばした。焰の中を。煙の中を。それを見て、馮習は、

「お供せん」と、十数騎つれて、追い慕ってきたらしかったが、途中、徐盛に出合って、部下もろとも討たれてしまった。

「それ、玄徳を生捕れ」

と馮習の首をあげた徐盛は、勢いを加えて、道を急いだ。

玄徳の前にはまた、呉の丁奉が一軍を伏せて待っていた。

当然、挟撃されて、進退きわまってしまった。

もしここへ、味方の傅彤や張苞などが馳けつけて来なかったら、彼の運命は呉の大将どもに託されていただろう。しかし折よく彼を慕ってきた味方の救いが間に合ったので、だんだんと厚い囲みに守られ、馬鞍山をさして逃げ落ちた。

山の頂まで逃げ上って、玄徳は初めて人心地をよびもどした。さあれそこの高きから一方の闇を見渡せば、驚くべし、蜿蜒七十里にも連なる火焰の車輪陣が、地をやき空を焦がしている。ここに立って初めて、玄徳は陸遜の遠大な火計の全貌を知ったのであった。

「恐るべきは陸遜だ」

時すでに遅く、彼が天を仰いで痛嘆したとき、その陸遜の軍は、馬鞍山のふもとを厚く取り巻いていた。そしてこの一山も火と化してしまうつもりか、諸方の山道から火を

かけた。百千の大火龍は、宙をのぞんで、攀じのぼって来る。

金鼓のあらし、声のつなみ、玄徳を囲む一団は、孔立往生のほかなかった。しかし血気な関興、張苞などが側にある。

「お気づかい遊ばすな」

と、火炎のうすい一道から江岸へ出る麓へ向って遮二無二かけ降って行った。

ところが、焰の見えないこの道には陸遜軍の伏兵が待っていた。突破して、危地は抜けたものの、伏兵は数を加えてどこまでも追撃してくる。

「火攻めの敵は火で防げ」

誰やらが、とっさの機智で、道芝へ火をつけた。だが急場の支えに足りない火勢なので、蜀軍はみな矢を折り、甲を投げこみ、旗竿まで焼いて、火勢の助けとした。

そのため、火は樹々の枝へのぼって、いちどに猛烈な火力をあらわし、追撃してくる呉兵をようやく喰いとめた。

しかしそうして江岸へ出るや、また新手の敵に出会った。呉の大将朱然がひかえていたのである。

引き返して、谷へ避けると、鬨の声とともに、谷の底から陸遜の旗が湧いてきた。いまは、ここに死なんと、玄徳が絶望のさけびを放ったとき、ふたたび思いがけない援軍が彼の前にあらわれた。

常山の趙雲子龍であった。

どうして、趙雲がこれへ来たかといえば、彼の任地江州は漢中よりもどこよりも最も戦場に近かったので、孔明が馬良と別れて、成都へ帰る際に、

（即刻行って、帝を助けよ）

と、一書を飛ばしておいたものと思われる。

いずれにせよ、趙雲の来援は、地獄に仏であった。が、それにしても何と変ったことだろう。かつて玄徳が初めてこの白帝城に入ったときは、七十五万の大軍が駐屯していたものなのに、今はわずか数百騎の供しか扈従していなかったという。

もっとも趙雲子龍や関興、張苞などの輩は、帝が城に入るのを見とどけると敗軍の味方を糾合すべく、すぐ城外からもとの路へ引き返していた。

石兵八陣

一

全軍ひとたび総崩れに陥ちてからは、七百余里をつらねていた蜀の陣々も、さながら漲る洪水に分離されて浮島のすがたとなった村々と同じようなもので、その機能も連絡

も失ってしまい、各個各隊思い思いに、呉の滔々たる濁水の勢いと闘うのほかなかった。

そのため、わずか昨日から今日にかけて討死をとげた蜀の大将は、幾人か知れなかった。

まず傅彤は、呉の丁奉軍に包囲されて、

「勝ち目のない戦いに益なき死力を振うよりは、呉に降参して、長く武門の栄誉を担わんか」

と、敵からすすめられたのに対して、傅彤は、最後の姿を陣頭にあらわして、

「いやしくも我は漢の大将。何ぞ呉の犬に降らんや」

と、大軍の中へ駈け入って、華々しく玉砕を遂げた。

また蜀の祭酒程畿は、身辺わずか十数騎に討ち減らされ、この上は、舟手の味方に合して戦おうと江岸の畔まで走ってきたところが、そこもすでに呉の水軍に占領されていたので、たちまち、進退きわまってしまった。

すると、呉軍の一将が、

「程祭酒、程祭酒。水陸ともにもう蜀の一旗も立っているところはない。馬を降りて降伏せよ」

と、いった。

程畿は髪を風に立てて、

「われ君に従って今日まで、戦いに出て逃ぐるを知らず、敵に会っては敵を打ち砕く以外を知らない」と怒号して答え、四角八面に馬を躍らせて、これまた、自ら首を刎ねて見事な最期を遂げてしまった。

　蜀の先鋒張南は、久しく夷陵の城を囲んで、呉の孫桓を攻めたてていたが、味方の趙融が馬を飛ばしてきて、

「中軍が敗れたので、全線崩れ立ち、帝のお行方もわからない」と、告げて来たので、

「すわ」とにわかに囲みを解き、玄徳のあとをたずねて、中軍に纏まろうとしたが、

「時こそ来れ」

と、城中の孫桓が追撃に出て、各所の呉軍とむすびあい、張南、趙融の行く先々をふさいだので、二人も、やがて乱軍の中に、敢えなく戦死してしまった。

　こういう蜀軍の幹部が相次いで討たれたのみか、遠く南蛮から援軍に参加していた例の蛮将沙摩柯にいたるまで、呉の周泰軍に捕捉されて、遂にその首をあげられ、さらに、蜀将の杜路、劉寧の輩は、手勢を引いて、呉の本営へ降人となって、余命を託すというあわれな始末だった。

「わが事成る、わが事成れり。いまは蜀帝玄徳を生捕りにする一事あるのみだ」

と、呉の総師陸遜は、今こそ本来の面目を示し、この大捷を機に、自ら大軍を率いて、敵に息つく間も与えず、玄徳の逃げた方向へ、ひた押しに追いつめて行った。

すでに、魚腹浦のてまえまで迫ってきた。ここに古城の一関がある。陸遜は、野営し

て兵馬を休め、その夕、関上から前方をながめていたが、

「何事だろう。これは」

彼は非常に愕いた容子で、左右の大将を顧みて云った。

「はるか、山に添い、江に臨んで、一陣の殺気が天を衝くばかりに立ち昇っている。必定、敵の伏兵が、殺を含んで待ち受けているものと察せられる。進むべからず、進むべからず――」

にわかに、十里あまり陣を退いて、入念に行く先をうかがわせた。

ほどなく、物見の兵が次々に帰ってきたが、云い合わしたように、同じような報告ばかりもたらした。

「おりません。敵らしい者は、一兵も見えません」

陸遜は怪しんで、

「はてな？」

ふたたび山へ登って、彼方の天をじっと見ていた。そして唸くようにつぶやきながら降りてきた。

「濛々たる鬼気、凛々たる殺雲。どうして伏兵でない筈があるものか。物見の未熟にちがいない。老練な隠密を選りすぐってさらに入念に見とどけさせろ」

二

日も傾いて、夜に入ったが、陸遜はなお気にかかるとみえ、幾度も陣前に出て、魚腹(ぎょふく)浦(ほ)の夜空をながめていた。

「ふしぎや、夜に入れば、昼よりもなお、殺気陰々たるものがある。そも、彼処(かしこ)の伏兵は、いかなる神変の兵であろうか」

さしもの陸遜も、懐疑逡巡(かいぎしゅんじゅん)して、夜もすがら心の平静を得なかったようである。

未明の頃ようやく、老練な物見の上手が、

「見届けて来ました」と、立ち帰ってきて話した。

「いくら仔細に探っても、彼処(かしこ)に敵兵がいないことは確実です。けれど江岸の磯から山と山の隘路(あいろ)にわたって、大小数千の石が、あたかも石人(せきじん)のように積んであります。そこに立つと蕭殺(しょうさつ)たる風を生じ、鬼気肌に迫るものが覚えられまする」

陸遜はついに意を決して、自身十数騎をつれて、まだ暁闇の頃を、魚腹浦へ向って、彼方此方、視察して歩いた。

四、五名の漁夫がいたので、陸遜は駒をとめて、

「これこれ。土地(ところ)の者。おまえ達なら知っているだろう。この辺の磯から山に沿って、諸所にうずたかく石の積んであるのはどういうわけだ。何か由謂(いわれ)があるのか」と、たずねた。

中でも年老(としと)った漁夫が答えて、

「先年、この土地へ、諸葛孔明という人が、蜀の国に入る途中船を寄せて、多くの兵を

おろし、幾日も合戦の調練や陣組をしておりましたが、やがて船に乗って帰ったあとを見ると、いつのまにか、この附近一帯に、石の門やら石の塔やら、人間に見えるような石組がおびただしく出来上っておりました。それ以来、江の水も、妙な所へ流れ込み、時々、旋風が起ったりするので、誰もあの石陣の内には立ち入らないようになってしまいました」

　陸遜は、これを聞いて、

「さては、孔明の悪戯か」と、ふたたび馬を打って、坡の上へ駆け上がってみた。

　高きにのぼって見渡すと、一見乱立岸々たる石陣にも自ら整々たる布石の相があり、道に従って四方八面に門戸があった。

「擬兵、偽陣。これはただ人を惑わす詐術に過ぎない。こんなものに昨日からいらざる惑いを抱いていたことの恥かしさよ」

　陸遜は、呵々と大笑して、やがて水に沿い、山に沿い、石陣の中を一遊して帰ろうとした。

「はてな。ここも行き止りか」

「いや、こちらでしょう」

「いかん、いかん、こう来てはまたもとの道へ出てしまう」

　主従十数騎は、狐に憑まれたように、彼方此方迷い歩いた。どうしても、乱石の八陣から出られなくなってしまったのである。

そのうちに、陽はかげって、狂風砂を飛ばし、白波乱岸を搏って、天地は須臾のまに、険しい兇相をあらわして来た。

「や、や。軍鼓の音ではないか」

「いや、波の音です。雲の叫び声です」

「過てり。われ擬兵と侮って、ついに孔明の計に陥つ。夜に入っていよいよ風波が加われば、空しくここに水漬く屍となり終ろうも知れぬ」

「日の暮れぬうちに、どこか出口を」

人々の眼は、しだいに血走ってきた。しかしなお石陣の外へは出られなかった。

すると、一人の白髪の翁が、ふと前に立って、にやにや笑った。何者かと訊けば、

「自分は諸葛亮の舅黄承彦の友で、久しくこの先の山に住んでいる者なり」という。

「多分、お迷いになっているものであろうと思い、山を降りてこれへ来ました。さあこうお出でなさい」

陸遜が礼を篤うして道を問うと、

杖をひいて、老翁は先に立った。

苦もなく陸遜とその部下は八陣の外へ出た。

「さようなら。――てまえが八陣の内からあなた方を出してあげたことは、誰にもいわないで下さい。孔明の舅にあたる黄承彦にわるうございますからね」

白髪の翁は、そういうと、飄々杖を風にまかせて、暮靄の山へ帰ってしまった。

「獲物を追う猟師山を見ず、陸遜たる者が、これまで深入りして来たのは大なる過ちであった。そうだ、わが軍はこれ以上進むべきではない」

どう考えたか、陸遜は急に、全軍へ令して、飛ぶが如く、呉へ引き揚げてしまった。

孔明を呼ぶ

一

蜀を破ったこと疾風迅雷だったが、退くこともまた電馳奔来の迅さであった。で、勝ち驕っている呉の大将たちは、陸遜に向って、

「せっかく白帝城へ近づきながら石の擬兵や乱石の八陣を見て、急に退いてしまったのは、一体いかなるわけですか。ほんものの孔明が現れたわけでもありますまいに」

と、半ばからかい気味に訊ねた。

陸遜は、真面目に云った。

「然り、我輩が孔明を怖れたことは確かだ。けれど引き揚げた理由はべつにある。それ

は今日明日のうちに事実となって諸公にも分ってくるだろう」

人々は、一時のがれの遁辞だろうとおよそに聞いていたが、一日おいて二日目。この本営には、櫛の歯をひくような急変の報らせが、呉国の諸道から集まってきた。すなわちいう、

「魏の大軍が、三路にわかれ、一道は曹休軍が洞口に進出し、曹真は南郡の境に迫り、曹仁ははや濡須へ向って、雲霞の如く南下しつつあります」――と。

「果たして！」と、陸遜は手を打って、自分の明察の過たなかったことを自ら祝し、また呉国のために、大幸なりしと、すぐさま対戦の姿勢をとった。

一方。――彼のために再起し能わぬ大敗をうけた帝玄徳は、白帝城にかくれて後、まったく往年の意気もどこへやら、

「成都に帰って群臣にあわせる顔もない」

と、深宮の破簾、ただこの人の傷心をつつんでいた。そのうちに、漢中で孔明に会った馬良が帰ってきて、孔明のことばを伝えたが、帝は、

「今さらいっては愚痴になるが、丞相のことばに従っておれば、今日のような憂き目には立つまいに」と、いたく嘆いて、遠く彼を慕ったが、依然、成都帰還の事はなく、白帝城をあらためて永安宮とよんでいた。

その頃、蜀の水軍の将黄権が、魏に入って、曹丕に降ったという噂が聞えた。

蜀の側臣は、玄徳に告げて、

「黄権の妻子一族を斬ってしまうべきでしょう」

と、すすめたが、玄徳は、

「いやいや黄権が魏に降ったのは、呉軍のためまったく退路を遮断されて、行くにも戻るにも道がなくなったからであろう。黄権われを捨つるに非ず、朕が黄権を捨てた罪だ」

といって、かえって彼の家族を保護するようにいいつけた。

その黄権は魏に降って、曹丕にまみえたとき、鎮南将軍にしてやるといわれたが、涙をながすのみで少しも歓ばなかった。で、曹丕が、

「いやか」

と、問うと、

「敗軍の将、ただ一死を免れるを得ば、これ以上のご恩はありません」

と、暗に仕えるのを拒んだ。

そこへ一名の魏臣が入って、わざと大声で、

「いま蜀中から帰った細作の報らせによると、黄権の妻子一族は、玄徳の怒りにふれ、ことごとく斬刑に処されたそうであります」と、披露した。

聞くと、黄権は苦笑して、

「それはきっと何かのお間違いか、為にする者の虚説です。わが皇帝はそんなお方では決してありません」と、かえってそれらの者の無事を信ずるふうであった。

曹丕は、もう何もいわずに、彼を退けた。そしてその後ですぐ三国の地図を拡げ、ひそかに賈詡を招き入れた。

「賈詡、朕が天下を統一するには、まず蜀を先に取るべきか、呉を先に攻めるべきだろうか」

賈詡は、黙考久しゅうして、

「蜀も難し、呉も難し……。要は両国の虚を計るしかありません。しかし陛下の天威、かならずお望みを達する日はありましょう」

「いま、わが魏軍は、その虚を計って、三道から呉へ向っておる。この結果はどうか」

「おそらく何の利もありますまい」

「さきには、呉を攻めよといい、今は不可という。汝の言には終始一貫したものがないではないか」

曹丕の頭脳はなかなかするどい。謀士賈詡といえど、彼には時々やりこめられることがあった。

二

——だが、賈詡はなお面を冒して云った。

「そうです。さきに呉が蜀軍に圧されて敗退をつづけていた時ならば、魏が呉を侵すには絶好なつけ目であったに相違ございません。しかるにいまは形勢まったく逆転して、陸遜は全面的に蜀を破り、呉は鋭気日頃に百倍して、まさに不敗の強味を誇っております。故に、今では呉へ当り難く、当るは不利だと申しあげたわけであります」

「もういうな。御林の兵はすでに呉の境へ出ておる。朕の心もすでに定まっておるものを」

曹丕は耳もかさなかった。そして三路の大軍を補強して、さらに、彼自身、督戦に向った。

一面蜀を打ち、一面魏を迎え、この間、神速円転、用兵の妙を極めた陸遜の指揮のために、呉は何らのうろたえもなく、堂々、三道の魏軍に接して、よく防ぎよく戦った。就中。――呉にとってもっとも枢要な防禦線は、主都建業に近い濡須の一城であった。

魏は、この攻め口に、曹仁をさしむけ、曹仁は配下の大将王双と諸葛虔に五万余騎をさずけて、濡須を囲ませた。

「ここだに陥とせば、敵府建業の中核へ、まさに匕首を刺すものである。全軍それ励めよ。大功を立つるは今ぞ」

魏帝曹丕が督戦に臨んだ陣もまさにここであった。――で、魏の士気はいやがうえにも振い、江北江東の天、ために晦冥、戦気紅日を蔽い、殺気地軸をゆるがした。

ときに、濡須の守りに当った呉の大将は、年まだ二十七歳の朱桓であった。

朱桓は若いが胆量のある人だった。さきに城兵五千を割いて、羡渓の固めに出してし

まったので、城中の兵は残り少なく、諸人がみな、

「この小勢では、とても眼にあまる魏の大軍を防ぎきれまい。今のうちにここを退いて、後陣と合するか、後陣をここへ入れて、建業からさらに新手の後ろ備を仰がねば、互角の戦いをすることはできまい」

恟々と、ふるえ上がっているのを見て、朱桓は、主なる部下を会して告げた。

「魏の大軍はまさに山川を埋めている観がある。しかし彼は遠く来た兵馬であり、この炎暑にも疲労して、やがてかえって、自らの数に苦しむときが来るだろう。陣中の悪疫と食糧難の二つが彼を待っておる。それに反して、寡兵なりといえ、われは山上の涼地に籠り、鉄壁の険に加うるに、南は大江をひかえ、北は峩々たる山険を負う。――これ逸をもって労を待つ象。兵法にもこういっておる。――客兵倍ニシテ主兵半バナルモノハ、主兵ナオヨク客兵ニ勝ツ――と。平川曠野の戦いは兵の数よりその掛合いにあることと古来幾多の戦いを見てもわかる。ただ士気乏しきは凶軍である。貴様たちはこの朱桓の指揮を信じて、百戦百勝を信念せよ。われ明日城を出て、その証を明らかにその方たちの眼にも見せてやるであろう」

次の日、彼はわざと、虚を見せて、敵勢を近く誘った。

魏の常雕は、短兵急に、城門へ攻めかけて来た。――が、門内は寂として、一兵もいないようであった。

「敵に戦意はない。或いはすでに搦手から逃散したかもしれぬぞ」

兵はみな不用意に城壁へつかまり、常離も壕のきわまで馬を出して下知していた。

轟音一発。数百の旗が、矢倉、望楼、石垣、楼門の上などに、万朶の花が一ぺんに開いたように翻った。

弩や征矢が、魏兵の上へいちどに降りそそいできた。城門は八文字にひらかれ、朱桓は単騎乱れる敵の中へ入って、魏将の常離を、ただ一太刀に斬って落とした。

前隊の危急を聞いて、中軍の曹仁は、即座に、大軍をひきいて進んできたが、何ぞはからん振り返ると、羨渓の谷間から雲のごとく湧き出した呉軍が、退路を切って、うしろからとうとうと金鼓を打ち鳴らしてくる。

実に、この日の敗戦が、魏軍にとって、敗け癖のつき始まりとなった。以後、連戦連敗、どうしても朱桓の軍に勝てなかった。

ところへまた、洞口、南郡の二方面からも、敗報が伝わった。悪くすると、曹丕皇帝の帰り途すら危なくなって来たので、曹丕もついにここを断念し、無念をのみながら、敗旗を巻いて、ひとまず魏へ引き揚げた。

遺孤を託す

一

この年四月頃から蜀帝玄徳は永安宮の客地に病んで、病状日々に篤(あつ)かった。

「いまは何刻(なんどき)か？」

枕前の燭(しょく)を剪(き)っていた寝ずの宿直(とのい)や典医が、

「お目ざめでいられますか。いまは三更でございます」と、奏した。

白々と耀(かがや)き出した燭を見つめながら病床の玄徳は独り言に、

「では、夢だったか……」と、つぶやいた。

そして夜の明くるまで、亡き関羽や張飛の思い出ばなしを侍臣に語った。

臣下はみな折あるごとに、

「成都へお帰りあそばして、ゆるゆるご養生あそばしては」

と、すすめたが、彼は、

「この敗戦をなして、何で成都の臣民にあわせる面(おもて)があろうぞ」

と呉にやぶれたことを、今なおふかく辱(は)じているらしく、そのたび眉をひそめられた。

病はようやく危篤にみえた。彼もすでに命を悟ったものか、

「丞相(じょうしょう)孔明に会いたい」

と、云い出した。

すでに危篤の急使はそのとき成都についていたのである。

孔明は、この報らせに、すぐ旅装をととのえ、太子劉禅を都にのこして、まだ幼ない劉永、劉理の二王子だけを伴うて、旅の道も夜を日に継ぎ、やがて永安宮に来りまみえた。

彼は、かわり果てた玄徳のすがたを見て、その床下に、拝哭した。

「……近う。もっと、近う」

帝は、近臣に勅して、龍床の上に座を与え、孔明の背へほそい御手をのばして、こう宣らせられた。

「丞相よ、ゆるせ。朕、*浅陋の才をもって、帝業をなし得たのは、ひとえに丞相を得た賜ものであったのに……。ついに御身の諫めを用いずかかる敗れを招き、また身の病もいますでに危うきを知る。……朕なき後は、この上にもなお内外の大事すべて御身に託しおくしかない。……朕なき後も、孔明世に在りと、それのみ唯一のたのみとし玄徳は逝くぞよ」

滂沱、また滂沱、病顔をたるるものは、孔明の頸を濡らすばかりであった。

「陛下。どうか龍体を保たんと、せめて太子がご成人の頃までは」

と、孔明が咽びながらなぐさめると、帝は、かろく面を横に振って、あたりの近臣をみな室の外へ遠ざけた。

その中に、馬良の弟、馬謖もいた。瞼を紅く泣きはらした馬謖のすがたは傷々しく見えた。

玄徳は、ふと問うた。

「丞相は、馬謖の才を、日頃からどう観ておるか」

「末たのもしい若者。将来の英雄と見ておりますが」

「いや、病中親しく見ておるに、ことば実に過ぎ、胆量才に劣り、行く末、難しい者と思われた。心して用いられよ」

と、平常のごとくそんなことを語ったりしていた。しかし黄昏れ近く、にわかに容態が改まったと思うと、

「諸臣はみな詰めておるか」

と問い、孔明が臣下みな一睡もせず詰めております――と答えると、

「では、病帳を開け」

と命じて、龍床から一同のものへ最後の謁を与えた。そしてまた、

（太子劉禅に与うるの遺詔）

を諸臣にあずけ、かならず違背あるなかれと告げよと云い終ると、ふたたび眼をとじていたが、やがて孔明にむかい、

「朕、賤土に育ち、書は余り読まなかったが、人生の何たるやは、この年までにほぼ解したつもりである。もういたずらに歎くをやめよ」

といい、何か最期の一言を告げんとするらしく、その唇はおごそかに息をととのえて

いた。

二

玄徳と孔明の仲も、今や両者の幽明の境は、わずか幾つかの呼吸をする間しかなかった。

われを忘れて、孔明は帝の龍床にすがり、面を寄せて、涙のうちに云った。

「何か仰せ遺す詔がありましたら、どうぞおつつみなくお命じ下さい。孔明、不才ですが、余命のあらんかぎりは、胆にお言葉を銘じて、必ずお心残りはないように仕りましょう」

「よくいうてくれた。玄徳はいまを以て世を去るであろう。わが為すことは尽きた。ただ丞相の誠忠を信じて、大事の一言を託しおけば、もう何らの気がかりもない」

「……一言の大事と仰せ遊ばすのは」

「丞相よ。＊人将に死なんとするやその言よしという。朕の言葉に、いたずらに謙譲であってはならぬぞ。……君の才は、曹丕に十倍する。また孫権ごときは比肩もできない。……故によく蜀を安んじ、わが基業をいよいよ不壊となすであろう。ただ太子劉禅は、まだ幼年なので、将来は分らない。もし劉禅がよく帝たるの天質をそなえているものならば、御身が輔佐してくれればまことに歓ばしい。しかし、彼不才にして、帝王の器でない時は、丞相、君みずから蜀の帝となって、万民を治めよ……」

孔明は拝泣して、手足の措くところも知らなかった。何たる英断、何たる悲壮な遺詔であろう。太子が不才ならば、汝が立って、帝業を完うせよというのである。孔明は、龍床の下に頭を打ちつけ、両眼から血を流さんばかり哭いていた。

玄徳はさらに幼少の王子劉永と劉理のふたりを側近くまねいて、

「父のない後は、おまえたち兄弟は、孔明を父として仕えよ。もし父の言に反くときは不孝の子であるぞ。よいか……」

と、諭して、しばし人の親として名残り惜しげの眼ざしをこらしていたが、ふたたび孔明に向って、

「丞相、そこに坐し給え。朕の子らをして、父たる人へ、誓拝をさせるであろう」

と、云った。

ふたりの王子は、孔明のまえに並んで、反かざることを誓い、また再拝の礼をした。

「あああこれで安心した」

と玄徳はふかい呼吸を一つして、傍らの趙雲子龍をかえりみ、

「御身とも、百戦万難の中を久しく共歓共苦してきたが、ついにきょうがお別れとなった。晩節を香ばしゅうせよ。また丞相とともに、あとの幼き者たちをたのむぞ」

と、一言し、また李厳にも、同じ言をくりかえし、そのほかの文武百官にたいしては、

「すでに命のせまるを覚ゆ。一々汝らに言を付嘱するを得ない。それみな一致して社稷

を扶け、おのおの保愛せよ」

云い終ると、忽然、崩じた。とき寿齢六十三歳。蜀の章武三年、四月二十四日であった。

永安宮中、なげきかなしむ声のうちに、孔明はやがてその霊柩を奉じて、成都へかえった。

太子劉禅は、城を出て迎え、哀痛して、日々夜々の祭を営んだ。

そして、父の遺詔をひらき、読み拝して、

「かならず泉下の御心を安んじ奉りまする」

という旨を、祭壇にこたえ、また群臣に誓った。

蜀の臣下もまた、先帝の遺詔を、暗誦するばかりくり返しくり返し読んで、かならず違背なきことを孔明に約した。

「国は一日も、君なくんばあらず」と、孔明は百官に議して、その年、太子劉禅を皇帝の位に上せて、漢の正統を継ぐの大式典を執り行った。

同時に改元して、章武三年は、建興元年とあらためられた。

新帝劉禅、字は公嗣。ときまだ御年は十七歳であったが、父の遺詔を奉じて、よく孔明を敬い、その言を尊んだ。

帝のお旨によって、孔明は武卿侯に封ぜられ、益州の牧を領した。また、その年八月、恵陵の大葬がすむと、国議は、先帝劉玄徳に、昭烈皇帝と諡した。

大赦の令が発せられ、国中みな、昭烈皇帝の遺徳をたたえ、また新帝の治世に、その余光あれと祈った。

魚　紋

一

玄徳の死は、影響するところ大きかった。蜀帝崩ず、と聞えて、誰よりも歓んだのは、魏帝曹丕で、

「この機会に大軍を派せば、一鼓して成都も陥すことができるのではないか」

と虎視眈々、群臣に諮ったが、賈詡は、

「孔明がおりますよ」といわぬばかりに、その軽挙にはかたく反対した。

すると、曹丕の侍側から、

「蜀を伐つは、まさに今にあり、ひとりつと起って、今をおいて、いつその大事を期すべきか」

と、魏帝の言に力を添えた者がある。

「何ぴとか？」と、人々が見れば、河内温城の人、司馬懿、字は仲達だった。曹丕は、

ひそかに、会心の面持で、

「司馬懿。その計は」と、流し目にたずねた。

仲達は一礼して、

「ただ中原に軍を起してみても、事容易には、お味方の有利とは参りますまい。さりながら五路の大軍をもって、孔明に、首尾相救うこと能わざらしめれば、なんぞ、蜀の嶮も、破り得ぬことがありましょう。まして今、玄徳亡く、遺孤劉禅をようやく立てたばかりの敵の情勢においてはです」

「五路とは、いかなる戦法か」

「まず、遼東へ使いをはせて、鮮卑国王へ金帛を送り、遼西の胡夷勢十万をかり催して、西平関へ進出させること。これ一路であります」

「うむ。第二路は」

「遠く、南蛮国へ密簡を送り、国王孟獲に、将来大利ある約束を与え、蛮兵十万を催促して、益州の永昌、越嶲などへ働かせ、南方より蜀中を脅かさしめる——これ二路であります」

仲達の雄弁は、陳べるに従って懸河のごときふうがあった。

「第三路は、すなわち隣好の策を立てて、呉をうごかし、両川、峡口に迫らせ、第四路には、降参の蜀将孟達に命じ、上庸を中心とする十万の兵をもって涪城を取らしめます。さらに、第五路には、ご一族の曹真将軍を、中原大都督となして、陽平関より堂々蜀に伐ち入るの正攻、大編隊を率いさせ給えば、たとい孔明が、どう智慧をめぐらしてみても、五路五十万という攻め口を防ぐことはできますまい」

規模の遠大、作戦の妙。言々信念をもっていうその荘重な声にも魅せられて満堂異議を云い立てる者もなく、わけて曹丕は絶大な満足をもって、

「直ちにその方針をとれ」

と、決定を与えた。

使者はたちまち五方に急ぎ、魏都の兵府はいまや、異様な緊張を呈した。ただ一抹のさびしさは、この頃すでに、曹操時代の功臣たる張遼、徐晃などという旧日の大将たちは、みな列侯に封ぜられて、その領内に老後を養っている者が多かったことである。さはいえ、また新進の英俊も決して少なしとはしない。曹操以来、久しく一文官として侍側するに止まっていた仲達が、嶄然、その頭角をあらわして来たことなども、まさに時代の一新を物語っているものであろう。

一方、蜀の成都は、その後、どういう情勢にあったかといえば、政務すべて孔明の裁断にまかせられ、旧臣みな結束して、玄徳の歿後も微動だにしないものを示していた。

そのあいだに、故車騎将軍張飛のむすめは、ちょうどことし十五になっていたので、幼帝劉禅の皇后として、正宮にかしずき入れることとなった。

ところが、この祝典があってからまだ幾日も経ないうちに、魏の大軍が五路より蜀に進む——という大異変が報ぜられた。しかもかんじんな丞相孔明は、どうしたのかここ

数日、朝廟にもそのすがたすら見せなかった。

二

国境五方面から危急を告げてくる早馬は櫛の歯をひくように成都の関門を通った。

事態の重大性と、朝野の不安は、そのたびに濃厚になった。伝えられる五路の作戦による魏の大侵略の相貌は、次のようなものだと一般のあいだにも喧伝された。

第一路は。――遼東鮮卑国（遼寧省）の兵五万が、西平関（甘粛省・西寧）を犯して四川へ進攻して来るもの。

第二路は。――南蛮王（貴州・雲南・ビルマの一部）の孟獲が、約七万をもって益州の南部を席巻して来ようとするもの。

第三路は。――呉の孫権が長江をのぼって峡口から両川へ攻め入るもの。

また第四路は。――反将孟達を中心に上庸の兵力四万が漢中を衝く。

さらに第五路としては。――大都督曹真の魏軍の中堅を以てし、陽平関を突破し、東西南北四境の味方と呼応して、大挙、蜀に入って、成都をふみつぶさんとするもので――これら五路の総軍を合するとその兵力は五、六十万をこえるであろうと想像された。

幼帝劉禅の怯えられたことはいうまでもない。父帝とわかれたのもつい昨日、蜀の皇帝に立ったのもわずか昨今である。

「孔明はどうして見えぬか。疾く孔明を召しつれよ」

と、ひたすら丞相ひとりを力にされて幾度も問われた。

もちろん宮門からは何度となく孔明に使いが通っていた。けれど孔明は門を閉じて、

「近頃、病のために、朝にも参内し得ぬ始末」

とのみで、いかに事態の大変を取次がせても、顔すら見せないというのであった。

後主劉禅は、いよいよ怖れかなしみ、勅使として、黄門侍郎董允と諫議大夫杜瓊のふたりをまたさしむけられた。

ふたりは、早速、丞相の府を訪ねた。ところが、噂のとおり、門は閉ざされ、番人はかたく拒んで、何といっても、通さない。やむなく二人は、門外から大音をあげて、

「魏の曹丕、五路の兵を起し、わが国防はいま五面ことごとく危うきに瀕しておる。さるを、丞相ともある御方が病に託して、朝にもお出でなきは、一体いかなるお気持であるか。先帝孤を丞相に託されてより幾日も経ず、恵陵の墳墓の土もまだ乾いていない今日ではないか」

と、腹立ちまぎれに罵った。

すると、内苑を走ってきた人の跫音が、門を閉めたまま、内から答えた。

「丞相には、明朝早天、府を出られて、朝廟に会し、諸員と議せんと仰せられています。今日はおもどりあれ」

やむなく、二人は立ち帰って、ありのままを、帝に奏し、なお百官は、明日こそ丞相

の参内ありと朝から議堂に集まっていた。

ところが午も過ぎ、日は暮れても、ついに孔明は来なかった。紛々たる怨みや、非難の声を放って、百官はみな薄暮に帰り去った。

帝の心痛は一通りでない。次の日明けるや否、杜瓊を召されて、

「事は急なり、孔明はさらに朝せず、そも、このときをいかにせばよいか」と、諮られた。

「やむを得ません。この上は、帝おんみずから、孔明の門に行幸され、親しく彼の意中をお問い遊ばすしかないでしょう」

後主劉禅は、西宮に入って、母なる太后にまみえ、

「行って参ります」と、仔細を告げた。

太后も仰天されて、

「どうしてあの孔明が、先帝の遺勅に反くようなことをもうするのであろうか」

と、自身駕を向けて、孔明に問わんといわれたが、太后の出御を仰ぐのは、あまりに畏れ多いと、帝は直ちに丞相府へ行幸された。

愕いたのは、市吏や門吏の輩である。突然の行幸に、身のおくところを知らず、拝跪して、御車を迎えた。

「丞相はいずこに在るか」

帝は車を降りて、三重の門まで、歩行してすすみ、吏に問われると、吏は恐懼して拝

答した。

「奥庭の池のほとりで、魚の遊ぶのを根気よく眺めておられます。多分、いまもそこにおいでかと思われますが」

三

帝はただおひとりでつかつかと奥の園へ通って行かれた。見ると果たして池の畔に立ち、竹の杖に倚って、じっと、水面を見ている者がある。

「丞相、何しておられるか」

帝がうしろから声をかけると、孔明は杖を投げて、芝の上に拝伏した。

「これは、いつの間に？……お迎えもいたさず、大罪おゆるし下さいまし」

「そのような些事はともあれ、魏の大軍が、五路に進んで、わが境を犯そうとしている。丞相は知らないのか」

「先帝、崩ぜられんとして、不肖なる臣に、陛下を託され、また国事を嘱し給う。何で、昨今の大事を知らずにいてよいものですか」

「ではなぜ朝議にすがたを見せないのか」

「ただ宰相たるのゆえをもって、無為無策のまま臨んでも、かえって諸員に迷妄を加えるのみですから、暫しじっと、孤寂を守って、深思していたわけであります。そしてこうして、日々池の畔に立ち、魚の生態をながめ、波紋の虚と、魚游の実とを、この世の様に見立てて思案しているうちに今日ふと、一案を思い泛かべました。……陛下、もうお案じ遊ばされますな」

と、孔明は、帝を一堂に請じて、かたく人を遠ざけ、次のごとき対策をひそかに奏上した。

「わが蜀の馬超は、もと西涼の生れで、胡夷の間には、神威天将軍と称えられ、今もって、盛んな声望があります。故に、彼を向けて、西平関を守らせ、機に臨み、変に応じて、胡夷の勢をよく馴致するときは、この一路の守りは、決して憂うるに足りません」

また二路の防ぎに対しては、さらに説いて、

「由来、南蛮の将兵は、猛なりといえども、進取の気はうすく、猜疑ふかく、喧騒多く、智をもって計るに陥りやすい弱点をもっています。で、すでに臣檄文をとばして魏延に擬兵の計をさずけ、益州南方の要所要所へ配備させてありますから、これまた、宸襟を悩まし給うには及びませぬ」

と云い、

「――なお、上庸の孟達が、漢中へ進攻してくる形勢ですが、彼は元来蜀の一将であり、詩書には明るく、義においては、お味方の李厳とすこぶる心交のあった人物です。義を知り、詩書を読むほどの人間に、良心のないわけはありませぬ。依って、生死の交わりをなした李厳を、その方面の防ぎに当て、私が文章を作って、それを李厳の書簡として書かせたものを、彼の手から孟達へ送らせるのです。――さすれば孟達の良心は自

らの苛責に、進むも得ず、退くも難く、結局、仮病をつかって、逡巡日を過してしまうでしょう。……次には、魏の中軍たる曹真の攻め口、陽平関の固めですが、彼処は屈強な要害の地勢、加うるに、趙雲子龍が拠って守るところ、めったに破られる怖れはありません。――かく大観してくれば、以上の四路は憂うるに足らずで、この同時作戦は、いかにも大掛りではありますが、我にとっては、懸け声だけのものに過ぎぬと断じてもよい程であります。しかし、なお念のために、臣さきに密命をくだして、関興、張苞の二人に各〻兵三万をさずけ、遊軍として、諸方の攻め口に万一のある場合、奔馳して救うべしといいつけてありますから、どうか御心を安められますように」

と、初めてこのことを、帝劉禅の奏聞に入れて、万端のそなえを打ち明け、最後に、

「ただ、ここに問題は、何といっても、呉のうごきでありましょう」

と、彼はここにいたると、眸をつよめ、語気をあらためて、要するに全対策の主眼は、一に呉にあるものであるという胸中の確信を、その容子にあらわして云った。

「臣、はかるに、呉は魏が軍勢を催促しても、従来の感情、国交の阻隔などからも、決して軽々しく、その命に従うものではありますまい。……ただここに、ひとつの危険を予想されるのは、蜀境四路の戦況が、魏の有利にうごいて、蜀の敗れが見えた場合のみです。歴然、それと見えたときは、呉も雷同して、潮の如く、峡口から攻め入ってくるでしょう。けれど蜀の守りが不壊鉄壁と見えるあいだは、呉はうごきません。魏の下風に立つものではありません。……で今、私が思案中のものは、この際の重大な使命をお

びて、その呉へ使いにゆく人物です。誰がよいか、その人を、しきりに求めているところですが……さて？」

四

孔明とともに、深苑の一堂に入られたまま、時経っても、帝のおもどりがないので、門外に佇立して、待ちくたびれていた侍従以下の供人たちは、

「どう遊ばしたのであろう？」

と、あやしみ疑い、はや還幸をおすすめ申さんかなどと、寄り寄りささやき合っていた。

ところへ孔明が帝のうしろに従ってようやく此方へ歩いてくるのが拝された。帝の御気色は、これへ来る前とは別人のように晴々として明るい笑くぼすらたたえておられる。百官はその御容子を仰ぐとみな、

（これは何か孔明にお会い遊ばしてよい事があったにちがいない）

と推察し、御車に扈従の面々まで、にわかに陽気になって、還幸の儀仗は甚だ賑わった。

するとそのお供のうちで、天を仰いで笑いながら、独りよろこびをなしている者があった。孔明はちらと注意していたが、やがて御車が進みかけると、

「君だけ後に残っておれ」

と、その男を止め、お見送りをすましてから、

「こっちへ来い」

と、門内へ導いた。

そして一亭の牀に席を与えて質問した。

「君はどこの生れか」

「義陽新野のものです」

「姓名は」

「鄧芝字は伯苗」

「いまの官職は」

「戸部尚書で、蜀中の戸籍をいま調査しておりますが」

「戸籍の事務などは君の適任であるまい」

「そんなことは思っておりません」

「なぜ最前、お供の列のうちで、ひとり笑っていたか」

「実に愉快でたまりませんから」

「何がそんなに楽しい？」

「何がって、魏五路進攻にたいして、確然たる大策をお示しになられたでしょう。蜀の民として、これを歓ばずにおられましょうか」

「君は、油断のならぬ奴だ」

孔明は睨むような眼をした。しかしそれはむしろ鄧芝の才を愛するような眼だった。

「かりに君がその策を立てるとしたら、この際、いかなる方策をとるか」

「私はそんな大政治家ではありませんが、四路の防ぎは、やさしいと思います。問題は呉に打つ手一つだと思いますが」

「よし。汝に命じる」

孔明はにわかに厳かにいって、さらに彼を一堂に入れ、密談数刻に及んでいたが、やがて酒を饗応して帰した。

あくる日、孔明は、初めて朝にのぼった。そして後主劉禅に奏して、

「呉へ使いにやる男を見出しました。破格な抜擢ですが、勅許を賜りますように」

すなわち、鄧芝を推薦したのであった。鄧芝は感激して、

「この使命を全うし得なければ生還を期さない」

ととなえて、即日出発した。

このとき、呉は、黄武元年と改元し、いよいよ強大をなしていたが、魏の曹丕から、

(共に蜀を伐って、蜀を二分せん。われに四路進攻の大計あり、よろしく呉貴国も大軍をもって、江を溯り、同時に蜀へなだれこめ)という軍事提携の申し入れにたいして、可とする者、非とするもの、両論にわかれて、閣議は容易に一決を見なかった。

孫権も、断乎たる命をくだしかねて、

(この上は、陸遜を呼んで、彼の意中をきいてみよう)

と、使いを派して、急遽、彼の建業登城をうながしていた際であった。

建業の閣議に臨むと、陸遜は抱負をのべて、両途に迷っている国策に明瞭な指針を与えた。

「いま魏の申し入れをはねつければ、魏はかならず遺恨をむすび、或いは、蜀と一時的休戦をして矛を逆しまにするやもしれない。さりとて彼の頤使に甘んじて、蜀を伐つには、その戦費人力の消耗には、計り知れぬものがあり、これに疲弊すれば、禍いはたちまち次に呉へ襲ってくるであろう。また魏には賢才は多いが、蜀にも孔明がいる以上、そう簡単に敗れ去ろうとは思われぬ。――如かず、この際は、進むと見せて進まず、戦うと見せて戦わず、遷延これ旨として、魏軍の四路の戦況をしばらく観望しているに限る。もし魏の旗色が案外よければ、それはもう問題はない。わが軍も直ちに蜀へ攻め入るまでのことである」

蜀呉修交

一

要するに、陸遜の献策は。

一つには魏の求めに逆らわず、二つには蜀との宿怨を結ばず、三つにはいよいよ自軍の内容を充実して形勢のよきに従う。

ということであった。

呉の方針は、それを旨として、以後、軍は進めて、あえて戦わず、ただ諸方へ細作を放って、ひたすら情報をあつめ、蜀魏両軍の戦況をうかがっていた。

——と、果たせるかな、四路の魏軍は、曹丕の目算どおり有利には進展していない。まず、遼東勢は西平関を境として、蜀の馬超に撃退されている模様だし、南蛮勢は、益州南方で蜀軍の擬兵の計に遭って潰乱し、上庸の孟達はうそかほんとか病と称して動かず、中軍曹真もまた敵の趙雲に要害を占められて、陽平関も退き、斜石からも退き、まったく総敗軍の実状であると伝えられた。

「……ああ、実によかった。もし陸遜のことばを容れずに、呉が進んでいたら、わが呉の苦境に至ったことは想像にも余りあるものだった。まさに、陸遜の先見は、神算というものであった」

孫権も、今となっては、心から僥倖を祝して、その善言を献じた陸遜に対して、いよいよ信頼を加えた。

ところへ、蜀の国から鄧芝という者が使者として来たことが披露された。

張昭は、孫権に云った。

「これはかならず孔明の意中をふくんで来た者にちがいありません」

「どう待遇するか」

「まず、その使者を、試みてごらんなさい。どんな人物か。彼の申し出でに、どう答えるかは、その上でよいでしょう」

孫権は、武士に命じて、殿前の庭に、大きな鼎をすえさせた。それへ数百斤の油をたたえ、薪を積んで、ふつふつと沸らせた。

「蜀使を通せ」

孫権は群臣と共に、階を隔てて傲然と待ちかまえる。千余人の武士は、階下から宮門にいたるまで、戟、戈、鎗、斧などを晃々と連ねて並列していた。

この日、客館を出て、初めて宮門へ導かれた鄧芝は、至極粗末な衣冠をつけ、元来風采もあがらない男なので、供の者かと間違われるほど、威儀も作らず簡単に案内のあとからついて来た。

が、この男、呉宮城内に満つる剣槍にも、少しもおそれる色がないし、大釜に煮え立っている油の焔を見ても、ほとんど何らの感情もあらわさない。ただ、階下へ来るとニコとして、孫権の座壇を振り仰いでいた。孫権は、簾を巻かせて、見おろすや否、大喝して、

「わが前に来て、拝を執らないやつは、どこの何者だ」

と、叱った。

鄧芝は昂然と、なお突っ立ったままで、

「上国の勅使は、小邦の国主に拝をしないのが慣いである」

孫権は、その顔を、油の鼎のようにして、

「小癪なやつ。汝、三寸の舌をもって、酈食其が斉王を説いた例にでもならおうとするのか。あわれむべき奴。たとえ汝にいにしえの随何や陸賈のごとき弁ありとも、やわかこの孫権の心をうごかし得べきか。帰れ帰れ」

「ははは。あははは」

「匹夫、何を笑う？」

「呉には豪傑も多く賢人も星の如しと聞いていたが、何ぞ知らん、一人の儒者を、これほど怖れようとは」

「だまれ、誰が汝ごときを怖るるか」

「ではなぜそれがしの舌を憂い給うか」

「汝を用いるは孔明である。はかるに孔明は、使いをもって、わが呉と魏のあいだを裂き、代るに、呉と蜀との旧交をあたためんとするものであろうが」

「臣はかりそめにも蜀帝国の御使いであり、また蜀中より選ばれたる第一の使臣たり儒者たるもの。迎うるに、剣槍の荊路を以てし、饗するに、大釜の煮え油を以てするとは、何事であるか。呉王を初め建業城中の臣下には、よくこの一人の使いを容れる器量をお持ちなきか。まことに、案外なことであった……」

憮然としていうと、さすがに衆臣も恥じ、孫権もやや自分の小量を顧みたものか、にわかに厳めしい武士はみな退けて、初めて彼を殿上の座に迎え上げた。

二

「あらためて問うが、足下は蜀の説客として、この孫権に、何を説こうとして来たか」

「最前、大王が仰っしゃった通り、蜀呉両国の修交を求めに来ました」

「それならば、予は大いに危ぶむ。すでに蜀主玄徳亡く、後主は幼少であるから、よく今後も国家の体面を保ち得るかどうか」

ここまで孫権が切り出してくると、鄧芝はわがものだと胸のうちで確信をもった。

「大王も一世の英賢、孔明も一代の大器。蜀には山川の嶮あり、呉には三江の固めありです。これを以て、唇歯の提携をなすのに、なんの不足不安がありましょう。大王はこの強大な国力をもちながら、魏にたいして臣と称しておられますが、いまに見ていてご覧なさい。魏は口実をみつけて、かならず王子を人質に求めてきましょう。そのときもし魏の命に従わなければ魏は万鼓して呉を攻め、併せてわが蜀には好条件を掲げて軍事同盟を促してくるにきまっている。――長江の水は下るに速し、かりに蜀軍の水陸軍が魏の乞いを容れるとしたときは、呉は絶対に安全であり得ましょうか」

「…………」

「大王にはいかが思われますか」

「…………」

「ああ。やんぬる哉。大王には初めからそれがしを説客と見ておられる。そして詭弁に詐かれまいというお気持が先になっている。それがしは決して私一箇の功のためにこの言を吐くものではありません。一に両国の平和をねがい、蜀のため、呉のために、必死となって申し上げたのです。ご返事はお使いをもって蜀へお達しください。もう申しあげるべき使者の言は終りましたから、この身は自ら命を絶ってその偽りでないことを証明してお目にかけます」

鄧芝はこう云い切るや否、やにわに座から走り出して、階欄の上から油の煮え立っている大鼎の中へ躍り込もうとした。

「やあ、待ち給えっ、先生」

孫権がこう大呼したので、堂上の臣は馳け寄って、あわやと見えた鄧芝を後ろから抱き止めた。

「先生の誠意はよく分った。他国に使して君命を辱めぬ臣あり、またその人を観てよく用いる宰相のあるあり、蜀の前途は、この一事を見ても卜するに足る。——先生、まず上賓の席につかれい。貴国のご希望は充分考慮するであろうから」

俄然、孫権は態度をかえた。たちまち侍臣に命じて、後堂に大宴を設け、上賓の礼をとって、鄧芝を迎えあらためた。

鄧芝の使命は大成功を収めた。彼の熱意が孫権をして翻然と心機一転させたものか、或いはすでに孫権の腹中に、魏を見捨てる素地ができていたに依るものであろうか。いずれにせよ呉蜀の国交回復はここにその可能性が約されて、鄧芝は篤くもてなされて十日も建業に逗留していた。

その帰るにあたっては、呉臣張蘊が、あらためて答礼使に任ぜられ、鄧芝とともに、蜀へ行くことになった。

だが、この張蘊は、鄧芝にくらべると、だいぶん人物が下らしく、

（まだまだ易々と調印はゆるさぬ。この眼で蜀の実状を観た上のことだ。条約の成るか成らぬかはおれの復命一つにある）といわぬばかりな態度で蜀へ臨んだ。

蜀では、対呉政策の一歩にまず成功を認めたので、後主劉禅以下、国を挙げて歓びの意を表し、張蘊が都門に入る日などはたいへんな歓迎ぶりであった。

ために張蘊はよけいに思い上がって、蜀の百官をしり眼に見くだし、殿に上っては、

劉禅皇帝の左に坐して、傲然、虎のような恰好をしていた。

三日目には彼のための歓迎宴が成都宮の星雲殿にひらかれた。この晩も、張蘊は傍若無人に振る舞っていたが、孔明はいよいよ重く敬って、その意のままにさせていた。

三

酒、半酣の頃、孔明は張蘊に向って、

「先帝の遺孤劉禅の君も、近ごろ宝位につかれ、陰ながら呉王の徳を深くお慕い遊ばされておる。どうかご帰国の上は、呉王に奏してわが蜀と長久の好誼をむすび、共に魏をうって、共栄の歓びをわかたん日の近きに来るように、あなたからも切におすすめ下さるよう、ご協力のほど、何かくの如くお願い申しあげる」と、あくまで辞を低く、礼を篤く、くり返していった。

「ウむ。……まあ、どういうことになるか」

張蘊は眼を斜めにして、そういう孔明を見やりながら、わざとほかへ話をそらしては、大人を気どって、傲慢な笑い方をしていた。

いよいよ帰る日となると、朝廷からはおびただしい金帛が贈られ、孔明以下、文武百官もみな錦や金銀を餞別けた。

張蘊はほくほく顔だった。そして孔明の邸宅における最後の晩餐会にのぞんだところが、酒宴の中へ、ひとりの壮漢がずかずか入ってきて、

「やあ、蘊先生、明日はお帰りだそうですな。どうでした？ あなたの対蜀観察は。ははは。まあ一杯いただきましょうか」と、主賓の近くに坐していきなり手を出した。

張蘊は自分の尊厳を傷つけられたように、不快な顔をして、亭主の孔明にむかい、

「何者です。彼は」と、たずねた。

孔明が答えて、――益州の学士で秦宓、字は子勅です、と紹介すると、張蘊はあざ笑って、

「学士か。いや、どうも近頃の若い学士では」

すると秦宓は、色を正して、屹と、彼に眸を向けた。

「若いと仰せられたが、わが蜀の国では、三歳の童子もみな学ぶの風があります。ゆえに年二十歳をこえれば、学問にかけてはもう立派な一人前のものを誰もそなえておる」

「では、汝は、何を学んだ？」

「上は天文から下は地理にいたるまで、三教九流、諸子百家、古今の興廃、聖賢の書およそ眼を曝さないものはない」と秦宓はあえて大言を放った後で、

「――呉の国ではいったい、何歳になったら学士として世間に通るのですか。六十、七十になってから、やっと学問らしいものを身に持っても、それでは世に貢献する年月は幾らもないではありませんか」と、反問した。

せっかくご機嫌の良かった張蘊は、面を逆さに撫でられたような顔をした。そして小憎い青二才、と思ったか、或いは自己の学問を誇ろうとしたのか、

「然らば、試みに問うが」

と、天文、地理、経書、史書、兵法などにわたって、次から次へと難問を発した。

ところが、学士秦宓は、古今の例をひき、書中の辞句文章を諳誦して一々それに答えること、滔々としていささかの淀みもなく、聴く者をして、惚れぼれさせるばかりだった。

張蘊はまったく酒もさめ果てた顔をして、

「蜀にはこんな俊才が何人もおるのかしら」

と、ついに口をつぐみ、また自ら恥じたもののように、いつの間にか退席してしまった。

孔明は、彼に恥を負わせて蜀を去らしては、と大いに心配して別室にいざない、

「足下はすでに、天下を安んじ、国家を経営する実際の学識に達しておられるが、秦宓のごときはまだ学問を学問としか振り廻せない若輩で、いわば大人と子供のちがいですから、まあおゆるし下さい。酒間の戯談は、たれも一時の戯談としか聞いておりませんから」

と、ふかく謝して慰めた。

で、張蘊も、

「いや、若い者のこと、私も何とも思ってはおりませんよ」

と、機嫌を直した。そして次の日、帰国したが、そのときまた、蜀からふたたび回礼

使として、鄧芝が同行した。

程なく、蜀呉同盟は成立を見、両国間に正式の文書が取りかわされた。

建艦総力

一

魏ではこのところ、ふたりの重臣を相次いで失った。大司馬曹仁と謀士賈詡の病死である。いずれも大きな国家的損失であった。

「呉が蜀と同盟を結びました」

折も折、侍中辛毘からこう聞かされたとき、皇帝曹丕は、

「まちがいであろう」と、ほんとにしなかった。

しかし次々の報告はうごかすべからざる事実を彼の耳に乱打した。曹丕は怒った。

「よしっ、そう明瞭になればかえって始末がいい。峡口の進攻にぐずぐずしていたのもこのために依るか。この報復は断じて思い知らせずにはおかん」

一令、直ちに南下して、大軍一斉に呉を踏みつぶすかの形勢を生んだ。

辛毘は、諫止した。

「蜀境へ当った五路の作戦も不成功に終った今日、ふたたび征呉の軍を起さるるは、国内的におもしろくありますまい」

「腐れ儒者、兵事に口をさしはさむな。蜀呉の結ぶは何のためぞ。すなわちわが魏都を攻めるためではないか。安閑とそれを待てというのか」

逆鱗すさまじいものがある。ときに司馬仲達は、

「呉の守りは、長江を生命としています。水軍を主となして、強力な艦船を持たなければ、必勝は期し得ますまい」と、献言した。

この用意は、大いに曹丕の考えと一致するものだった。魏の水軍力はそれまでにも約二千の船と百余の艦艇があったが、さらに、数十ヵ所の造船所で、夜を日に継いで、艦船を造らせた。

特にまたこんどの建艦計画では、従来にない劃期的な大艦を造った。龍骨の長さ二十余丈、兵二千余人をのせることができる。これを龍艦と呼び、十数隻の進水を終ると、魏の黄初五年秋八月、他の艦艇三千余艘を加えて、さながら「浮かべる長城」のごとく呉へ下った。

水路は長江によらず、蔡・潁から湖北の淮水へ出て、寿春、広陵にいたり、ここに揚子江をさしはさんで呉の水軍と大江上戦を決し、直ちに対岸南徐へ、敵前上陸して、建業へ迫るという作戦の進路を選んだのであった。

一族の曹真は、このときも先鋒に当り、張遼、張郃、文聘、徐晃などの老巧な諸大将がそれを輔佐し、許褚、呂虔などは中軍護衛として、皇帝親征の傘蓋旌旗をまん中に大軍をよせていた。

呉のうけた衝動は大きい。

「かくも急に彼が襲せて来ようとは――」

と、孫権も狼狽し、群臣も色を失った。ときに顧雍は、

「この軍は、蜀呉同盟が生んだものであるから、当然、蜀は国を挙げて、呉を扶ける義務がある。孔明に告げて、すぐ蜀軍をして長安方面を衝かせ、一方、呉は南徐の要害を固めなければなりません」と、説いたが、事態はとうてい、そんな小策では、如何とも防ぎ難く思われた。

「陸遜を呼ぼう、陸遜を。――彼ならでは、良策も立つまい」

孫権は、急遽、荊州から彼を呼びもどそうとしたが、その日の議席にいた徐盛が、

「大王、大王の臣下はみな御手足と思っておるのに、何とて大王御自らの手足をさように軽んじ遊ばされますか」と、敢えて恨めしげに称えた。

徐盛は字を文嚮といい、瑯琊莒県の人、夙に武略の聞えがあった。孫権は彼のほうをながめて、

「おおそこに徐盛こそいたか。もし汝が江南の守りに身をもって当るというなら、何をか憂えんやである。建業南徐の軍馬をあずけ、汝を都督に任ずるがどうか」

と、その信念の度を窺うようにじっと正視した。

徐盛は、明答した。

「不肖徐盛にその大任を仰せつけ給わるならば、一死かならず、魏の大軍を粉砕してお目にかけます。もし成らざるときは、九族を誅して、罪を糺し給うとも、決してお恨みとは存じませぬ」

二

魏が全力をあげて来た征呉大艦隊は、すでに蔡・潁（河南省・安徽省）から淮水へ下って、その先鋒は早くも寿春（河南省・南陽）へ近づきつつあると伝えられた。そしてこの飛報の至るごとに、いまや呉の全将士は国防の一線に生死を賭けて、

「ここに勝たずんばこの国なし。この国なくして我あるなし」と、総力を結集していた。

ところが新任の国防総司令徐盛の下知に対して、事ごとに反抗的に出る困り者がひとり現われた。孫権の甥にあたる若い将軍で、孫韶字を公礼という青年だった。

この孫韶は、持論として、

「一刻もはやく、軍馬をそろえて、江北へ渡り、魏の水軍を淮南（河南・淮水の南岸）で撃破すべきだ。国防国防と騒いで、空しく敵を待っていては、いまに魏の大軍がこれへ上陸した場合、国中の人民が震動して、収拾つかない結果になろう」ということを常に主張していた。

徐盛は大反対で、

「大江を渡って戦うということが、すでに味方の大不利である。魏の先手はことごとく老巧な名将を揃えておる。何で軽々しい奇襲などに破れるものではない。——彼が勢いに乗って、江を渡り、これへ集まってきたときこそ、魏を殲滅する時だ」

と、唱えて、万端の備えを、その方針のもとにすすめていた。

すでにして魏の艨艟は淮水に押し寄せ、附近の要地はその陸兵の蹂躙に委されていると聞えた。孫韶は切歯して、

「これが坐視しておられるか」と、再三再四、徐盛に迫った。そして彼の消極戦術の非を鳴らし、もし自分に一軍をかすならば江北へ押し渡って、魏帝曹丕の首級をあげて見せる。この決死行を許してもらいたい、もし許さなければ同志を作って暗夜に脱走しても征く——などと駄々をこねた。

徐盛もしまいには堪忍袋の緒を切って、

「軍律を紊す不届き者」と、叱りつけ、武士に命じて、

「孫韶の首を斬れっ。かくの如き我儘者をさしおいては、諸将に対して、わが命令を行うことはできん！」と、断乎たる処置に出た。

武士たちは、孫韶を引いて、轅門の外へ押し出した。そして刑を行おうとしたが、何せい呉王孫権が可愛がっている甥なので、

「お前が斬れ」

「いや貴様が斬れ」

と、執刀を譲り合って、がやがやと時を過していた。

その間に誰か、呉宮へこのことを告げた者があったとみえて、愕きの余り呉王自身、馬をとばして助けにきた。

孫韶は叔父の手に救われると、この時とばかりさらに訴えた。

「私は前に広陵にいたことがありますから、あの辺の地理は手にとる如く暗誦じています。で、徐盛に私の考えをすすめ、一軍をかしてくれと頼みましたが、彼は自分の尊厳を損われたように思って、かえって私を斬罪に処そうとしました」

孫権はこの甥が好きだったので、その健気な志を大いに買って、

「うむ、うむ……。では何か、汝は敵の曹丕が大艦を連ねて長江を渡ってこないうちに、こちらから駈け向って彼を伐たんという意見を主張したのか」

「そうです。安閑と魏の大軍を待っていれば、呉は亡ぶと思いますから」

「よし、よし。徐盛はどういう考えでいるか、共に陣中へ行って問うてやる。予に従ってこい」

と、刑吏や武士も供に加えて歩み出した。

徐盛は、王を迎えて、その来訪に驚きもしたが、また色を正して、王を責めた。

「臣を封じて、大都督とし給うたのは、あなたではございませんか。今、それがしが軍紀の振粛を断行するに当って、その大王ご自身が、軍法をおやぶりになるとは何事です

か」

呉王も正しい理の前には、一言もなく、ただ孫韶の若年と、血気の勇を理由にして、

「ゆるせ。まあ、まあ、このたびだけは、ゆるしてやってくれ」

と、くり返すのみだった。

淮河の水上戦

一

孫権にとって甥の孫韶は義理ある兄の子でありまた兄の家、兪氏の相続人であった。だから彼が死罪になれば、兄の家が絶えることにもなる。

身は呉王の位置にあっても、軍律の重きことばかりは、如何ともし難いので、孫権はそんな事情まで語って徐盛に甥の命乞いをした。

「大王の龍顔に免じて、死罪だけはゆるしましょう。しかし戦後あらためて罰するかもしれません。それだけはお含みおきを」

王の言葉に対して、徐盛も譲歩せざるを得なかった。孫権は、そばにいる甥に云った。

「都督にお礼をいえ。拝謝せい」

すると、孫韶は、昂然として、

「いやです！」

と、首を振った。そしてなお、反対に声をあらげて、

「懦弱きわまる都督の作戦には、今後とも服しません。私が従わないのは、軍律に反くかも知れませんが、呉国のためには最大の計であると信じています。この忠魂、なんぞ死を怖れんやです。まして初志をまげることなんか嫌なこッてす」と、唾するように云い放った。

この強情には、呉王もあきれ果てたものとみえ、

「この我儘者め。徐盛、もうふたたび、こんな我儘者は陣中で使ってくれるな」

と、居たたまれなくなったように急に馬へ乗って宮門へ帰ってしまった。

すると、その晩、

「孫韶が部下三千を連れ、勝手に兵船を出し、江を渡ってしまいました」

という知らせが、徐盛の眠りを愕かした。

「ちぇッ。遂に、脱け出したか」

徐盛は憤怒したが、さりとて見殺しにもできない。でにわかに、丁奉軍四千を、救援として、追いかけさせた。

その日、魏の大艦船隊は、広陵まで進んでいた。

先鋒の偵察船は、河流を出て揚子江をうかがったが、水満々たるのみで、平常の交通も絶え、一小船の影も見えない。曹丕は、聞くと、

「或いは南岸の呉軍に、企図するものがあるのかも知れない。朕、親しく大観せん」

と云って、旗艦の龍艦を、河口から長江へ出し、船楼に上って江南を見た。

旗艦の上には、龍鳳日月五色の旗をなびかせ、白旄黄鉞の勢威をつらね、その光は眼もくらむばかりであったし、広陵の河沿いから大小の湖には、無数の艨艟が燈火を焚いて、その光焔は満天の星を晦うするばかりだったが、江南呉の沿岸はどこを眺めても、漆のような闇一色であった。

侍側の蔣済がすすめた。

「陛下。この分では、一挙に対岸へ攻めよせても、大した反撃はないかもしれません」

「否々！」

と、あわてて制したのは劉曄である。彼は戒めた。

「実々虚々、鬼神もはかるべからずという。そこが兵法であろう。功をあせらず、まず数日はよくよく敵の気色をうかがうべきであろう」

「そうだ、あせることはない」

曹丕も同意した。彼はすでに呉を呑んでいた。

やがて月光が映した。数艘の速舸が矢のごとく漕いでくる。敵地深く探ってきた偵察船であった。その復命によると、

「呉の領一帯に、いずこの岸をうかがってみても、寂として、人民もいません。町にも一面の灯なく、部落も墓場のようです。お味方の襲来をつたえ、早くも避難してしまったのかもしれません」

曹丕も大いに笑った。

「さもあろうか」と、うなずいていた。

五更に近づくと、江上一帯に濃霧がたちこめてきた。しばらくは咫尺も見えぬ霧風と黒い波のみ渦巻いていた。しかしやがて夜が明けて陽が高く昇ると、霧は吹き晴れて、対岸十里の先も手にとるようによく見える快晴であった。

「おお」

「あれは如何に？」

舷の将士はみな愕き指さし合っていた。ひとりの大将は船楼を馳け上って、曹丕の室へ、何事か大声でその愕きを告げていた。

二

呉の都督徐盛も決して無為無策でいたわけではない。彼が固く守備を称えていたのもやがて積極的攻勢に移る前提であったことが、後になって思い合わされた。

いま夜明けと共に船上の将士が口々に愕きを伝えている中へ、曹丕もまた船房から出て、手をかざして見るに、なるほど、部下が肝を冷やしたのも無理はない。呉の国の沿岸数百里のあいだは一夜に景観を変えていた。

ゆうべまで、一点の燈もなく、一旒の旗も見られず、港にも部落にも、人影一つ見えないと、偵察船の者も報告して来たのに、いま見渡せば、港には陸塁水寨を連ね、山には旌旗がみちみちて翻り、丘には弩弓台あり石砲楼あり、また江岸の要所要所には、無数の兵船が林のごとく檣頭を集めて、国防の一水ここにありと、戦気烈々たるものがあるではないか。

「ああ、こは抑いかなる戦術か。呉には魏にもない器量の大将がおるとみえる」

曹丕は思わず長嘆を発して、敵ながら見事よと賞めたたえた。

要するにこれは、呉の徐盛が、江上から見えるあらゆる防禦施設に、すべて草木や布をおいかぶせ、或いは住民をほかへ移し、或いは城廓には迷彩をほどこしたりして、まったく敵の目をくらましていたのだった。そして曹丕の旗艦以下、魏の全艦隊が、いまや淮河の隘路から長江へと出てくる気配を見たので、一夜に沿岸全部の偽装をかなぐり捨て、敢然、決戦態勢を示したものである。

「彼にこの信念と用意がある以上、いかなる謀があるやも測り難い」と、曹丕はにわかに下知して、淮水の港へ引っ返そうとしたところ、運悪くせまい河口の洲に旗艦を乗りあげてしまったため、日暮れまでその曳きおろしに混乱していた。

ようやく、船底が洲を離れたと思うと、今度は昨夜以上の烈風が吹き出してきて、諸船はみな虚空に飛揺し、波は船楼を砕き人を翻倒し、何しろ物凄い夜となってきた。

「危ない危ない。また乗しあげるぞ」

暗黒の中に戒め合いながら、疾風にもまれていたが、そのうちに船と船とは衝突するし、舵を砕かれ、帆檣を折られ、暴れ荒ぶ天地の咆哮の中に、群船はまったく動きを失ってしまった。

曹丕は船に暈って、重病人のように船房の中に臥していた。それを文聘が背に負って、小舟に飛び移り、辛くも淮河のふところをなしている一商港に上陸った。

船暈は土を踏むとすぐ忘れたように癒る。ここには魏の陸上本営があるので、そこへ入ったときはもう平常の曹丕らしい元気だった。

「いやひどい目に遭うた。しかしこの荒天も暁までには収まるだろう」と、諸大将と共に語り合っていたが、それもまた束の間であった。深夜に至ってからこの暴風雨の中を二騎の早打ちが着いて、

「蜀の大将趙雲が、陽平関から出て、長駆わが長安を攻めてきました」

という大事を告げたので、曹丕はまた色を失ってしまった。

「長安は魏の肺心に位する要地。わが遠征の長日にわたるべきを察して、孔明が敏くも虚を衝かんとする兆したりや必せりである。それは一刻も捨ておかれまい」

突如、夜のうちに、水陸両軍へ向って、総引き揚げの命は発せられ、皇帝曹丕もまたやや風のおさまるのを待ってもとの龍艦へ立ち帰ろうとした。

すると、どこから江を渡ってきたのか、約三千ほどの兵が、魏の本営に火を放って、

これを一撃に殺滅し、さらに魏帝のあとを追撃してきた。

「味方か？」「失火か？」

と思っていたのが、呉軍だったので、魏帝と左右の諸大将は狼狽をきわめ、みるまに討たれては屍の山をなす味方をすてて、辛くも龍艦に逃げもどり、淮河の上流へ十里ほど漕ぎつづけると、たちまち、左岸右岸、前方の湖も、一瞬に火の海となった。

この辺は、大船の影もかくれるほどな芦萱のしげりであったが、呉軍はこれへ大量な魚油をかけておいて、こよい一度に火を放ったものであった。

魏の大艦小艇などの何千艘は、両方の猛焔、波上を狂いまわる油の火龍に、彼方に焼け沈み、此方に爆発し、淮河数百里のあいだは次の日になっても黒煙濛々としてこの帰結を見ることもできなかった。

南蛮行

一

壮図むなしく曹丕が引き揚げてから数日の後、淮河一帯をながめると縹渺として見渡すかぎりのものは、焼け野原となった両岸の芦萱と、燃え沈んだ巨船や小艇の残骸と、そして油ぎった水面になお限りなく漂っている魏兵の死骸だけであった。

実にこのときの魏の損害は、かつて曹操時代にうけた赤壁の大敗にも劣らないものであった。ことに人的損傷はその三分の一以上に及んだであろうといわれ、航行不能になって捨てていった船や兵糧や武具など、呉の鹵獲は莫大な数字にのぼり、わけても大捷の快を叫ばせたものは、

「魏の名将張遼も、討死をとげた一人の中に入っている」

ということであった。

かくて呉の国防力にはさらに不落の自信が加えられた。その論功行賞にあたって、戦功第一に推された者は、孫権の甥の孫韶だった。

「果敢、敵地に入って、よく兵機をとらえ、魏の本営をつき、曹丕の左右を混乱に陥れ、敵の名だたる勇将を討つことその数を知らず——」

という都督徐盛からの上表であったが、孫権は、

「否々。魏軍を驕り誇らせて、淮河の隘口に誘い、周密に、この大捷を成すの遠謀をそなえていた都督の大計には比すべくもない。軍功第一は徐盛でなければなるまい」

と、称揚し、彼を一に、孫韶を二に、第三以下、丁奉やそのほかの者に順次恩賞が沙汰された。

翌年、蜀は建興三年の春を平和のうちに迎えていた。蜀の興隆は目に見えるものがあ

った。孔明はよく幼帝を扶け、内治と国力の充実に心を傾けてきた。両川の民もよくその徳になつき、成都の町は夜も門戸を閉ざさなかった。加うるに、ここ両三年は豊作がつづき、官の工役には皆すすんで働くし、老幼腹を鼓って楽しむというような微笑ましい風景が田園の随処に見られた。

けれどこういう楽土安民のすがたも四隣の情勢に依っては、またたちまち軍国のあわただしさにかえらざるを得ない。時に、南方から頻々たる早馬が成都に入って、

「南蛮国の王孟獲が、辺境を犯して、建寧、牂牁、越巂の諸郡も、みなこれと心を合わせ、ひとり永昌郡の太守王伉だけが、忠義を守って、孤軍奮闘中ですが、いつそれも陥ちるか知れない情勢です」と、急を伝えた。

このときの孔明は実に果断速決であった。その日に朝へ出て、後主劉禅に謁し、

「南蛮はどうしても一度これを討伐して、帝威をお示しにならなければ、永久に国家の患いとなるものでした。臣久しくその折を量っていましたが、今は猶予しておられません。陛下はまだご年少ですからどうか、成都にあって私のいないあいだ政務においそしみ遊ばしますように」

と、別れを告げた。

後主はいとも心細げに、

「南蛮は風土気候もただならぬ猛暑の地と聞く。たれかほかの大将をつかわしてはどうか」

と、別れともない容子をされたが、孔明は、否と顔を振って、

「私がおらなくても、四境の守りは大丈夫です。ことに、白帝城には、李厳をこめておきましたから、あの者ならば、呉の陸遜の智謀もよく防ぐでしょう。また、魏は昨年、呉へ迫って、いたく兵力大船を損じていますから、にわかに、野望を他へ向ける気力はないものと見てさしつかえありません」

それからいろいろ慰めて、しばしの暇を仰ぐと、後主もついに頷かれたが、傍らにいた諫議大夫の王連がまた、

「丞相は国家の柱ともたのむ存在であるのに、風土気候の悪い南方の蛮地へ遠征されるとは、われわれにとっても心もとないことだ。蛮境の乱は、たとえば癬疥という腫物のようなもので、気にすればうるさい病だが、ほうっておけばまたいつのまにか癒るものである。——何とかお考え直しはなりませぬか」と、しきりに止めた。

二

王連の忠言に対して、孔明はその好意を謝しながらも、なおこう云って初志をかえなかった。

「仰せはごもっともですが、南蛮の地は、不毛瘴疫、文明に遠く、わけて土民は王化に浴せず、これを統治するには、ただ武力だけでも難く、また利徳に狎れしめてもいけません。剛に柔に、武と仁と、時に応じて万全を計るには、やはり私自身が征かねばなり

ますまい。決して、孔明が小功を誇らんために望む次第ではありませぬ」

王連もなお再三諌めたが、孔明は敢えてしたがわず、即日、数十名の大将を選んで、各部に分け、総軍五十余万、益州南部へ発向した。

その途中で、関羽の三男で、関興の弟にあたる――関索がただ一騎で参加した。

「今までどこにおられしか」

と、孔明は怪しみもし、また涙をたたえて云った。なぜならば、荊州陥落のとき、父関羽の手についていたので、今日まで、戦死と確認されていた者だからである。

「荊州の敗れた折、私は身に深傷を負い、鮑氏の家に匿まわれておりました。今日丞相が南蛮へご進発あるという噂を聞いて、昼夜わかちなくこれまで馳せつけて来たわけです」

「では、先鋒に加わって、お父上の名に恥じぬ功を立てられい。ここへ来られたのも、関羽どのの導きであろう。何にしても、すでに死んだと思っていた其許がふたたび蜀旗の下に立たるるとは幸先がよい」

と孔明のよろこびもひとかたでないし、再生の関索も勇躍して先陣の軍についた。

すでにして、益州の南部に入った。山川は嶮しく気候は暑く、軍旅の困難は、到底、中原の戦とは較べものにならない。

建寧（雲南省・昆明）の太守は雍闓という者であったが、彼はすでに反蜀聯合の一頭目をもって自負し、背後には南蛮国の孟獲とかたく結び、左右には越嶲郡の高定、牂牁郡の朱褒と一環の戦線を形成して、

「孔明が自ら来るとは望むところだ」

と、まず六万の軍を、その通路へ押し出してもみ潰さんと待ちかまえていた。

この六万の大将は鄂煥といって、面は藍墨で塗った如く、牙に似た歯を常に唇の外に露わし、怒るときは悪鬼の如く、手に方天戟を使えば、万夫不当、雲南随一という聞えのある猛将だった。

序戦第一日に、これに当ったのは、蜀の魏延であった。魏延は孔明から策を授けられていたので、いたずらに勇を用いず、もっぱら智略を以て彼を疲らせ、その第七日目の戦いに、盟軍の張翼、王平の二手と合して、猛将鄂煥をうまうまと重囲の檻に追い陥とし、これを擒人にしてしまった。

が、孔明は縄を解いて、彼を放し、その帰る間際に、こう諭した。

「君の主人は、越嶲の高定であろう。高定は元来、忠義な人だ、野心家の雍闓にだまされて、謀反に与したものにちがいない。立ち帰ったらよく君からも高定に忠諫してあげるがいい」

命びろいをした鄂煥は、自軍の陣地へ帰るとすぐ、主人高定に会って蜀軍の強さや、孔明の徳を話していた。すると折悪しくそこへ雍闓が訪ねてきた。雍闓は眼をまるくして鄂煥を見た。

「汝はきょうの戦いに、敵の俘虜になったと聞いたが、どうしてこれへ戻ってきたのか」

高定がそれに答えて、

「孔明は実に仁者らしい、情理あわせて鄂煥に諭し、一命をゆるして帰してくれた」

すると雍闓は、吹き出して嗤った。

「それが彼奴の詐術というもんじゃよ。蜀人の仁なんていうものからしてそもそも俺たちの敵性じゃないか」

云っているところへ、夜襲があったので、話もそのまま雍闓は自分の城へ逃げ帰ってしまった。

翌日になると雍闓は城を出て、味方の高定と固く聯携し、しきりに、蛮鼓貝鉦を打ち鳴らして、戦いを挑んできたが、孔明は笑って見ているのみで、

「しばらく傍観しておれ」

と三日戦わず、四日も出撃せず、およそ七日ほどは、柵の内に鎮まり返っていた。

三

「蜀軍は弱いぞ」とあまく見たらしい。八日目の頃南蛮軍は大挙して迫ってきた。

地上に図を画いたように、的確な謀をもって、孔明はそれを待っていた。そして大量な俘虜を獲た。

俘虜は二分して、二ヵ所の収容所に入れた。一方には雍闓の兵ばかり入れ、一方には高定の兵のみ押しこめた。

そしてわざと、孔明はそこらに風説を撒かせた。

「高定はもともと、蜀に忠義な者だから、高定の手下は放されるらしいが、雍闓の部下はことごとく殺されるだろう」

一つの収容所は歓喜した。一つの収容所では泣き悲しんだ。

日をおいて、孔明は、まず雍闓（ようがい）の手下から先に曳きだして、一群れずつ訊問した。

「汝らは、誰の部下だ」

「高定の兵です」

「相違ないか」

「高定の兵に相違ありません」

ひとりとして、雍闓の部下だと答えるものはない。

「よし、高定の兵なら、特に免じてやる。高定の忠義は誰よりもこの孔明が知っておる」

みな縄を解いて放した。

次の日。こんどはほんとの高定の部下を引き出して、これも縄を解いてやった揚句、酒まで振る舞ってやった。そして孔明は彼らの中に立ちまじって、

「汝らの主人高定は、実に愛すべき正直者だ。あんな律義な人間が蜀に謀叛（むほん）するわけはない、まったく雍闓や朱褒（しゅほう）に欺されているのだ。その証拠には、きょう雍闓から密使が来て、蜀帝にねがって、所領の安全と、恩賞を約束してくれるなら、いつでも高定と朱

褒の首を持ってくると告げて帰った。――わしは高定の律義と忠節を信じておるから追い返したが、そのひとつでも汝らの主人が雍闓のお先棒に使われているということがわかるではないか」

と、雑談のように話して聞かせた。

単純な南蛮兵は、放されて自分たちの陣地へ帰ると、みな孔明の寛大を賞めちぎり、主人の高定に向っても、

「雍闓に油断なすってはいけませんぞ」

と忠告した。

高定も疑って、ひそかに雍闓の陣中へ、人をやってうかがわせてみた。するとそこでも、雍闓の部下が、寄るとさわると、孔明を賞めているので、いったい孔明は敵か味方か分らなくなりましたよ――というその者の復命だった。

「……するとやはり雍闓と孔明とは内通しておるのかしら？」

彼はなお念のために、腹心の者をやって、孔明の陣中を探らせた。

ところがその男は、途中、蜀の伏兵に発見されてしまい、

と、孔明の前に曳かれてきた。――それを孔明は一目見ると、

「怪しい奴だ」

「いや、そちはいつぞや、雍闓の使いに来た男ではないか。その後、待ちに待っておるに、沙汰のないのは、如何いたしたものだ。疾く帰って、主人雍闓に、吉左右（きっそう）を相待ち

おると、「申し伝えい」

そして一通の書簡をしたため、それを託して部下に危険のない地点まで送らせた。男は生命びろいしたと、雀躍りして、高定の陣へ帰ってきた。待ちかねていた高定が、

「首尾は如何に？」

と訊ねると、男は腹をかかえて笑いながら、

「途中、捕まったので、しまったと思いましたところ、孔明のやつは、手前を雍闓の使いと思いちがえたらしく、こんな手紙をしたためて雍闓へ渡してくれと託しました。まずご覧ください」

と、主人の前に差し出した。

高定は見て愕いた。――高定、朱褒の首を取って降伏を誓うならば、蜀の天子に奏して重き恩賞を贈らん――という意味に加えて、それを一刻も早くにと督励している催促状である。高定は大きく呻いて、考えこんでいたが、やがて部将の鄂煥を呼んで、その手紙を示し、

「その方はこれをどう思う？　また雍闓の本心を何と観るか」

と、息あらく相談した。

四

鄂煥ときては彼よりももっと神経の粗いほうである。たちまち牙をむいて憤慨した。

「こういう証拠のある以上、何も迷っていることはない。なお万一を顧慮されるなら、陣中に一宴を設けて、雍闓を試しに招いてごらんなさい。彼が公明正大ならやって来ようし、邪心があれば二の足を踏んで来ないだろう」

なお、第二条として、こうも勧めた。

「もし来なかったら、彼奴（きゃつ）の二心は明白ですから、ご自身、こよいの夜半（よなか）に、不意討ちをおかけなさい。てまえは別軍を引いて、陣の後ろを襲いますから」

高定はついに意を決してその通り運んだ。案のじょう雍闓は軍議を口実にしてやって来ない。

高定は夜襲を決行した。これは雍闓にとってまったく寝耳に水である。おまけに雍闓の部下は、先頃から何となく怠戦気分であった上、中には高定の兵と一緒になって、その潰乱（かいらん）を内部から助けた者も出たため、雍闓は一戦の支えも立たず、ただ一騎で遁走（とんそう）を企てた。

裏門へかかった鄂煥は、たちまち得意の戟（げき）を舞わして、一撃の下に彼の首を挙げてしまった。

夜明けと共に、高定は首を携えて、孔明の陣へ降った。孔明は首を実検すると、急に左右の武士を振り向いて、

「この曲者（しれもの）を斬り捨てろ」

高定は仰天した。かつ哀号し、かつ恨んで云った。

「丞相はこの合戦中、折あるごとに、不肖高定を惜しんで下さるとのことに、深く恩に感じ、いま降参を誓って参ったのに、即座に殺せとはいかなる仔細ですか。あなたは仁者の仮面をかぶった魔人か」

「いや、何と申そうと、汝の降参はいつわりにちがいない。われ兵を用いることすでに久しい、何で汝ごとき者の計に乗ぜられようか」

匣の中から一封の書簡を取り出して、これを見よ！ と高定の前へ投げやった。まぎれもない朱褒の手蹟であった。彼はもう逆上していて、それを読む手もふるえてばかりいた。

「よく見たがよい、朱褒の書中にも、高定と雍闓とは刎頸の友ゆえ、油断あるなと、忠言してあろうが。――それを以てもこの首の偽首なること、また汝の降伏が、彼としめし合わせた謀計ということも推察がつく。――かくいえば何で朱褒の片言のみ信じるかと汝はさらに抗弁するかも知れんが、朱褒が降伏を乞うことは、すでに再三ではない。ただまだ彼は自分を証拠だてる功がないためにあせっておるだけに過ぎぬ」

聞くと、高定は歯を咬み、躍り上がってさけんだ。

「丞相丞相！ 数日の命を高定にかして下さい。憎んでもあきたらぬ奴は朱褒です。初め、雍闓の謀反へ此方を引き入れたのも、彼奴なのに、今となって、この高定を売って、自己の反間の野心をなし遂げんとは、肉を啖い、骨を踏みつけても、飽きたらない犬畜生です。彼奴の反間にかかって、このままここで斬られては、高定、死んでも死にきれません」

「数日の命をかしたらどうするというのか」

「もちろんです。朱褒の首を引っさげて身のあかしを立て、しかる後に、正当なご処分をうけるものなら死んでも本望です」

「よし。行き給え」

孔明は励ました。

三日ほどすると、高定は、前にも勝る手勢をつれて、ここの軍門へ帰ってきた。

そして孔明の前に朱褒の首を置いて、

「これは偽首ではございませんぞ。よく眼をあいて見て下さい」

と、云った。

孔明、一目見るとすぐ、

「然り、然り」

と、膝をたたいてまた、

「前の首も、あれは雍闓に相違ないよ。わしはただ君のために、大功を立てさせたいためにあんな一時の放言をなしたのだ。悪く思わないでくれ」

と、一笑して、労をねぎらった。

この高定はほどなく益州三郡の太守に封ぜられた。

南方指掌図

一

益州の平定によって、蜀蛮の境をみだしていた諸郡の不良太守も、ここにまったくその跡を絶った。

従って、孔明の来るまで、叛賊の中に孤立していた永昌郡の囲みも、自ら解けて、太守王伉は、

「冬将軍が去って、久しぶりに春の天日を仰ぐような心地です」

と、感涙に顔を濡らしながら城門をひらいて、孔明の軍を迎え入れた。

孔明は、城に入ると、王伉の孤忠をたたえて、同時にこうたずねた。

「ご辺には良い家臣がおると思われる。そも、誰がもっぱら力になって、ご辺にこの小城をよく守らせたのであるか」

「それは呂凱という者です。おゆるしがあれば、すぐこれへ呼びますが」

「招いてくれ」

呂凱、字は季平。やがて孔明の前に拝伏した。

孔明は、高士として、彼を迎え、後、蛮国征伐について彼の意見をたたいた。

呂凱は携えてきた一巻の絵図を、それへひらいて云った。

「愚見を申し上げるよりも、これをお手もとにお納め置き下されば、迂生の万言にも勝るかとぞんじます」

「これはいずこの絵図か」

「名づけて、平蛮討治図とも、南方指掌図ともいっております。南方蛮界の黒奴は、王化を知らず、文明になじまず、しかも自分たちの蛮勇と野性とその風習に驕り恃むこと強く、これを帰服させるには一朝のことには参りません。――で、迂生は多年の間、ひそかに蛮地へ人を遣って、その風俗習性や武器戦法を調べおき、かたがた、南蛮国の地理をつぶさに考察して、遂にこの一図を成したものにござります。図中、細々と書き入れてある註がいま申し上げた蛮地の事情やら気象風土などであります」

孔明は感心して、

「平時にこういう備えを黙々としてきた者の功を戦時にも忘れてはならない」

と三嘆し、あらためて彼を征蛮行軍教授の要職に推した。

かくて、永昌の城に在るうちに、充分な装備と、蛮地の研究をして後、孔明はやがてその大軍をいよいよ南へ進めた。

日々百里、また数百里と、行軍の輸車労牛は、炎日の下を、蜿蜒と続いてゆく。孔明は一隊ごとに、軍医を配し、糧食飲料のことから、夜営の害虫や風土病などについて、全軍の兵のうえに細心な注意をそそいだ。

「天子のお使いが見えられました」

部将の言葉に、孔明は、

「なに、勅使とか」

自身、出迎えて、中軍へ請じた。

見ると、その使いに来たのは、馬謖だった。

孔明は彼のすがたを見たとたんにはっとしたらしい。なぜならば馬謖は無色の素袍を着し、白革の胸当をつけ、いわゆる喪服していたからである。

敏にして賢い馬謖は、孔明の顔にうごいた微かなそれをも見のがさなかった。――で、言葉を急いで、

「ご陣中へ、喪服して臨み、失礼はおゆるし下さい。実は、出立の前に、兄の馬良が亡くなりましたので――」と、逆さまながら私事を先にのべて、まず孔明の心をなだめてから、

「天子が、それがしを、ご陣中へお遣わしなされたのは、何の異変も都にあるわけでなく、夷蛮の熱地を征く将士の労をおしのび遊ばされ、成都の佳酒百駄を軍へご下賜あらせられました。――荷駄はやがて後より着きましょう。右までをお伝えいたします」

と、使いの要旨を述べた。

その夕、下賜の酒が着いた。孔明はこれを諸軍に頒って、星夜の野営に、蛮土の涼を共に楽しみながら、また馬謖と対して、彼も一杯を酌んだ。

四方山のはなしの末に、彼は馬謖へ向って試みにたずねた。

「いま蛮国を討治するに当って、ひとつ君の高見を訊きたいものだ。忌憚のないところをいってくれ」

馬謖は、黙然としていたが、やがて、

「それは実に難しいことですね。功を立てることは易しいが、実果を収めるのは難中の難事です」

と、若者らしく率直な言葉でいった。

二

「難しいとは、どう難しいのか」

孔明が、鸚鵡返しに訊くと、馬謖は、

「古来、南蛮を討つに、成功した例はありません」と、冒頭して、

「――しかし、丞相のことですから、今大軍を率いて、それに向われる以上、必ず大功を収めて、征伐を果されるでしょう。けれどもまた、ひとたび都へかえる時は、たちまちもとの状態に戻って、蛮族どもは、乱を思い、虚をうかがい、決して王化に服しきるものではありません」

と、はばかりなく断言した。

孔明はうなずいて見せながら、

「しかもなお、そういう未開の夷族をして、王化の徳を知らしめ、心から畏服せしめるには、如何にせばよいと思う？」

「難中の難事たる所以は実にそこにあります。兵を用いるの道は、心を攻むるを以て上とし、武力に終るは下なりと承っています。ねがわくは丞相の軍が、よく彼を帰服せしめて、恩を感じ、徳になつき、蜀軍が都へ引き揚げた後も、永劫に王化はあとに遺って、二度と背くことのないようにありたいものと存じます」

孔明は長嘆して、君の高論はまさに自分の思うところと一致したものだと云い、斜めならず彼の才志を愛でた。で、朝廷へは使いを派して、馬謖はそのまま陣中に留め、参軍の一将として常に自分の側においた。

馬謖の才は、夙に彼も認めているものであるが、彼のような若輩に対しても、南方経略の要諦を諮問しているところに、宰相孔明がみずから率いて向った今度の南蛮征討に、いかに彼が腐心しているかをうかがうことができる。

五十万という大軍の運命をその指揮に担っている重任はいうまでもない。かつはまた、従来の戦場とちがって、風土気候も悪いし、輸送の不便は甚だしいし、嶮山密林、ほとんど人跡未踏の地が多い。

ひとたび敗れんか、魏や呉は、手を打って、奔河の堤を切るように蜀へなだれ込むだろう。帝はまだ幼くして、蜀都を守るには余りにまだお力がない。先帝玄徳からの直臣(じきしん)や忠良の士もすくなくないとはいえ、遠隔の蛮地で、五十万が屍(かばね)と化し、孔明すでにあらずと聞えたら、成都の危うきは、*累卵(るいらん)のごときものがある。内に叛臣あらわれ、外に魏呉の兵を迎え、どうして亡びずにいられるものではない。前途も多難、うしろも多事。征旅の夜にも、孔明の夢は、一夕(いっせき)たりとも、安らかではあり得なかったのである。

しかも、南蛮征服の軍は絶対に果しておかなければ、魏呉と対しても、たえず蜀の地は、後顧の不安を絶つことができなかった。今をおいてその国患を根絶する時はないのだ。孔明は例の四輪車に乗り、白羽扇(びゃくうせん)を手に持って、日々百里、また百里、見るものみな珍しい蛮土の道を蜿蜒(えんえん)五十万の兵とともに、果てなく歩みつづけた。

密林の猛獣も、嶮谷(けんこく)の鳥も、南へ南へと、逃げまわった。かくて蛮国の南夷には、

「孔明が攻めて来た」

ということが、天変のごとく、声から声に伝えられ、南蛮国王の孟獲(もうかく)は、すでに大軍を集結して、

「中国の奴輩(やっぱら)に一泡ふかせてやる」

と、かえって、その蛮都から遠く、出撃してきた。

はやくも、蜀の偵察が探ってきたところによると、蛮軍の総勢は約六万とわかった。そして各二万を三手に分かち、三洞(どう)の元帥と称する者――金環結(きんかんけつ)を第一に、董荼奴(とうとぬ)を第二に、阿会喃(あかいなん)を第三に備えて、待ちかまえているという。

それに対して、孔明は、

「王平は左軍へ、馬忠は右軍へ当れ。自分は趙雲、魏延を率いて、中央へすすむ」

と、令した。

この令に、趙雲や魏延はすこし不平顔だった。左右両軍は、先鋒であり、自分たちは後ろに置かれたからである。

しかし孔明は、

「王平、馬忠はご辺たちよりも、地の理に詳しい。それに年もとっているから、奇道を行っても過ちが少ない」と、ふたりの血気を制して、両翼がふかく進んだ後から中軍は出動した。そして帷幕の諸将に囲まれた四輪車の上に、孔明は悠々と羽扇をうごかして、異境の鳥や植物の生態などを眺めていた。

三

蛮軍は五渓峰の頂に防塞を築いて、三洞の兵を峰つづきに配し、ひそかに、

「中国の弱兵には、この嶮峻さえ登ってこられまい」と、驕っていた。

月明を利してその下の渓道まで寄せてきた王平、馬忠の先手は、途中で捕えた蛮兵の斥候を道案内として、間道を伝い、道なき道を攀じ、夜半、不意に敵の幕舎を東西から襲った。

喊の声と共に、各所から花火のような火が噴いた。流星の如く炬火が飛ぶ。蛮陣の内

は上を下への大混乱を起している。

蛮将の金環結は、手下を叱咤しながら、炎の中から衝いて出た。その影を見ると、蜀軍のうちからも、誰やら一将が現われて、猛闘血戦の末、遂にその首を取って、槍先につらぬき、

「手抗う者はみなこうだぞ」

蛮軍の兵に振り廻して見せた。

逃げるわ逃げるわ、土蛮の群れは、さながら枯葉を巻くように四散してゆく。そして董荼奴や阿会喃の陣へかくれこんだ。

魏延、趙雲などの蜀の中軍は、その頃、ここを攻め喚いていた。南蛮勢は、前後に蜀軍を見て、いよいよ度を失い、谿へ飛びこんで頭を砕く者、木へよじ登って焼け死ぬ者、また討たれる者や降る者や、数知れない程だった。

夜が明けた。蛮地の奇峰怪山のうえに、なお戦火の余燼が煙っている。孔明は快げに、朝の兵糧を喫し、さて夜来の軍功を諸将にたずねた。

「三洞の蛮兵は敗乱して、今朝すでに一個の影だに見えぬ。まことに諸公の大勇によるものであるが、敵の大将は捕え得たであろうか」

「それがしが討った首は、敵将のひとり金環結と思われます。ご実検ください」

「おお、趙雲か。いつもながらのお働き、めでたい。して、そのほかの敵将は」

「遺憾ながらみな逃げたようであります」

「いや、実はここに生擒っておる」

と、背後の帳へ向って、曳いてこいと命じた。

人々は信じられなかったが、やがて帳を排して、数名の武士が、阿会喃と董荼奴の縄尻をとって、これへ現れ、

「蛮族。下に居ろ」と、ひきすえた。

「や。どうして？」

驚かぬ者はなかったが、やがて孔明の説明に依って、ようやく仔細は解けた。

孔明はかねて帷幕のうちに伴っている呂凱についてこの辺の地形を詳細に研究していたのである。で、中軍両翼が正攻法をとって前進する三日も前に、すでに張嶷、張翼のふたりに間道潜行隊をさずけ、これを遠く敵塞の後方に迂回させ、その道路に埋伏させておいたものだという。

「兵機の妙、鬼神も測り難しというのは、このことでしょう。さてさて、おかしげなる無智の蛮将ども、並べておいてすぐ首を刎ねましょうか」

諸将が称えいうと、孔明はその処断を制して、かえって、彼らの縄を解いてやれと命じた。そして、

「酒を与えよ」と、酒肴を出して慰め、さらに、

「これはわが成都で産する蜀錦の戦袍である。お前たちにも似合うであろう。この恩衣を纏うて、常に王化の徳を忘れるなかれ」

と、諭(さと)して、やがて夜に入ると、小道からそっと二人を追放してやった。

董荼奴も阿会喃も、

「ご恩は忘れません」と、涙を流して去った。

孔明はその後で、諸人に告げた。

「見よ、明日はかならず国王孟獲(もうかく)が自身でこれへ攻め寄せてくるにちがいない。——おのおの手に唾(つば)して、これを生擒(いけど)りにせよや」

その折にはかくかくと孔明は計策をさずけていた。何処へ向って行くのか、趙雲、魏(ぎ)延(えん)は各五千騎を持ち、そのほか、王平や関索(かんさく)なども一手の兵をひきいて、翌朝はやく本陣から別れて行った。

孟(もう)　獲(かく)

一

南蛮国における「洞(どう)」は砦(とりで)の意味であり、「洞の元帥」とはその群主をいう。

いま国王孟獲(もうかく)は、部下の三洞の大将が、みな孔明に生擒(いけど)られ、その軍勢も大半討たれたと聞いて、俄然、形相を変えた。

「よし、讐(かたき)をとってやる」

この孟獲という者の勢威と地位とは、南方蛮界の国々のうちでは、最も強大なものらしい。彼が率いてきた直属の軍隊は、いわゆる蛮社の黒い猛者(もさ)どもだが、弓馬剣鎗を耀(かがや)かし、怪奇な物の具を身につけ、赤幡(せきばん)、紅旗をなびかせ、なかなか中国の軍にも劣らない装備をもっているものだった。

これが、端(はし)なくも、蜀の王平の先陣と、烈日の下に行き会った。王平は、馬を出して、

「野蛮王孟獲、ありや？」

と呼ばわった。

獅子の如く猛然と、声に応じて駈け寄ってきたのが、その孟獲と見えた。そのときの彼の扮装(いでたち)を原著にはこう描写している。

——孟獲、旗ノ下に、捲毛赤兎(ケンモウセキト)ノ馬ヲオドラセ、頭(カシラ)ニ羽毛宝玉冠(ウモウホウギヨツカン)ヲ載キ、身に瓔珞(ヨウラク)紅錦(コウキン)ノ袍ヲ着、腰ニ碾玉(テンギヨク)ノ獅子帯ヲ掛ケ、脚ニ鷹嘴抹緑(ヨウシマツリヨク)ノ靴ヲ穿(ウガ)ツ。昂然(コウゼン)トシテ左右ヲ顧(カエリ)ミ、松紋廂宝(ショウモンソウホウ)ノ剣ヲ手ニカケテ曰(イ)ウ。

「中国の人間どもは、孔明孔明とみな怖れるが、この孟獲の眼から見れば、一匹の象、一匹の牝豹(めひょう)にも足りない。いわんやその下の野狐城鼠(やこじょうそ)どもをや。——やい、忙牙長(ぼうがちょう)、あいつを圧(お)し潰(つぶ)せ」

と彼は振り向いて、部下の一将へ頤をさした。

忙牙長はおうっと吠えて、またがっている怪獣の尻をぴしっと革でなぐった。馬ではなく、それは大きな角を振り立てて来る水牛であった。

王平と五、六合戦ったが、尋常な剣技では比較にならない。忙牙長はたちまちにして追い立てられた。

部下の血を見ると孟獲は本来の蛮人性をあらわして、おのれと喚きざま、王平へ跳びかかってきた。王平は詐って逃げだした。

「ざまを見ろ、古廟の番人め（武神の木像をさしていう）引っ返せ」

捲毛の赤馬に、旋風を立てながら、孟獲は追いかけてきた。

（頃はよし――）と眺めた関索の一軍は、突として、彼のうしろを中断し、その背後を脅かすと、またたちまち、張翼は右から、張嶷は左から、蛮軍をおおいつつんだ。

無智の軍と、兵法ある軍との優劣は、余りにも明らかな結果を現わした。寸断された蛮軍は蜂の巣を叩かれたように混騒し、その逃げる方角すら一定の方向も持たない。

孟獲はうかと熱湯へ手を突っこんだように狼狽した。急に一方の囲みを破って、錦帯山の方へ奔ったが、そこの谷間へかかると、谷の中からとうとうと金鼓や銅鑼の声がするし、道をかえて、峰へ登りかけると、岩の陰、木の陰から、彪々として、蜀の勇卒が、鼓を打ちつつ攻めてくる。

中に、蜀の大将趙雲がいた。孟獲は胆を消して、渓流を跳び、沢を駈け、さながら美しき猛獣が最期を知るときのように逃げまわったが、すでに四山は蜀兵の鉄桶と化し、遁るべくもない有様であった。

さも残念そうに、独り唸きながら、彼は馬を捨てて渓流のそばへ寄った。そして身をかがめて水を飲もうとすると、四方からまた喊の声と金鼓がこだまして鳴りひびく。

「……？」

脅えの中に必死を持った形相は、何とも物凄い。彼は馬をそこへ捨てたまま、木の根、岩かどにしがみついて、道なき所を越えはじめた。そして嶺の上に出て、ほっと一息ついているところを、趙雲の手によって、難なく囚えられてしまった。

縄目も、ただの縄をかけたのでは、ぷつぷつ断ってしまうし、暴れる、吠える、ほとんど手がつけられない。で革紐をもってきびしく縛め、屈強な力士が十重二十重に囲んでこれを孔明の本陣まで引っ立てて行ったが、陣内へ押し込むときも一暴れして、三、四人の兵が蹴殺されたほどだった。

二

しかし、営中まで引きずってくると、御林の旗幡は整々と並び、氷雪をあざむく戟や鎗は凛々と篝火に映え、威厳森々たるものがあるので、さすがの蛮王も身をすくめてただ爛たる眼ばかりキョロキョロうごかしていた。

営内の裏には、さきに俘虜とした大量の蛮兵が、真っ黒にかたまっていた。いま孔明はそこへ出て、戒諭を与えていた。

「汝らといえども、虫獣ではあるまい。父母もあろう、妻子もあろう。生擒られたと聞いたら、それらの者は血をながして悲泣するであろうに、何で無益にその生命を争って捨てに来るのか。ふたたび孟獲の如き兇悪を助けて、あたら生命を捨てるではないぞ」

もちろん、孔明は全部の者を解き放す考えである。のみならず、酒を飲ませ、糧を与え、負傷者には、薬治をして、追い放してやった。

無智な土蛮の者といえども、その恩にはみな感じた。いや中国の兵よりも正直に感銘して、振り返り振り返り立ち去った。

彼が営中の一房へもどって来ると、ちょうどそこへ武士たちが孟獲を引っ立ててきた。孟獲は孔明のすがたを見ると、牙をむいて跳びかかりそうな顔をした。

「どうした？　孟獲」

孔明はすこし揶揄をもてあそびながら、温容なごやかに訊問した。

「わが蜀の先帝には、常々、蛮王蛮王と汝を称ばれて、汝に目をかけ給うたこと、一通りでなかった。さるを恩を忘れて魏と通じ、魏が屏息するや、また自ら無謀の乱をなすとは何事か」

孟獲はせせら笑った。何か咬んでいるようにもぐもぐ口の端から泡を出して独り語をいっていたが、やがて、猩々が腹を掻くときのように、ぬうと胸を反らすと、ぎょろ

りと孔明をにらみつけて、

「ばかをいえ。たわごとを吐かせ。もともと、両川の地は、旧蜀のもので、今の蜀のものじゃない。益州の南だってそうだ。この俺のものだ。玄徳の領分でもなかったし、劉禅の土地でもない。そこで俺が何をしようと、俺の勝手ではないか。境を侵したの、謀叛をするのと、俺の耳に通用しない文句を並べたところで、この孟獲にはちゃんちゃらおかしくなるばかりだ。あはッははは」

「気のどくだが孟獲、真面目になって、お前と理論を闘わす気にはなれぬよ。——そこで武力をもって教えたのだが、いかに歯ぎしりしても、汝はすでに、孔明に捕われている者だぞ、俘虜には何をいう権能もない。なぜわが軍に生擒られたか」

「錦帯山の道が狭くて思うまま俺の力が出せなかったからだ」

「そうか、地の利を得なかったためか」

「誤まって生擒られたが、たとえ身は縛し得ても、俺の心は縛し得まい」

「汝も時には、うまいことをいう。心から服さぬものは是非もない。縄を解いて放してつかわそう」

そういったら、たちまち情に打たれて面もやわらげ、急に生命をも惜しむか——とながめていると、孟獲の場合はまったく正反対であった。

「ようし。もし俺の縄を解いて放して帰すなら、きっと兵力を立て直して、ふたたびうぬと雌雄を決してみせる。尋常に戦えば、うぬらに負ける孟獲じゃあない」

「おもしろい。ふたたび来て、ぜひ戦え。孔明も汝が心から服するまで戦うであろう」

彼は、武士に告げて、孟獲を解いてやれといった。これを知って営中の諸大将は動揺した。せっかく捕ったものを――と残念がる者、いいのかしら？――と不安がる者、さまざまな感情がそこへ反映したが、孔明は少しも意にかける容子とてなく、酒を取り寄せて、

「飲んで帰れ」と、孟獲にすすめていた。

初めは、非常に疑っている顔いろだったが、同じ酒壺の酒を孔明も共に飲んで他事なく話しかけるので、孟獲も果ては大盃でがぶがぶ飲み乾した。そして営門の裏から送り出されるや、罠を脱した猛虎が洞へ急ぐように、後も見ずに何処かへ消えて失くなった。

拳を握りながら、それを見送っていた諸将は、口をそろえて、

「わからぬ。丞相のお心は我らにはとんと合点がまいらぬ」

不満と嘲笑を半ばにして云い合った。

孔明は笑った。

「何の、彼ごとき者を生擒るのは嚢の中から物を取りだすも同じことではないか」

輸血路

一

「大王が帰ってきた」

「大王は生きている」

と、伝え合うと、諸方にかくれていた敗軍の蛮将蛮卒は、たちまち蝟集(いしゅう)して彼をとり巻いた。そして口々に、

「どうして蜀の陣中から無事に帰ってこられたので？」

と、怪訝顔(けげんがお)して訊ねた。

「何でもないさ」

孟獲は事もなげに笑って見せながら、部下にはこういった。

「運悪く難所に行き詰って、一度は蜀軍に生擒られたが、夜に入って、檻(おり)を破り、番の兵を十余人ほど打ち殺して走ってくると、また一隊の軍馬が来て、俺の道をさえぎったが、多寡(たか)の知れた中国兵、八方へ蹴ちらした末、馬を奪って帰ってきたというわけだ。

ははは、お蔭で蜀軍の内部はすっかり覗いてきたが、なあに大したものじゃない」

もちろん、部下の南蛮兵は、彼の言を絶対に信じた。ただ阿会喃と董荼奴は、先に孔明に放されて、自分たちの洞中に引っ込んでいたが、孟獲から呼び出しがくると、この二人だけは、

「どうもやむを得ない」

というような顔つきで、渋々やって来た。

孟獲は、新たにまた諸洞の蛮将へ触れを廻して、たちまち十万以上の新兵力を加えた。蛮界の広さと、その蛮界における彼の威力は底知れないものがある。

集まった諸洞の大将連は、その風俗服装、武器馬具、ほとんど区々で、怪異絢爛を極めた。孟獲はその中に立って、向後の作戦方針をのべた。

「孔明と戦うには、孔明と戦わないに限る。彼奴は魔法つかいだ。戦えばきっと彼奴の詐術にひッかかる。そこで俺は思う。蜀の軍勢は千里を越えて、この馴れない暑さと土地の嶮しさに、かなりへたばッている様子だ。俺たちはこれから瀘水の向う岸に移り、あの大河を前にして、うんと頑丈な防寨を築こう。削り立った山にそい崖にそい、長城を組んで矢倉矢倉にそれを連げば、いくら孔明でもどうすることもできまい。そして奴らがへとへととなった頃を見て、みなごろしにする分には何の造作もない」

一夜のうちに蛮軍は風の如くどこかへ後退してしまった。蜀軍の諸将は、

「はて？」と、怪しんだり、或いは、孔明の大仁に服して、みな戦場を捨てて洞へ帰っ

てしまったのではないか、などと私語区々であったが、孔明は、

「ただ前進あるのみ」と、即日、進発を命令した。

蛮地の行軍は、その果てなさに、ふたたび人々を飽かしめた。わけて輜重の困難はいうばかりでない。

ときすでに五月の末に及んで、先陣は行くてに濾水の流れを見た。河幅は広く、水勢は急で、強雨のたびに、白浪天に漲った。

強雨といえば、この地方では、日に何回か、必ず盆をくつがえすような大雨が襲ってきた。猛烈な炎暑に喘ぐとき、それは兵馬をほっと救ってくれるが、同時に、甲の下も濡れ、兵糧も水に浸され、時には道を失って、漲る雨水の中に立往生してしまうことなどもままあった。

「や？……対岸に敵がいる」

「何という厳しさだ。あの蜿蜒たる防寨は」

先鋒の兵は、胆を奪われた。対岸の嶮岨と、その自然を利用した蛮族一流の防寨を見た刹那にである。それは中国地方の科学的構造とは甚だ趣を異にしているが、堅固な点では、必要以上にも堅固にうかがわれる。

当然、遠征軍は、濾水を前にして、はたと、その進軍を阻められた。

日々の強雨、一日中の悪暑、夜は夜で、害虫や毒蛇やさまざまな獣に苦しめられつつ、滞陣半月を越えんとしていた。

孔明は、令を出した。

「瀘水の岸から百里ほど退陣せよ。して各隊は、高所、或いは林中など、眠るによく、居るに涼しい地を選んで幕営を張れ。敢えて、戦いに焦躁するな。しばらく人馬を休め、病にかからぬよう、身の強健にもっぱら努めておるがいい」

二

こういう時、参軍の呂凱は大いに役に立った。かねて孔明の手に献じてある「南方指掌図」に依って、地理を按じ、各部隊のために滞陣の地を選定した。

各部将は、それぞれの位置に、陣小屋を構え、椰子の葉を葺いて屋根とし、芭蕉を敷いて褥とし、毎日の炎天をしのいでいた。

監軍の蔣琬は、一日孔明に向ってこういった。

「山に依り、林にそい、蜿蜒十数里にわたるこの陣取りは、かつて先帝が呉の陸遜に敗られたときの布陣とさながらよく似ています。もし敵が瀘水を渡って火攻めをして来たら防ぎはつきますまい」

「然り、然り」と孔明は否定もせずただ笑って――

「この渫陣の形は、決して善いと思っているわけでもないが、さりとて何の計がないわけでもない。まあ推移を見ておれ」

ところへ蜀の都から、傷病兵のために多くの薬種と糧米とを輸送して来た。指揮官に

は誰がついてきたかと訊ねると、

「馬岱とその部下三千名が任に当って参りました」とのことに、孔明は直ぐに彼を呼びよせて、遠来の労をいたわり、かつ云った。

「君のつれてきた新手の兵を最前線へ用いたいと思うが、ご辺は指揮して行くか」

「一兵も私の兵などというものはありません。みなこれ朝廷の軍馬ですから、先帝のご恩に報じられるものなら、死地の中へも歓んで参ります」

「ここから約百五十里の瀘水の岸に、流沙口という所がある。そこの渡口のみは流れもゆるく渡るによい。対岸に渡ると山中に通ずる一道がある。それこそ蛮軍が糧食を運んでいる唯一の糧道だ。もしここを遮断すれば阿会喃、董荼奴の輩が内変を起すだろう。君に命ずるのはそうした任務だが」

「必ずやって見せます」

欣然、馬岱は下流へ向った。

流沙口へ来て見ると、案外、河底は浅く、船筏も要らない程度なので渡渉した。ところが、河流の半ばまでゆくと馬も人もたちまち溺れ流された。馬岱は驚いて急に兵をかえし、土人に訊くと、ここは毒河といって、炎天のうちは、水面に毒が漂っているので、これを飲めば必ず死ぬ。しかし夜半の冷やかな頃わたるぶんには決して毒にあたることはないとのことだった。

深夜を待つまでに、木を伐り竹を編んで無数の筏を造った。約二千余騎つつがなく渡

よぶ所だとある。対岸は山地で、進むほど峻嶮となってくる。土人にきけば「夾山の羊腸」とよぶ所だとある。

馬岱軍は、大山の谷を挟んで陣を取り、その日のうちに、ここを通行する蛮人輸送隊の車百輛以上、水牛四百頭を鹵獲した。次の日にも獲物があった。たちまちこのことは、険阻のうちに結集している蛮軍十余万の胃ぶくろに影響した。

糧道を守る蛮将のひとりが、一軍の新手をひきいて、孟獲の本陣へ行って急を告げた。

「平北将軍馬岱が、流沙口を渡ってきました」

孟獲は酒をのんでいたが、聞くと笑って、

「河の半ばで半分以上は死んだろう、ばかな奴らだ」

「いや、夜中に越えてきたらしいので」

「誰が敵にそんな秘事を教えたか、土地の奴なら斬ってしまえ」

「もう間に合いません。敵は夾山の谷に屯して、こっちの輸送隊を襲い、毎日の兵糧はみんな奴らに奪われているので」

「なに、糧道を断ったと。何のために、汝れはその守りに立っているのか。木像め、──忙牙長を呼べ、忙牙長を」

これは蛮将中でも異様な槍を使う猛力無双な男である。呼ばれるや、その長槍を引ッ抱えて、

「大王、何です」とさながら仮面のような顔をつき出した。

「三千ばかり引きつれて、夾山にいる馬岱の首を持ってこい」

「行ってきます」

忙牙長は、颯爽として、一軍の先に立って向って行ったが、程なく、その手下だけが、列を乱して逃げ帰ってきた。そして口々に告げていう。

「忙牙長は敵の馬岱と渡り合って、ただ一刀に斬られてしまいました。いったい、どうしてあの隊長があんな脆く殺られたのか訳がわかりません」

心縛

一

「——そんな筈はないが？」

と孟獲は疑ったが、夜になると土人が、忙牙長の首を拾って届けてきた。

彼は、日夜離したことのない杯をほうり捨てた。

「やい。誰か行って、この仇を取ってこい。忙牙長に代って、馬岱の首を討ってくる奴はいないか」

「行きましょう、てまえが」

「董茶奴か。よかろう。さきの辱を雪いでこいよ」

励まして、さらに、猛卒二千を加え、五千の勢で、夾山へ向わしめた。

そして、一方、阿会喃には、

「孔明の本軍が、河を渡ってくると大ごとだ。てめえは河流一帯を守っていろ」

と、べつに大軍をあずけた。

蜀軍が疲れるまで、じっと守って不戦主義をとっていた孟獲も、糧道の急所を衝かれては、あわて出さずにいられなかった。

夾山の馬岱は、董茶奴が新手をひっさげて、陣地を奪回に来たと聞くと、自身、蛮軍の前へ出て、

「董茶奴董茶奴。王化を知らぬ蛮族といえ、よも禽獣ではあるまい。耳あらば聞け。汝はさきにわが丞相に捕われて、すでに命のない所を放された者ではないか。蛮土の人種も恩を知るというに、その将たる者が、恩をわきまえぬか。それともなお、戦うとあらば、これへ出よ、汝もさきの忙牙長の如く首にして帰してやらん」

と、大声で諭した。

孔明に放されて以来、もとより戦意を失っていた董茶奴は、それを聞くと、大いに恥じて、旗を巻いて逃げ帰った。

「どうした？」

孟獲は目をむいて彼を糺した。

そして董荼奴が、馬岱は聞きしにまさる英雄で、とうてい、自分たちには、歯がたちませんと云い訳するのを聞くと、孟獲の青面赤髪はみな毛根毛穴から血をふき出しそうな形相になった。

「この裏切者。孔明に恩を売られているので、二心を抱いていやがるな。よろしい。見せしめにかけてやる」

蛮刀を引き抜いて、即座に彼の首を刎ねようとした。まわりにいた諸洞の蛮将たちは、何か口々に騒いで、孟獲を抱きとめ、董荼奴のために、哀を乞うことしきりであった。だが、

「いまいましい奴だが、命だけは免してやる。洞将たち、百杖の罰はゆるされないぞ」

士兵に命じて、大勢の中で、董荼奴を裸にし、その背へ棍をもって百杖の刑打を加えた。五体血まみれになった上、面目を失って、董荼奴は自分の屯へ帰って行ったが、無念でたまらないらしい。遂に、腹心の部下をあつめて、仔細を語り、

「おれたちは生れながら蛮国にいるが、ついぞ理由なく中国の軍が侵略してきたためしはない。それを孟獲のやつが、なまじ智慧の利くところから、魏と申し合わせたり、自力を恃んで強がったりして、蜀の境に好んで乱を起したからこそこんなことになったのだ。——おれの見るところ孔明は実に立派な人だ。しかも自身の智謀や力に誇らず、よく蜀の帝王を敬って、王者の仁を施すに口先だけの人でない」

こういう心中を打ち明けて、

「いっそのこと、孟獲を殺して、孔明に降伏し、蛮土の民を、一様に幸福にしてくれるように頼もうと思うが……お前たちの考えはどうか」

と、一同の真意を糺した。

部下の大半以上は、いちどはみな孔明に息をかけられた者どもなので、

「洞長。それこそわしらも考えていたところだ」

と、みな同音に賛成し、直ちに決行しようとなった。ちょうど孟獲は本陣の帳中に昼寝をしていたところだった。そこへ百余人の董荼奴の部下が入ってきて、不意に枕を蹴とばし、

「起きろ」

と、いうや否、高手小手に縛ってしまったので、さすがの孟獲も、うぬッと、一声吠えたのみで、どうすることもできなかった。

二

「や、や。何だ」

「何事が起ったのか？」

蜂の巣を突いたような騒動である。ほかの蛮将や土人の衛兵なども、事の不意に、ただ呆ッ気にとられていた。

「瀘水へ。瀘水へ」

董荼奴は、その隙に、部下百余人の先頭に立ち、孟獲を引ッ担がせて、蛮軍の中営から首尾よく駈け出していた。

そして瀘水の岸まで来ると、かねて待たせておいた刳貫舟の内へ、まず孟獲をほうりこみ、部下も共々、数艘の舟へ飛び乗って、対岸へ逃げ渡ってしまった。

蜀軍の哨兵が、すぐ孔明の中軍へ、変を知らせてきた。孔明は、待っていたように、

「来たか」と、云った。そして轅門から営内にわたるまで、兵列を整えさせ、槍旗凛々たる所へ、董荼奴以下を呼び入れた。

孔明はまず董荼奴から仔細を聞き取って、大いにその功を賞し、部下一同にも、充分な恩賞をとらせた。

「ひとまず洞中へ帰っておれ」と、引き揚げさせた。

次に、

「孟獲をこれへ」と引き出させ、高手小手に縛められて来た彼のすがたを見るや、一笑して、

「蛮王。また来たか」

と、呼びかけた。

孟獲は憤怒の眼を血走らせて、

「来たとはいえ、汝の手に生擒られて来たのじゃない。偉そうな面をするな」

とやり返す気か、満身で喚き立てた。

孔明は、逆らいもせず、

「そうか、そうか。しかし誰の手にかかろうと、全軍の総帥たるものが、縄目にかけられて、敵の陣中へ送られたりなどしては、はや汝の威厳も墜ち、その命令もよく行われまい。むしろこの時において いさぎよく降伏いたしてはどうだ」

「糞ウくらえ！」唾をしてその首を獅子のごとく左右に振り猛った。

「きょうの不覚は、まったく俺の油断から飼犬に手を咬まれただけで、俺の恥でもなければ、俺の戦法が悪くて負けたわけでもない。従って俺の部下は、なおのこと、この復讐を誓っても、この孟獲を見捨てるようなことは断じてないのだ」

「なるほど、汝はよい手下を持っている。しかし、次々に諸洞の配下が、みな董荼奴や阿会喃のようになって行ったらどうするか」

「俺ひとりでも戦ってみせる」

「ははは。何をいうぞ孟獲。その汝は、すでに擒人となって、わが面前に、指も動かせぬ身となっているではないか」

「………………」

「いま孔明が、首を刎ねろと、一言放てば、汝の首は、たちどころに、胴を離れる。――わが蜀軍は、王道の兵である。心から服する者を、なんでほしいままに虐誅しよう。いわんや汝は蛮界に王を称える者だけあって、中国の文明も多少は知り、文字も読み、また夷蛮に似あわずよく用兵にも通じておる。——殺すは惜しい。孔明は惜しむ。心から汝を惜しんでやまないのだ」

「丞相、もう一度、俺を放してくれないか」

「放したらどうする心か」

「寨にかえって、檄をとばし、諸洞の猛者をあつめて、正しく戦法を練り、ふたたび蜀軍と一合戦する」

「ふうむ。そして」

「きっと、俺が勝つ。だが間違って、こんどもまた、蜀軍に敗れたら、洞族一統をひきつれて、いさぎよく降参する」

孔明は笑った。そして、兵に命じて、すぐ彼の縄を解かせ、

「次には、心ゆくまで戦ってみせい。だが、重ねてわが前に醜い姿を見せぬようにしたがいいぞ」

と、酒を呑ませ、また、馬を与えて、これを瀘水の岸まで送って放した。

孟獲は、舟の中から、二度ほど振り向いたが、対岸に着くや否や、豹のように、山寨へ駈け登って行った。

孔明・三擒三放の事

一

孟獲は山城に帰ると、諸洞の蛮将を呼び集めて、

「きょうも孔明に会って来た。あいつは俺が縛られて行っても、俺を殺すことができないのだ。なぜかといえば、俺は不死身だからな。奴らの刃を咬み折り、奴らの陣所を蹴破って帰るぐらいな芸当は朝飯前のことだ」

と、例によって、怪気焔を吐きちらし、無智な蛮将連を煙に巻いて、

「——だが、もし俺でなかったら、今日なんざ、とても生きては還れるどころではなかった。太え奴は董荼奴と阿会喃のふたりだ。すぐ手分けして、奴らの首を持ってこい」

と、命じた。

翌晩。——寨門を出ていった蛮将は、幾手にも分れて、待ち伏せていた。昼間のうちに、孔明の偽使者をつかって、董荼奴と阿会喃へ呼びだしをかけていたのである。

二人は、計に乗せられて、自分たちの洞中から、山越えで瀘水の道へ向ってきた。

たちまち、合図の角笛が鳴ると、四方に隠れていた土蛮が、董荼奴を殺し、阿会喃を取りかこみ、二つの首を取ると、死骸は谷間へ蹴落して、わあと、狼群のように本陣へ帰ってきた。

「よくも俺に煮え湯をのませやがったな。ざまを見たか」

孟獲は、首へ向って罵った。そして終夜、鬱憤ばらしの酒宴をつづけていた。

一睡して醒めると、

「腕が鳴ってたまらない。さあこれからだ。蜀軍を蹴ちらし、孔明の肉を啖い血をすすってくれなけりゃあならん。この孟獲にも劣るまいと思うものはみんな俺について来い」

と、突如、銅鈴を振り、鉄笛をふかせ、鼓盤を打ち叩いて、出陣を触れると、寨中の蛮将はみな血ぶるいして、

「それ行け」

と各〻、一隊をひきいて、孟獲のあとから駈けて行った。

孟獲は夾山へ向った。そしてまずここに屯している敵の馬岱を殲滅しようと考えて来たのであったが、何ぞ計らん、すでに蜀兵の影は一箇も見えなかった。

「どこへ動いて行ったか？」と、土地の者に訊ねると、一昨日の夜、急に河を渡って、北岸へ退いてしまったということだった。

「いけねえ。こいつは一足遅かった」

拍子抜けして、孟獲はひとまず本陣へ引っかえしたが、帰って見ると、弟の孟優という者が、兄孟獲の苦戦を聞いてはるか南方の銀坑山から新手二万をひきつれて、留守のうちに加勢に来ていた。

蛮族間でも兄弟の情はあるらしい。いや中国人よりもその密なることは露骨で、よく来た、よく来てくれたと、抱擁したり頬ずりしたりしていた。そして夜半まで酒酌み交わしていたが、その間に、充分な秘策を練り合ったとみえて、翌日、孟優は部下百人に、鳥の毛や南蛮染の衣を飾らせ、瀘水を越えて対岸の敵地へ渡った。

船から上がる時、その一人一人の兵を見ると、足はみな裸足だが獣骨の足環をはめ、半身の赤銅のような皮膚を剝き出しているが、腕くびに魚眼や貝殻の腕環をなし、紅毛碧眼の頭には、白孔雀や極楽鳥の羽根を飾って、怪美なこと、眼を疑わすほどだった。加うるにその百余人の蛮卒は手に手に金銀珠玉或いは麝香だの織物だの、持ちきれぬほどな財宝を持って、孟優の統率の下に、孔明の陣へ静々歩いてきた。

やがて、その列が、陣門に近づくと、たちまち、見張りの櫓からひょうひょうと鼓角が鳴り、たちまち、鼓に答えて、一彪の軍馬が前をさえぎった。

「待て、どこへ行く」

馬上の人を見れば、これなんきのう孟獲がすでにその姿なしと、地だんだを踏んでいた蜀の馬岱である。

孟優は地に拝伏し、わざと恐れおののいて云った。

「兄に代って、正式に降参の申入れに来ました。私は弟の孟優です」

「ひかえていろ」

馬岱は、陣門の内へその由を伝えた。

ときに孔明は、諸将と何か議していたが、この報らせを聞くと、そばにいた馬謖をかえりみて、

「……わかるか？」

と、微笑して訊ねた。

二

馬謖は「はい」と頷いたが、あたりの人をはばかってまた、

「口では申されません」

と、紙筆を持ち、何か書いて、孔明にそっと見せた。

孔明は、一読、ニコと笑って、膝をうちながら、

「然り。君の思うところ、孔明の意中にもよくあたっている。孟獲を三たび擒人にするの計、それ一策である」

と、次に趙雲をそば近くさしまねいて、何か計をさずけ、また魏延、王平、馬忠、関索などにも、一人一人に行動の方針を授けて、

「いざ、疾く」

いぶかって見せた。

そうした後、孟優を呼び入れて、何故に、にわかに降伏して来たかと、わざと怪しみ

と、そこからすぐ諸方へ立たせた。

孟優は地にひれ伏して、

「兄孟獲は、南国随一といわれている強情者です。ために、二度まで捕われて、丞相の恩情によって命を保ちながら、なお反抗せんと、私どもへ軍兵を催促して来ましたが、本国の一族や、諸洞の長老は、みな大反対で、兄の頑迷をさとし、長く蜀帝に服し奉れと、懇々、意見しましたところ、遂に、兄もとうてい、丞相の武威と温情に敵し難いことを悟って、自分がゆくのは間が悪いからまず私に代って、降伏をお容れ賜わるように、丞相へおすがりしてくれという言葉でございます」

孟優は蛮界に珍しい能弁の男だった。涙を流さぬばかりに告げて、連れてきた蛮卒百余人の手でそれへ貢ぎものを山と積ませた。

そしてなお、いうには、

「兄孟獲も、いちど銀坑山の宮殿へ帰り、多くの財宝を牛馬に積み、天子へのご献上を仰ぐため、やがて日を経てこれへ降参にまいる予定でございます」

――始終を聞き取ってから孔明ははじめて彼に親しみを見せた。そして心からその恭順を歓迎し、また贈り物を眺めては、あらゆる随喜と満足を表明した。かつ席をあらためて、酒宴をひらき、成都の美酒、四川の佳肴、下へもおかずもてなした。

昼からである。暮れれば楽人楽を奏し蜀兵は舞って興を添えた。南国の夜、ようやく更けるも、風は暖かに星みな大きく、歓喜尽きるのを忘れしめる。

その宵。いやその頃すでに――瀘水の上流をこえ、山谷森林をくぐり、蜀陣の明りを目じるしに、蛮夷の猛兵万余の影が、狡猾なる獣のごとくかさこそと、蜀陣のうしろへ忍び寄っていた。

彼らは手に手に硫黄、焔硝、獣油、枯れ柴など、物騒な物のみ持ち込んでいた。頃はよしと、孟獲は躍り上がって、

「あれが孔明の中営だ。今夜こそ遁すな」

と、合図の手を振った。

猛獣軍の影はまっしぐらに駈け出した。孟獲も飛びこんだ。――が、こはいかに、そこには燈火の光が白日の如く晃々と耀いてはいたが、人はみな酔い伏しているだけで、一人として起って振り向く者もいない。

しかも仆れている人間は、ことごとく孟優の手下である。いやその孟優も、座の中央に打ち仆れて、苦しげに、のたうちまわりながら、味方の蛮兵を見て、自分の口を指していた。

「弟っ。どうしたっ?」

孟獲は、抱き起してみたが、返事もできない孟優であった。計らんとして計られたのである。いうまでもなく、一人のこらず毒酒の毒にまわされていたのだった。

「――しまった――」

とも知らず、味方の蛮兵は、諸方から焔硝や油壺を投げて、ここを必死で火攻めにかけている。孟獲は孟優の体を抱えて、飛び出した。

「待て待て。外から火をかけると、中の味方が焼け死んでしまう。おれは孟獲だ。おれを通せ」

すると火炎の下から、蜀の大将魏延が、

「通れるものなら通れ」

と、鼓を鳴らし、槍ぶすまを向けてきた。あわてて反対なほうへ逃げてゆくと趙雲の軍が待ちかまえていて、

「孟獲。天命尽きたぞ」

と、追ってくる。

弟の体もいつか投げ捨てて、孟獲はただひとり瀘水の上流へ逃げ奔っていた。

三

岸に一艘の蛮船が見えた。二、三十人の蛮卒も乗っている。息をきって逃げてきた孟獲は、

「おういっ、俺をのせて、すぐ河を渡れ」

と、命じるや否、宙を駈けてきた勢いでそれに飛び乗った。同時に、舟中の人数はこ

ぞり起って、

「得たり！」とばかり艫や舳へ立ち別れ、前後から孟獲の上へまたわッと圧し重なった。

「あっ。うろたえるな。俺だ。孟獲だっ」

喚きもがくのを、遮二無二、がんじがらみに縛って、

「浅慮者め、われわれは馬岱軍の一手だ。いざ丞相の陣所へ来い」

と、陸上へ担ぎ上げた。

孔明の本陣は、その夜も、捕虜で充満していた。彼は兇悪なる者を十人斬って、そのほかは皆、酒を飲ませ、或いはこらしめに尻を打ち叩き、或いは、物など恵んで、ことごとく追い放してしまった。

「孟獲はどうしましょう」

幕僚たちが、最後に訊いた。孔明はやおら、彼の前に、床几を取って、

「また来たか。孟獲」

と、揶揄した。

孟獲は、二回の体験で、いくらかこつを心得てきたらしい。憤然と答えて、

「こよいの敗れは、愚かな弟の奴めが、がつがつと酒食をむさぼりおったので、この孟獲の計を味方から壊してしまったためだ。だから戦に負けたとは思わない」と、嘯いた。

「しかし孟獲。剣には負けなくても、策には負けたろう。汝が舟中のざまはどうだ」

「あれは失策った……」と、孟獲もここは正直に肯定して、「――だが、人間だから、暗い所では石にもつまずくよ」と、まだ負けおしみをいった。

孔明はすこし厳を示して、

「すでに今、三度まで、予は汝を生擒った。この上は約束を履んで、汝の首を斬って放たん。孟獲何か云い置くことはないか」

「待て待て」と、前の二回とは大いに容子が変ってきて、彼はひどく生命を惜しんで慌てた。

「もう一度放してくれ」

「仏の面も三度という。わが仁義にも程度がある」

「もう一遍でいい」

「その一遍で何をしたいか」

「快く一戦したい」

「重ねて生擒られたら」

「こんどは打ち首になっても悔いない」

「は、は、は、は」

孔明は大笑した。とたんに、自身剣を抜いて、彼の縛めを切り放した。

「孟獲、次の折には、よく軍書を考えて、二度と悔いを残さぬように、よく陣容を立て直して参れよ。――時に、汝の弟は、どうしたか」

「えっ、弟？」

「骨肉を忘れるとは、如何したものだ。それでも蛮界の王として、土民を服してゆけるのか」

「火中から助け出したが、途中より別れて生死も分らぬ」

「誰か。――孟優をこれへ連れてこい」と、左右にいいつけると、幕将たちは、帳の内へ入って、どやどやと一人の蛮将を取り囲んで連れてきた。

「ば、ばか野郎っ。いくら日頃から酒好きだって、敵の毒酒まで飲む馬鹿があるかっ」

孔明は笑って、二人の仲を押しへだてた。

「味方破れに懲りながら、またすぐここで兄弟喧嘩をするなどは、すでに軍書の教えに反いているではないか。さあ仲よく帰れ。そして兄弟ひとつになって攻めて来い」

ふたりは拝謝して立ち去った。

舟を乞うと、瀘水を渡り、自分たちの山城へ帰ろうと登ってゆくと、山寨の上から蜀の大将馬岱が旗を負い、剣を杖とし、

「孟獲、孟優、何を望む。矢か槍か剣か石砲か」

と、呶鳴りつけた。

仰天して、一方の峰へ逃げてゆくと、そこにも蜀旗林立して、翩翻たる旗風の波をうしろに、蜀の趙雲が姿を現わして云った。

「汝ら。丞相の大恩を忘るるなよ」

また逃げた。しかし行く谷間、行く山々、蜀の旗の見えない所はないので、遂に彼らは遠く蛮地の南へ奔ってしまった。

王風羽扇

一

蛮界幾千里、広さの果ても知れない。孔明の大軍は瀘水もうしろにして、さらに、前進をつづけていたが、幾十日も敵影を見なかった。

孟獲は、深く懲りたとみえる。蛮国の中心へ遠く退いて、入念に再起を計っていた。

蛮邦八境九十三甸の各洞長へ向って、彼は檄を飛ばし、使いを馳せ、かつ金銀や栄位を贈って、こう触れ廻した。

「孔明の大軍が攻めてきた。全南界を征伐して、この国に蜀都を建て俺たち土着の人間を殺しつくすと称えている。奴らは詐術に富み、文明の武器を持ち、相当手ごわいが幾千里を来て、気候や風土にも馴れないため、大半はへたばッている。恐れるには足らない。諸洞の軍勢が力を協せて叩きつぶせば、蜀帝も懲々して、二度と俺たちの国へ指もさすまい」

この飛檄は成功した。諸洞の蛮王の中には、芳醇な酒にも飽き、熟れたる果実や獣肉にも飽き、余りに事なき生活に体をもて余している連中もある。これらが蛮国王孟獲の打ち揚げた狼煙によって、久しぶりに大きな刺戟を得、諸邦から軍勢をひきつれて、続々と糾合に応じ、たちまち雲霞のごとき大軍団を成したのであった。

「ようし、これだけ集まれば——」

と、孟獲はすっかり喜悦して、

「ときに孔明は今、どこに陣しているか」と、偵察させた。

「西洱河に、竹の浮橋を架け、南の岸にも、北の岸にも布陣している按配です。北岸には、河を濠として、城壁まで築いているんで……」という手下の報告だ。

「ははあ。俺が瀘水でやった布陣をそのまま真似していやがるな」

野性は驕るに早い。そして従前の敗北はすぐ忘れている。それに新しく連邦九十三甸の加勢を得ているので、闘志満々だった。

「どれ。ひと泡吹かせてくれようか」

軍を進めて、すなわち孔明の築陣していた西洱河の南をうかがった。

赤毛の南蛮牛の背に、緬甸金襴を布いて花梨鞍をすえ、それにまたがった孟獲は、身に犀の革の甲を着、左に楯をもち、右手には長剣を握っていた。正に威風凜々である。

たまたま、南岸にある蜀兵の各隊を、四輪車に乗って巡閲していた孔明は、

「孟獲が大軍をひきいて近づきつつあります」

と、部下から聞くと、

「すわ疾風雲だ。濡れないうちに早く逃げろ」

と、急に道をかえして、本陣へ急ぎ帰った。

嗅ぎつけた孟獲は、

「しめた。追いつけるぞ」と、間道を通って、突如間ぢかへ、追撃して来た。

――が、危うい一歩で、孔明の軍は陣門の内へ奔り込み、あとは厳しく閉めて、敢えて戦わなかった。

「弱いぞ、敵は」

蛮軍は見くびって来た。前々から蜀軍の大半はすでに疲れていると聞かされているのでなおさらである。日が重なると、赤裸になって陣門の近くに群れ、尻振り踊りをしたり、瞼をむいてあかんべえをしたりして、蜀兵を憤らせた。

蜀の諸将は、歯がみして、孔明に迫り、

「猿どもが、人を小馬鹿にすること、一通りでありません。いちど陣門を開いて、蹴散らしに出てはいけませんか」

と、願ったが、孔明は、

「王化に服した後は、あの踊りも、むしろ愛すべきものになろう。まあしばらく虫を抑

えていよ」

と、依然ゆるしてくれない。

猿の驕慢はいよいよ募ってゆく、もとより軍律のない仲間なのでその狂態はあきれるばかりである。孔明は一日、高所から見物して、

「もうよいな」と、帷幕の人々へ云った。

腹中の計はできていた。趙雲、魏延、王平、馬忠などへ何事かささやいて秘を授け、また馬岱と張翼もこれへ呼んで、

「怠るな、各〻」

と云い残して去った。すなわち彼は四輪車に乗り、関索をひきつれて、にわかに竹の浮橋を渡って、西洱河の北へ移ってしまったのであった。

二

角笛を吹き、大鉦を鳴らし、時には蛮鼓を打ち鳴らしなどして、南蛮勢は以後毎日のように、陣門の外まで寄せてきた。

が、蜀軍の内はひそとしていた。旗風ばかり翻って、武者声もしなければ、矢一筋射てこない。

孟獲は戒めた。

「孔明は計の多い奴だから、うかと中へ陥るなよ」

しかし、余りに変化がないし、朝夕の炊煙すら立ち昇らない態なので、遂に一朝、思い切って一門を突破し、どっと中へ駈け込んでみると、数百輛の車に兵糧を積んだまま捨ててあるし、武具や馬具なども取り散らし、寝た跡、食べた跡も狼藉に放ったらかしてあるだけで、広い陣中のどこを眺めても、馬一匹人一人見あたらなかった。

「やっ？　引き揚げている、いつの間に退却したのだろう？」

孟優が怪しんでいうと、孟獲はあざ笑って、

「この様子ではよほど慌てて去ったようだ。これほど堅固な陣屋を捨て、あの孔明が一夜に退いた所を見ると、これは何か本国に急変が起ったに違いあるまい。察するに蜀の本国へ呉が攻め入ったか、魏が攻め込んだか、この二つのうちの一つだろう。――そうだ、追いかけて一騎も余さず討ち取ってしまえ」

水牛の鞍上から味方へ号令して、にわかに全軍をして、西洱河の南の岸まで追いかけさせた。

ところがここへ来て北の岸を見ると、あたかも長城の如き城壁ができている。矢倉の数だけでも数十ヵ所、ことごとく旗を並べ、鎗戟を耀かせ、近寄ることもできなかった。

「驚くには当らない。あれも孔明の擬勢だ。ああして置いては北へ北へと退却してゆく計略と思われる。見ておれ弟、二、三日するとまた、あそこも旗だけ残して、蜀の奴はひとりもいなくなるから」

孟獲は孟優にそう語って、手下の勢に、竹を伐って竹筏を作らせておけといいつけた。数千の蛮兵は、大竹を伐って、筏を組みだした。その間、朝夕対岸を注意していると、果たして蜀軍の数が目に見えて減ってゆく。四日目頃には、一兵もいなくなった。

「どうだ、俺の活眼は」

彼は、左右の洞将たちにも誇って、河を渡ろうとしたが、その日は、狂風吹きつのって、石を飛ばすばかりだったので、しばし天候を見ようと、人馬を岸からさげていた。

「風は止まないし、あの高波では仕方がないでしょう。先頃、蜀軍が捨てて行ったあの空陣屋へ入って夜明けを待ったほうが悧巧じゃありませんか」

「そうしよう。弟、全軍に退がれと号令しろ」

孟獲は云い残して、真っ先に後退を開始し、例の陣営へ入って休んだ。

宵になると、狂風はいよいよ勢いを加え、夜空に砂が舞っていた。馬も兵もみな眼をふさぎ、四方の陣門から入って、さしも広い営内も真っ黒に埋まるほどだった。やがて眠ろうとする頃である。風音ならぬ金鼓の音が四方に響いた。すわと人馬が、中で騒ぎだした時は四面ともに焔の壁、焔の屋根となっていた。

踏み殺され、焼き殺され、阿鼻叫喚が現出した。

「しまった」

孟獲は一族の少数の者に囲まれて、危うくも一方の口から猛火をのがれた。しかし外へ出るや否、

「蜀の大将趙雲」と、呼ばわる者に追いかけられた。西洱河に残してある諸洞の軍勢の中へ逃げ込もうとすると、その味方もほとんど蹴ちらされて、後には蜀の馬岱軍が入れ代っている。胆をつぶして、中途から引き返そうとすると、すでに退路も蜀兵の影に占められている。

山へ逃げ、谷へかくれ、一晩中逃げまわった。しかも道のある所かならず蜀軍の金鼓が響き、鎗戟が殺出した。

わずか十数人の部下と共に、孟獲はへとへとになって、西方の山の腰へ降りてきた。夜が明けている。見ると彼方に一叢の椰子林があった。一隊の兵と数旒の旗が、一輌の四輪車を押し出してくる。孟獲は悪夢の中でうなされたようにあッと叫んで引っ返しかけた。

三

四輪車の上の孔明は、綸巾をいただき鶴氅を着て、服装も常と変らず、手に白羽扇をうごかしていたが、孟獲が仰天して逃げかけるや、大いに笑って、

「なぜ逃げる孟獲。汝はいつも捕わるるごとにいうではないか。武勇なれば負けはしないと。いま後ろを見せるほどでは、尋常に戦っても、この孔明に勝てる自信はないと見えるな」

羽扇をあげて呼びかけた。

——と、孟獲は、憤然と、踵をかえし、

「だまれ。俺がいつ後ろを見せたか」と味方を振り向いて、「やい、諸洞の部下ども、あれにいるのが孔明だ、この人間の計におうて、俺は三度まで辱をかさねた。彼奴に出会ったのは幸い、俺と共にみんなも力を尽して、人も車も微塵になせ。彼奴の首一つ取ったら南蛮国中で祭典ができるぞ」

と、獣王のように猛吼した。

十数人の部下はみな諸洞の中でも指折りの猛者ばかりだし、弟の孟優も重なる怨みに燃えているので、「おうっ」「わあっ」と、喚き合って、どっと、四輪車へ向ってきた。

蜀兵はたちまち四輪車を押して逃げ出した。追うも迅し逃げるも迅かったがその距離がつまる間もあらばこそ、孟獲、孟優そのほかの一団は、天地も崩れるような土煙と共に、いちどに陥し穽へ落ちてしまった。

するとその音響を合図として、魏延の手勢数百騎が木の間木の間から駈け現われ、坑の下から一人一人引きだして、手ぎわよく数珠つなぎにしてしまった。四輪車はもう涼しげに蜀の本陣へ向っていた。孔明は帰ると直ちにまず孟優を引きすえて、

「お前の兄は一体どうかしているのじゃあないか。生擒られてはこれへ来ることすでに今日で四度になる。未開の蛮国といえ、人間ならば恥ということもあるだろう。お前からよく意見するがいい」

と、物柔らかに諭して、酒をのませた上、先に縄を解いて部下一同とともに放してや

った。

次に孟獲を面前に引かせ、これに向っては、かつてなかった大喝をもって、

「匹夫、何の面目あって、再び孔明の前にのめのめ縄にかかって来たかっ」

と、叱りつけ、なおも、

「中国では、恩を知らぬものを人非人といい、廉恥のない者を恥知らずとも犬畜生ともいって、鳥獣より蔑しむが、汝はまさに、その鳥獣にも劣るものだ。それでも南蛮の王者か。はてさて珍しい動物である」と、極度に罵った。

孟獲もこの日に限って何も吼え猛らず、さすがに恥を知るか、瞑目したまま、ただ白い牙をだして唇を咬んでいた。

「もはや免さん。今日は斬るぞ」

と、孔明が云っても、その眼が開かないのである。孔明はやにわに羽扇をあげて武士たちに下知した。

「陣後へひきだして、この獣王の首を打てっ」

武士たちは大勢して、孟獲の縄尻を取り、立てと促すと、孟獲は無言のまま突っ立った。そして歩みだすときはじめて炬眼をひらいて、孔明の顔を睨みつけた。

そしてなかなか泰然自若と刑の莚へ坐ったが、武士を顧みて、もう一度孔明をこれへ呼んでくれといい、武士たちが承知する気色もないと見るや、突然大声で吼えた。

「孔明、孔明。もしもう一度、俺の縄を解いてくれれば、俺はきっと、五度目に四度の

恥を雪いでみせる。死んでもいいが恥知らずといわれては死にきれない。やいっ、やいっ孔明、もう一遍戦えっ」

孔明は起ってきて、

「死にたくなければなぜ降伏せぬか」といった。

やにわにかぶりを振った孟獲は、哭かんばかりな眼をしながらも口に火を吐く如く罵った。

「降参はしないっ。死んでも降伏などするか。俺は詐りに負けたのだ。やいっ、詐術師、尋常にもう一度俺と戦え」

「よろしい。それ程にいうならば。——武士たち、縄を解いて帰してやれ」

孔明はにこと笑って、房中へ姿をかくした。

毒泉

一

孟獲は自陣に帰った。だが数日はぼんやり考えこんでばかりいる。弟の孟優が、

「兄貴、とても孔明にはかなわないから、いっそ降参したらどうかね」

と意見すると、彼は俄然、魂が入ったようにくわっと眼をむいた。

「ばかをぬかせ。貴様までそんなことをいうか。二度とぬかすと承知しねえぞ」

「だって兄貴は、この頃ぼんやり鬱ぎこんでいるよ」

「俺が四度も生擒られたのは、計略に負けたのだ。だから今度は、俺のほうから孔明を計略にかけてやろうと思って、ぐっと智慧をしぼっているところだ」

「南蛮国での智慧者ならばあの朶思王だがなあ」

「そうだ。なぜ俺は朶思王を思い出さなかったろう。弟、朶思王のところへ使いに行ってくれ」

急に孟優に旨をふくめて、禿龍洞の朶思王へ遣った。

孟獲からの頼みを聞くと、朶思王は一議に及ばず、洞兵を集合して、蛮王孟獲を自領に迎えた。そして孟獲から度重なる敗戦の状と、孔明の智謀に長じていることを聞くと、朶思王は噴笑して、

「心配ない心配ない。孟王、お心安く思わるるがよい。わが洞界は不落の嶮要、ここに兵をお集めあれば、おそらく孔明といえど、蜀軍の将士たりと、生きて還ることはできない」

といった。そして、彼が語るには、

「孟王が今これへ来られた一道の通路は平常だから開いてあるが、いざという時になれ

ば、あの途中の絶壁と絶壁の倚り合った隘路は巨木大石をもって塞ぎ、たちまち洞界の入口を遮断してしまうことができるようになっている。また西北の一方は岩石聳え、密林しげり、毒蛇や悪蝎の類多く、鳥すら翔けぬ嶮しさで——ただ一日中の未、申、酉の時刻だけしか往来できぬ」

とのことであった。

「それはどういうわけで？」

と、孟獲が聞くと、朶思王はなおつぶさに語っていう。

「どういうわけか自分らにも分らないが、未、申、酉の時刻以外は、濛々と瘴烟が起り、地鳴りして岩間岩間から沸え立った硫黄が噴くので、人馬は恐れて近づけない。ために、そこらはすべて草木も枯れ、見る限り荒涼な焼け地獄みたいな所だが、一山越えて密林の谷間へ入るとまた、四ヵ所に毒の泉があって、その一つを啞泉とよび、飲めば一夜のうちに口も爛れ腸も引きちぎられ、五日を出ず死んでしまう」

「ほう。ほかの泉は」

「二の泉を滅泉といい、これはその色あくまで青く、泉流は温かでまるで湯のようだ。またもしこれに浸って沐浴すれば、皮肉はたちまち崩れて死んでしまい、後に底をのぞけば白骨があるだけのものだ」

「三は」

「黒泉という。水きよく美しいが、手足をつければ、手足はみな黒くなって、激痛がなかなかやまない」

「四は」

「四の柔泉は、氷の如く冷やかで、炎暑を越えてきた旅人はみな飛びついて飲むが、これを飲んで助かった人間はむかしから一人もなかった」

「じゃあ通れない。いくら孔明だってそこは越えきれまい」

「ただ後漢の時代に、伏波将軍馬援という者だけは、ここへ来たことがあるそうだが、以来、いかなる英雄の軍でもこの洞界を通りきった者はないのだ」

「いや有難い。この洞界に陣取れば、蜀軍はもう立ち往生のほかはあるまい」

孟獲は額をたたいて喜ぶこと限りなく、

「いざ、来て見ろ孔明。来られるものならやって来い」

と、北の天へ向って罵った。

その頃、孔明はすでに、西洱河地方を宣撫し終って、炎気焦くが如き南国の地を、さらに南へ南へ行軍し続けていた。

「この先、数百里の間、まったく蛮軍なく、一兵の旗も見えません。土人を捕えて糺すと、孟獲、孟優はもっと奥の禿龍洞と呼ぶ山岳地方にみな兵を集めてしまったそうです」

偵察隊の報告に、孔明は絵図を取りだしてみたが、例の指掌図にそんな洞界は書いてなかった。

「指掌図にもないような地方では、よほど不便な蛮界でしょう。てまえも何も知りませ
ん」

「禿龍洞などという地方は、これにも見当らないが、そちの知識でも何も知らないか」

「呂凱――」と、傍らの呂凱にその地図を示して訊ねた。

二

するとう後ろから地図をのぞいていた幕僚の蔣琬が、思わず嘆息して諫めた。

「もう充分に蜀の武威をお示しになり、また原住民を宣撫して、遍く王風をお布きになったのですから、このへんで帰還せられては如何です。あまり奥地に入りすぎて、遂に三軍空しく蛮地の鬼となろうやも知れません」

孔明はひょいと、その顔を振り仰いで云った。

「それは孟獲も大いに希望しているだろうな」

蔣琬は赤面して口をつぐんだ。孔明はまず王平の手勢に先行を命じ、西北の山地へ分け入らせたが、数日経つも戻ってこないので、さらに関索に一千騎を与えて連絡をとらせた。

関索はやがて引き返してきて前途の大変を告げた。王平の兵はほとんど九分どおり四泉の毒水にあたって病み苦しみ或いは死んでいる。すでに自分の隊の人馬も行路の炎暑に渇して戒めるいとまもなく泉に近づき、たちまち数十名の犠牲を出し、その苦悶と死

状は酸鼻見るにたえないものであると告げた。

孔明は驚いた。彼の該博なる知識をもっても解決はつかない。で、遂に意を決し、三軍に出発を令した。そして身は四輪車に押され、兵馬は相扶けつつ、おうおう、えいえいの喘ぎ物すさまじく、あえて未曾有の難所へかかった。

一木一草なき岸々たる焼け山や焼け河原を越え、ようやく峰また峰をめぐって、密林地帯に入ると、王平が迎えにきて、直ちに、孔明の車を四泉の畔へ案内した。

見れば水気凛々として、彼すらすぐ飛びついて口づけたい誘惑を泉はたたえていた。仰げば、四山は屏風のごとく屹立し、一鳥啼かず、一獣駈けず、まことに妖気肌を刺すものがある。

「や……あの岩頭に見ゆる一廟は何であろうか」

彼はふと一峰の中腹に、人工の色ある廂屋を見たので、徒歩絶壁を攀じ藤葛にすがって登って行った。

岩盤をくりぬいた窟がある。それを廟として一人の将軍の石像が祀られてあった。傍らに建ててある碑銘を読んで見ると、これなん漢の伏波将軍の石像であって、遠き昔、将軍南蛮を征してこの地にいたり、土人その徳を慕ってこれを祀る――と刻んである。

孔明は石像の前にひれ伏し、祈念久しゅうして、生ける人にいうが如く烈々訴えた。

「不肖、先帝より孤を託すの遺命をうけ、後主の詔を奉じていまここに来り、はからずも祖業の跡を踏み、将軍の偉魂に会す。思うに天の巡り会わせ給うところと信じる。将軍霊あらば、孔明の不才を扶け、漢朝の末流たるわが三軍の困兵に擁護の力を副え給え」

するとー人のあやしげな老翁が杖にすがって彼方の岩に腰をすえ、丞相これへ来給えと呼んでいる。

「あなたは誰か?」

孔明が問うと、老翁は、

「土地の者です」とのみ答えて――「これから二、三十里ほど谷の奥へ奥へ分け入ると、さらに五峰のふところに万安渓というやや広い谷間がある。そこに人呼んで万安隠者という隠士がおりまする。この人、谷を出でぬこと数十年、庵の裡に一水を持ち、これを安養泉と称えて、四毒にあたれる旅人や土地の人々を救うてきたこと今日まで何千人か分りません。――今、丞相の軍も定めしお困りでしょう。丞相の徳によって、わしどももいささか王化の何たるかを解し、今日生れたかいがあるように思っております。ま、とにかく万安渓へ行ってご覧なさいまし」

いうかと思うと飄として名も告げず、立ち去ってしまった。

「神廟のお告げに相違ない」

孔明は信じた。次の日、彼は扈従の人々と、教えられた五峰の奥谷を尋ねてみた。

蛮娘の踊り

一

海を行くような蒼さ暗さ、また果てない深林と沢道をたどるうちに、忽然、天空から虹の如き陽がこぼれた。ひろやかな山ふところの谷である。おお、万安渓はここに違いないと、孔明は馬をおりて、隠士の家を探させた。

「あれです。あの山荘でしょう」

導かれてそこに到れば、長松大柏は森々と屋をおおい、南国の茂竹、椰子樹、紅紫の奇花など、籬落として、異香を風にひるがえし、おもわず恍惚と佇み見とれていた。

一疋の犬が吠えたてた。

孔明一行の見つけない装いを見て喧々と吠えかかる。

——と、山荘の内から、ちょうど真っ黒な金属の誕生仏そっくりの裸の童子が飛びだして来て、犬を追い叱りながら、

「小父さんは蜀の丞相だろう。こちらへお入りなさい」

と、先に立っていう。

「童子。どうしてわしを漢の丞相と知っていたか」

導かれながら訊ねると、童子は白い歯を出して笑った。

「あんなに大勢で南蛮を攻めてきているのに、南蛮の者が知らないわけはないじゃないか」

すると一堂の竹扉(ちくひ)を内から開いて現われた碧眼(へきがん)黄髪の老人が、

「これこれ、お客様に何を戯(ざ)れ口をたたいているか」

と、童子を叱り、慇懃(いんぎん)、堂中へ迎えて、挨拶をほどこした。

老人は朱絹の衣(ころも)をまとい、竹冠をかぶり、肥えたる耳に金環(きんかん)を垂れ、さながら達磨(だるま)禅(ぜん)師(じ)のような風貌をしている。

礼おわり、座定まって、孔明の来意を聞くと、隠士は呵々と笑って、

「この老夫は、山野の世捨て人で、何も世の中の人へ尽すことはできないと思うていたところへ、丞相が駕をまげ給わんなど、望外のよろこび、いや畏れ多い次第です。どうぞその四泉の毒に斃(たお)れた傷病兵を、すぐこれへお運び下さい。お易いことです。老夫の力でお救いはできないが、天然自然の薬泉(やくせん)が近くにありますから」

孔明は大いに歓んで、すぐ扈従(こじゅう)の者に命じ、王平、関索をして、全部の病人や傷害者を続々とこれへ運ばせた。

童子は、隠士と共に、力を協(あわ)せて、人々を万安渓の一泉へ案内した。この薬泉に沐浴(ゆあみ)

して、薤葉の葉を噛み、芸香の根を啜り、或いは、柏子の茶、松花の菜など喰べると、重き者も血色をよび返し、軽き者は、即座に爽快となって、歓語、谷に満ちた。

隠士はまた孔明に注意した。

「この洞界地方には、毒蛇や悪蝎がたいへんいますからお気をつけなさい。また何よりも、行軍に悩むものは水ですが、およそ桃の葉が落ちて渓水に入り久しく腐るものは必ず激毒をもっていますから馬にも飲ませてはいけません。行く先々、面倒でもただ地を掘って、地下水のみを求めて飲むようにすれば安全でしょう」

孔明は、拝謝して、さて、隠士の姓名をたずねると、隠士はにたりと笑って、

「丞相、驚いてはいけませんよ」と、断って後、

「何を隠しましょう。私は、南蛮王孟獲の兄にあたる者です」と、いった。

「えっ？　孟獲の……」

「そうです。実は、われわれの父母には生んだ子が三人いました。私が長男で、次が孟獲、次が孟優です。父母は早く死に、二人の弟が物慾が旺で、権栄を好み、強悪をよろこび、あえて王化に従わず、ほとんど手もつけられない無道を続けてきました。諫めても諫めても直る様子は見えません。で私は、弟二人に別れ、王城を捨て、二十余年前に、この谷へ隠れ、以来世間に顔も出しません。そういうお恥かしい人間です」

「ああ、そうでしたか」

孔明は感嘆して、

「むかしにも、柳下恵と盗跖のような兄弟があったが、今の世にも、あなたのようなお方がいたか。天子に奏して、ぜひあなたを南蛮王にしましょう」
「いやいやご免です。富貴を望むくらいならこんな谷住いはしません」
と、孟節は手を振った。彼の名は孟節というのであった。

二

帰路、孔明は嗟嘆して止まなかった。未開の蛮地にも、隠れた者のうちには、孟節のような人物もあるかと、今さらのように、「人有ル所ニ人ナク、人ナキ所ニ人有リ」の感を深うした。

かくて三軍は百難を克服して、ようやく目ざす洞界に近づいたが、なおしばしば困難したのは、飲料水を得ることだった。時には二十余丈の岩盤を掘り下げたり、或いは一水を得るために、千仭の谿谷へ水汲みの決死隊を募って汲ませたこともある。

途中、千箇の水桶を造らせて、雨が降ればこれに蓄え、牛馬の背にのせて大切に持って進んだ。そのほかの衣食もようやく遠征の窮乏を加え、困難言語に絶するものがあった。

しかし孜々営々、この大遠征軍は、やがて遂に、禿龍洞の地へ入った。そして洞界の一方に陣し、しばし兵馬に良き水を飲ませ、野営の幕舎をつらねて動かなかった。

――と見せつつ実は、関索、王平、魏延などの幾隊かはすでに正面の敵地を措いて、その隣接地方へ迂回進撃していた。これがどういう目標を持つ作戦であるかは孔明のほか知ることはできなかったが、すでにその方面の功を上げて、幾組もの酋長や部族がここへ生捕られてきた。

一方。

禿龍洞の首部では、孔明の大軍がすでに洞界まで来たと知って、大動揺を起していた。

初めのうちは、朶思大王も孟獲兄弟も、

「そんな筈はない」

と、信じられない顔つきだったが、ひんぴんたる部下の知らせに、山へ登って遥か彼方を眺めると、蜀軍の屯営する幕舎が数十里にわたって、翩翻と旌旗をつらねている有様に、

「これは一体、どこを通ってきた軍勢か。尋常のことではない」

と、朶思大王のごときは、髪わななき、顔色を変えて、昏絶せんばかりだった。

だが、その朶思大王も、

「もうこうなっては、わが洞界も蜀軍にふみにじられ、一族妻子も助かるまい。部族と洞兵のすべてを挙げて、奴らをみなごろしにするか、俺たちがみなごろしになるか、命かぎり戦うしかない」

と、覚悟の臍をきめて、孟獲兄弟と同生同死の血をすすりあい、蛮軍数万の士兵にま

でこれを宣したので、孟獲も大いに励まされ、

「たとえ此処までたどり着いても奴らは疲れている兵だ。何で負けるものか。大王さえその気になってくれれば、必ず勝てる。こんどこそ蜀勢数万は一匹も生かして帰さない」

と、豪語した。そしていよいよ闘志を磨き、また牛を屠り馬を殺して軍中大酒を振舞い、

「蜀軍は贅沢な装備と莫大な軍需を持っている。あの良い槍、良い剣、良い戟、良い甲、良い戦袍、良い馬、そしておびただしい車馬に積んできた食糧や宝は、すべて皆、汝たちに与えられる物だ。蜀軍をみなごろしにすれば、恩賞として頒けてやる。奮えや奮え」

と、士卒の蛮性を鼓舞激励していた。ところへ、快報が入った。

「隣洞の酋長、楊鋒一族が、三万余人をつれて、味方しに来た」

と、いうのである。

朶思大王は、額を叩いて、歓び躍った。

「ここが敗れれば当然、隣の銀冶洞も危ないというので加勢にやって来たか、これは俺たちの勝つ前兆だ」

早速、陣中に迎え入れると、楊鋒は五人の男の子と一家眷族を皆つれて、華々しくこれへ乗りこんで、

「やあ大王。貴洞の難は、わが洞界の難も同じこと。及ばずながらご加勢に来た。大言のようだが、おれには五人の男の子があって、それぞれ武勇を鍛えさせている。もう心配するには及ばんぜ」と、大いに気勢を添えた。

そして自慢そうに五人の息子をひきあわせたが、見ればいずれも蛮勇無双な骨柄で、豹額虎躰、猛気凛々たる者ばかりなので、

「ありがたい。軍は勝ちだ」

と、朶思大王も孟獲も、有頂天によろこんで、いよいよ大量に酒瓶を開き、肉を盤に盛り、血を杯にそそいで夜に入るまで歓呼していた。

三

蛮歌や蛮楽、酒はめぐり、興は燃え上がる。軍は勝ちだと、みなきめていた。楊鋒も大いに飲み、大いに酔って、孟獲や孟優と杯を交わしていたが、ふと朶思大王を見て、

「わしの連れてきた眷族の中には、年頃の娘も大勢いる。ひとつ余興として彼女たちに踊らせ、その後で酌をさせようではないか」と、諮った。

大王は手を打って、

「どうだ、兄弟」

と孟獲、孟優を振り向いた。

「それゃあいい」

二人とも異議はない。いや、ないどころか、孟優が起ち上がって、これを座中の蛮将たちへ、道化まじりに披露した。

「ただ今から美人連の踊りをご覧に入れるが、垂涎のあまり気絶しないように」

万雷のような拍手、また拍手だ。楊鋒は口笛を吹いて、彼方をさしまねいた。前もって、余興の効果を考えておいたものだろう。声に応じて一列の美人が身振り揃えて酒宴の中へ歩いてきた。

蛮娘の皮膚、みな鳶色して黒檀のように光っている。髪をさばき、花を挿し、腰には鳥の羽根や動物の牙を飾っていた。そして短い蛮刀を吊り、ずらりと輪になったり、輪を崩したり、尻を振って跳ね踊るのだった。

やんや、やんや、満座も共に浮かれ出しそうな騒ぎである。そのうちに、蛮娘連は手をつないで、踊りの輪の中へ、孟獲、孟優を囲み入れ、蛮歌を唄い出したと思うと、突然、躍り上がった楊鋒が杯を宙へ投げて、

「すわ、手を下せ」

と大喝した。

とたんに蛮娘はみな短剣を抜いて、白刃の輪をちぢめた。孟獲も孟優もわっと叫び、蛮娘連をその剣もろとも蹴とばして、輪の外へ躍り出たが、刹那に、楊鋒の五人息子やその一族が、どっと蔽いかぶさって、縄をかけてしまった。

朶思大王も、逃げんとするところを、楊鋒に足をすくわれて、これも難なく、彼の手下に絡め捕られた。

仰天したのは、へべれけに酔って、美人の踊りに気をとられていた蛮将たちだが、これも敵対するまでには行かず、楊鋒の手下にぐるりと囲まれて、手も足も出せなかった。

合図の狼煙はその前にここから揚がっていたものとみえ、喨々たる螺声、金鼓の音は、すでに孔明の三軍が近づきつつあることを告げ、それを知るや禿龍洞の大兵も、先を争って、山野の闇へ逃げ散ってしまった。

孟獲は、楊鋒に向って、物凄い血相と大声を向けていた。

「やいっ楊鋒。てめえも蛮国の洞主じゃあねえか。仲間を罠に陥して孔明に渡す気かっ」

楊鋒は笑っていった。

「実はおれも捕われて、孔明の前に曳かれたのだが、孔明の恩に感じたので、それに報いるため、この一役を買って出たんだ。貴様も降参してしまえよ」

「畜生っ。さては」

暴れ狂っている間に、はや孔明は幕僚を従えて、これへ着いた。驚くべし、楊鋒の五人の息子といっていたのもみな蜀軍の武士たちで、蛮装を解くや否、それぞれ甲鎧をあらためて、孔明を迎える列の端に加わっている。

孔明は孟獲の前に歩を止めた。

「これで五度目ぞ、孟獲。こんどは心服するほかあるまい」

いうと、彼は、捨鉢ぎみになって、

「心服だと。笑わすな。おれはいつ汝に縛られたか。おれの縄目はおれの仲間の裏切者がかけたのだ」

「ひとりの匹夫を屈するため、総帥たる者が手をくだすわけはない。わしの指にでも触れたければ汝も王化の人になれ」

「王化王化というが、おれも南蛮国王だぞ。おれの都は先祖以来銀坑山（雲南省）にあって三江の要害と重関をめぐらしている。そこでおれを破ったらなるほどてめえも相当偉いといってよかろう。だが何だ、これしきの勝ちを取ったからといって、総帥面も片腹痛い」

孟獲の悪口と反抗心は相変らず熾烈だった。

女　傑

一

孔明は五度孟獲を放した。

放つに際して、

「汝の好む土地で、汝の望む条件で、さらに一戦してやろう。しかしこんどは、汝の九族まで亡ぼすかも知れないぞ。心して戦えよ」といった。

弟の孟優も朶思大王も、同時に免した。三名は馬を貰って、愧ずるが如く、逃げ帰った。

そもそも、孟獲の本国、南蛮中部の蛮都は、雲南（昆明）よりはもっと遥か南にあった。そして、蛮都の地名を銀坑洞とよび、沃野広く三江の交叉地に位置しているという。

これを現今の地図で測ると、もとより千七百年前の地名は遺されていないが、南方大陸の河流から考察するに、仏領印度支那のメコン河の上流、また泰国のメナム河の上流、ビルマのサルウィン河の上流などは、共に遠くその源流を雲南省、西康省、西蔵東麓地方から発して、ちょうど孔明の遠征した当時の蛮界をつらぬいているのではないかと思われる。

それと当年の蛮都を写している原書三国志の記述を見ても――

コノ地銀坑山ト曰ウハ、瀘水、甘南水、西城水ノ三江繞リ、地平ラカニシテ北千里ガ間ハ万物ヲ多ク産シ、東三百里ニシテ塩井アリ、南三百里ニシテ梁都洞アリ、南方ハ高山ニシテ　夥シク白銀ヲ産ス。

故ニ都ヲ銀坑洞ト称シ、南蛮王ノ巣トシ、宮殿楼閣　悉ク銀映緑彩、人ハミナ羅衣ニシテ烈朱臙脂濃紫黄藍を　翻シ、又好ンデ、橄欖ノ実ヲ噛ミ、酒壺常ニ麦醸果酵ヲ蓄ウ。

宮殿裡、一祖廟ヲ建テ、号シテ家鬼ト敬イ、四時牛馬ヲ屠シテ、之ヲ祭ルヲト鬼ト名ヅケ、年々外国人ヲ捕エテ牲エニ供ウ。採生の類略ゝカクノ如シ。

等としてある。

要するに現今のビルマ、仏印、雲南省境のあたりと想像して大過なかろうかと思う。孟獲がその蛮都たる中部を離れて、孔明の遠征軍をわざわざ貴州・広西省境あたりから迎えて、悪戦劣戦を重ねたのも、要するに彼が示唆してうごかした蜀境地方の太守や諸洞の蛮将たちに対して、自ら陣頭に立たざるを得なかった情勢に引かれたためで、本来の彼の彼たる実力の発揮は、孟獲も豪語して孔明にいった如く、ここの蛮都三江の要害に拠って戦うこそ彼の本分でもあり望みでもあったことだろう。

今やその孟獲はついに敗れ敗れて、望むところの蛮都まで帰ってきた。

緑沙銀壁の蛮宮には、四方の洞主や酋長が数千人集まって、まさに世界滅亡の日でも来たような異変を語っていた。ほとんど蛮土開闢以来の大評議で、日々、議を重ねていたが、ときに孟獲夫人の弟にあたる八番部長の帯来が、

「これは西南の熱国に威勢を振るっている八納洞長の木鹿王に力を借りるしかない。木鹿王はいつも大象に乗って陣頭に立ち、立つやふしぎな法力を以て、風を起し、虎豹、豺狼、毒蛇、悪蝎などの類を眷族のように従え敵陣へ進む。また手下には、三万の猛兵があって、今やこの王の武威は隣界の天竺をもおそれさせている。――で久しく、わが蛮都とは対立していたが、こちらから礼をひくうし礼物を具え、蛮界一帯の大難をつぶさに訴えれば、彼も蛮土の人、かならず加勢してくれるにちがいない」と提唱した。

これには満堂双手を挙げて賛礼した。

「では、汝が使いに行け」と孟獲の命で、帯来は直ちに、西南の国へ使いに立った。おそらくは現今のビルマ印度地方の一勢力であったろう。

銀坑山の蛮宮の前衛地として、三江の要地に、三江城がある。孟獲は、そこへ朶思大王を籠めて、前衛の総大将たることを命じた。

二

蜀の大軍は日を経て三江に着いた。実に長途を克服して来たことは戦い以上の戦いで

あったろう。

三江の城は三面江水に続き、一面は陸に続いている。孔明はまず魏延と趙雲の兵に命じて城下へ迫らせ、一当て当ててみたが、さすがに城は固く、蛮軍とはいえここの兵もまた精鋭であった。

城壁の上には無数の弩を据えている。それは一弩に十箭を射ることができ、鏃には毒が塗ってあるので、これにあたると、負傷ということはない。みな皮肉爛れ五臓を露出して死ぬのである。

攻撃三回に及んだが、四度目に孔明は、さっと十里ほど総陣地をひいてしまった。退くことの綺麗さと逃げることをなんとも思っていない点とは孔明の戦法の一性格といえる。

「蜀兵は毒弩を怖れて陣を退いた」

南蛮軍は誇り驕った。

兵法は叡智であり文化である。民度の高さもそれで分る。七日十日と日を経るに従って、彼らの単純な思い上がりは、

「孔明などといっても多寡の知れたものだ」と、いよいよ敵をみくびってきた。

孔明は天候を見ていた。いかなる場合でも彼はなんらかの自然力を味方に持つことを忘れない。

強風の日が続いた。この砂まじりの猛風は明日もまだ続きそうである。

孔明の名をもって、諸陣地に布告がかかげられた。文にいう。

「明夕初更までに、各隊の兵は一人も残るなく、おのおの一幅の襟（衣服）を用意せよ。怠る者は首を斬らん」

何か分らなかったが、厳令なので隊将から歩卒に至るまで、一衣の布を持って、

「いったいどうするのだ、これは？」と怪しみながら待っていた。

不意に出陣の令が出た。次に陣揃いだ。それがちょうど初更の時刻だった。

孔明は将台に立って三命を発した。

一、携えたる各〻の襟（衣）に足もとの土を掻き入れて土の嚢となせ。

二、兵一名に土嚢一個の割に次々令に従って行軍せよ。

三、三江城の城壁下に至らば、土の嚢を積んで捨てよ。土嚢の山、壁の丈と等しからば、直ちに踏み越え踏み越え城内に入れよ。疾くとはやく入りたる者には重き恩賞あるぞ。

さてはと初めてこの時にみな孔明の考えを知った。その勢二十余万、蛮土の降参兵を加うること一万余、一兵ごとに一嚢を担い、早くも三江の城壁へ迫った。

乱箭毒弩もものかは雲霞のごとき大軍が一度に寄せたので、その勢力の千分の一も射仆すことはできなかった。見る間に土嚢の山は数ヵ所に積まれた。その土嚢の数も兵員の数と等しく二十余万個という数である。いかなる高さであろうとたちまち届かぬはない。

魏延、関索、王平などの手勢は、先を争って、城壁の間へ飛び降りた。担ぎ上げた土嚢を投げこみ投げこみここも難なく通路となった。

蛮軍は釜中の魚みたいに右往左往して抗戦の術を知らなかった。多くは銀坑山方面へ逃げ、或いは水門を開いて江上へ溢れだすのもあった。

生捕りは無数といってよい。例によってこれには諭告を与え仁を施し、さて、城中の重宝を開いて、これをことごとく、三軍に頒け与えた。

朶思大王はこの時乱軍の中で討たれたという噂がある。口ほどもない哀れな最期だった。

「なに、三江が破れた？　もう孔明の軍勢が入ったと？」

銀坑山の蛮宮では、孟獲が色を失っていた。一族を集めて評議中も、顚動惑乱、為すことも知らない有様だ。

すると、後ろの紗の屏風の蔭で、誰かクックッ笑った者がある。

「無礼な奴、誰だ？」と一族の者が覗いてみると、孟獲の妻の祝融夫人が、牀に倚って長々と昼寝していたのである。猫のように可愛がって、日頃夫人の部屋に飼い馴らされている牡獅子もまた、夫人の腰の辺に頤を乗せて、とろりと睡眼を半ば閉じていた。

三

そのまま、ふたたび評議を続けていると、また隣室で祝融夫人がくつくつ笑った。

人々が耳ざわりな顔を示したので、良人として孟獲も黙っていられず、ついに座から叱りつけた。

「妻っ、何を笑うか」

すると夫人は、獅子と共に、がばと寝台から起ってきて、一族の者には眼もくれず、良人の孟獲へ頭から呶鳴り返した。

「なんですっ、あなたは。男と生れながら意気地もない。——蜀の勢の十万二十万蹴ちらせないで、この南蛮に王者だといっていられますか。女でこそあれ、私が行けば、孔明などにこの国を踏みにじらせてはおきません」

この女性は上古の祝融氏の後裔（こうえい）だといわれる家から嫁いできて、よく馬に乗りよく騎射し、わけて短剣をつかんで飛ばせば百発百中という秘技を持っていた。

その代りに細君天下とみえ、孟獲はそういわれると、ぺしゃんこになった顔つきで一言もない。一族も事実敗戦に敗戦を重ねているので、共に閉口沈黙していた。

「一軍をおかしなさい。私が陣頭に立って、蜀勢を片づけます。孔明などに威を振われてたまるもんですか」

次の日、彼女は、巻毛の愛馬に乗り、髪をさばき足は素足で、絳（あか）き戦衣に、珠（たま）をちりばめた黄金の乳当を着け、背には七本の短剣を挟（はさ）み、手に一丈余の矛（ほこ）をかかえ、炎の如く、戦火の中を馳け廻っていた。

その矛に当って斃れる蜀兵はおびただしい。蜀の張嶷（ちょうぎ）、それを見て、

「不思議な敵」

と、うしろから迫った。

すると、突如、天空から一本の短剣が飛んできた。剣は張嶷の股に立ち、馬より逆しまに転げ落ちた。

「あれを縛めよ」と手下へ云い捨てて夫人はまたも次の敵へ打ってかかっている。蜀の馬忠、またこれを追い、同じように二本の短剣を投げつけられ、一刀は馬の顔に刺さったため、彼もまた、落馬して蛮軍の手に捕虜となった。

その日の戦況は、蛮軍が甚だしく振って、孟獲は急に、

「勝色見えたぞ」

と、躍り立って歓びだした。

夫人は、自分が擒人とした張嶷、馬忠のふたりを首にして、さらに士気を鼓舞しようと云ったが、良人の孟獲は、

「いやおれも五度捕われて孔明から放されている。すぐこいつらを殺すといかにも俺が小量のようだ。孔明を生捕って後、並べておいて首を斬ろう」

と、いった。で、ふたりの虜将はこれを生かしておいて、時々見ては笑い楽しんでいた。

孔明は二将の身を案じていた。しかしおそらくは殺すまいと彼は語っていた。その救出策を按じ、趙雲と魏延に計をさずけておいた。

炎熱下の交戦は日々つづいている。その中に炎の飛ぶを見れば必ず祝融夫人のすがた

である。趙雲は近づいて、彼女へ決戦を挑んだ。さすがに女である。この敵にはかなわぬと思うと、短剣を飛ばしてその隙にさっと逃げてしまう。

「まるで梢の鳥を追いかけているようだ。どうも捕れぬ」

豪勇趙雲も嘆じていた。魏延は次の日、わざと陣前に出ず、雑兵を出して夫人を揶揄させた。夫人は怒って追いに追う。そして誘導しばらくして、時分はよしと躍りでた。

「駝鳥夫人待て」

夫人は振り返って、短剣を投げ、そのまま例によって帰り去らんとした。趙雲がまた、一方から鼓を鳴らして、

「あれは駝鳥か猩々の牝か」

と囃した。

髪逆だてた夫人は、遂に、感情のまま蜀軍の中へ馳けこんで来た。蜀軍はわざと逃げくずれる。そして止まるとまた、悪口三昧を叩いた。

次第に山間に誘いこんで、予定の危地を作るや、どっと八面からおおい包んで、遂に、祝融夫人を擒人とすることに成功した。

孔明は孟獲の陣へ使いをやった。

「汝のおかみさんは予の陣に来ている。張嶷、馬忠と交換せん」

孟獲は驚いて、すぐ二将をかえしてよこした。孔明は祝融夫人に酒を呑まして送り返した。彼女は少ししおれていたが、一斗の酒を呑んだあげく縄を解かれると非常には

しゃぎ出して、孟獲と似たような大言壮語を残して帰った。

歩く木獣

一

隣国へ使いに行った帯来が帰ってきて告げた。

「われわれの申入れを承知して、数日の間に、木鹿王は自国の軍を率いて来ましょう。木鹿軍が来れば、蜀軍などは木っ端微塵です」

彼の姉祝融夫人も、その良人孟獲も、今はそれだけを一縷の希望につないでいたところである。やがて八納洞の木鹿が数万の兵をつれて、市門へ着くと聞くや、夫妻は王宮の門を出て迎えた。

「やあ、お揃いで出迎えとはおそれ入るな」

木鹿大王は白象に騎ってきた。象の頸には金鈴をかけ七宝の鞍をすえている。また身には銀襴の戦袈裟をかけ、金珠の首環、黄金の足環、腰には瓔珞を垂れて、大剣二振りを佩いていた。

「安心するがよいよ。孟獲も、奥さんも」

白象から降りると、木鹿王はそう語りながら、蛮旗の林の中を、悠々、王宮の奥ふかく案内されて行った。

彼の連れてきた三万の軍隊の中には、千頭に近い猛獣がまじっていた。獅子、虎、大象、黒豹、狼など、その吠ゆる声もすさまじい程である。

王宮の奥では深更まで歓迎の大宴が開かれたものらしく、終夜たいへんな篝火と蛮楽がさわいでいた。

孟獲夫妻は善を尽し美を尽して三日間の饗宴を続け、あらゆる媚態と条件を附して、木鹿の歓心を得るに努めた。大王のご機嫌は斜めならず、ようやく着城四日目に、

「どれ、明日はひとつ、蜀軍を蹴ちらしてご覧に入れるかな」と、軍備を命じ出した。

何としたことか、その前夜から朝にかけては、猛獣部隊の猛獣が、終夜空を望んで咆哮していた。聞けば、戦に臨む前は一切餌断ちをして、猛獣群の腹を乾しておくのだとある。

翌日、大王はいよいよ陣頭に出た。例の白象に騎り、二振りの宝剣を横たえ、手に蔕のある鐘を持っていた。

蜀軍は愕いた。

「何だあれは？」

戦わぬうちから怯み立って見えたので、趙雲、魏延などが、井楼の上に昇ってみる

と、なるほど、兵の怯むのも無理はない。木鹿軍の兵は、その顔も皮膚も真っ黒で、まるで漆塗りの悪鬼羅刹に異ならない。しかも大王のうしろには、つながれた猛獣の群れが、尾を振り、雲を望んで咆えていた。

「魏延魏延、この年まで、おれはまだ、こんな敵に出会ったことがない。どういうことになるのだろう」

「いやそれがしも、初めてだ。ふしぎな軍隊もあるものだ」

さすがの二将も怪しみおそれて、にわかに、策も作戦も下し得ずにいるうち、白象の鞍上高々と見えた木鹿大王は、たちまち手の蒂鐘を打ち鳴らして、まず前列の鎗隊を突っ込み、両軍乱れ合うと見るやさらに烈しく鐘を乱打した。

機を計っていた猛獣隊は、一度に鎖を解き、或いは檻を開いた。と共に木鹿大王は、口の内に呪を念じ、なにか禱るような恰好をしだした。獅子、虎、豹、毒蛇、悪蝎などの群れが、とたんに土煙を捲き、草を這い、或いは宙を飛ぶように、蜀軍の中へ襲いかかった。彼らの腹はみんな背中へつくほど細く捲き上がっていた。いわゆる餓虎餓狼ばかりである。牙を張り風を舞わし、血に飽かない姿である。

逃げる逃げる、逃げ崩れる。蜀兵の足はいかに叱咤しようが止まらなかった。とうとう三江の堺まで総なだれに退いてしまった。蛮軍は面白いほど勝ち抜いて、これまた、猛獣以上の猛勇をふるって逃げおくれた蜀兵を殺しまわった。

異様な妖鐘が再びじゃんじゃん鳴りひびいた。木鹿王の白象の周りへ満腹した猛獣群が尾を振り勇んで帰ってくる。それを再び檻に入れ或いは鎖に繋ぎ、鼓角を鳴らして、王宮へ引き揚げて行った。

趙雲、魏延の二将から、この日の敗戦を聞いて、孔明は笑った。

「書物はやはり嘘を書いていないものだ。むかし若年の頃、自分が草廬(そうろ)のうちで読んだ兵書に、南蛮国には豺狼虎豹(さいろうこひょう)を駆使する陣法ありと見えたが、きょうのは即ちそれであろう。幸い、蜀を立つ時から万一のためその備えはして来ておるから、決して愕(おどろ)き騒ぐには当らない」

彼はすぐ兵一隊に命じて例の車輛をこれへ曳いてこいと命じた。

二

一個一個、被布(おおい)をかけて、軍中深く秘されて来た二十余輛の車がある。兵はやがてそれらを残らず押してきた。

「被布をとれ」

孔明は命じた。

まるで一軒の小屋ほどもある箱がどれにも載(の)っていた。なにが現われるかと、人々が好奇の眼をみはっていると、取り除かれた被布の下から大きな櫃(ひつ)が見えた。

十余輛の車は、黒塗りの櫃を載せ、あとの十余輛には、紅の櫃が載せてある。

孔明は鍵を持って、自身、紅い櫃だけをことごとく解体した。驚くべき巨大な木彫の怪獣が、車を脚として、立ち並んだ。獅子の如き木獣、虎の如き木獣、角のある犀の如き木獣など、どれもこれも怖ろしく大きくて魁偉である。

「どうなさるのです、一体これを？」

「はるばる、成都から押させてきた二十余輛の車は、これであったのですか」

諸将は孔明の意中を怪訝った。

次の日、蜀陣は洞口の道に当って、重厚なる五段の備えを立てた。

孟獲は前日の勝ちに驕って気負いきっていた。木鹿王と共に陣頭に現われて、

「あれ、あれに見ゆる四輪車の上なる者が、蜀の孔明という曲者です。大王、願わくは昨日の如く、快き大勝を示し給え」

指さして教えた。木鹿は大きくうなずいて、例の如く蔕鐘を打ち鳴らし黒風を呼んで、後なる猛獣群を敵軍へけしかけた。

凄じい百獣の咆哮に、砂は飛び猛風は捲く。孔明の四輪車は、たちまち、梶をめぐらして、二段の陣へ隠れかけた。

大象に鞭をくれて、馳け寄った木鹿王は、その高い鞍の上から宝刀を振りかざして、

「孔明。今日こそ、その命を貰ったぞ」と、斬り下ろした。

刃は四輪車の一柱を仆した。木鹿はさらに一閃、また一閃、呪を念じながら斬りつけたが、三度とも切ッ先は届かない。そしてかえって後ろへ廻った二人の徒歩の槍手に、大象の腹を突き立てられた。

が、槍は象の腹にとおらなかった。一槍は折れ、一槍はそれた。

孔明は、羽扇をあげて、

「関索、なぜ人を突かぬ」

と、叫びながらまた、

「木鹿王死せりッ」と、叱咤した。

「何を」

四度目の太刀を振りかざしたとき、ぴゅんと、一箭は唸って、木鹿の喉に立った。同時に、下から突き上げた関索の槍もその頤を突きぬいていた。

木鹿は地響きして落ちた。きょう孔明の四輪車を押していた徒歩武者は、関索以下、ことごとく蜀の錚々たる旗本だったのである。木鹿はみずから好んで蜀軍中の一番強いところへ当って落命したものであった。

なお全面的に観れば、前日の百獣突貫も、この日はまるで用をなさなかった。なぜなれば、蜀の陣にも、木獣の備えがあったからである。この木製の大怪物は、脚に車を穿き、口から火煙を噴き、異様な咆哮すら発して、前へ進み、横へまわり、縦横無碍に駆け廻って、生ける虎、豹、狼などをも、その魁偉な姿に驚殺せしめたのであった。

種を明かせば、木獣の中には、十人の兵が入っていた。火煙を吐くのも、咆哮するのも、また進退するも、すべて内部に仕掛けてある硝薬と機械の働きだった。もちろん前代未聞の新兵器で、孔明の考案によるものである。

蛮人も驚いたが、本物の虎や獅子もぎょっとした。生ける猛獣隊は俄然尾を垂れて潰乱した。蜀の鼓角は、天地をゆりうごかし、逃げ崩るる蛮軍を追って、ついに銀坑山の王宮を占領した。

孟獲、その妻の祝融、帯来、ほか一族などみな、家宅を捨てて逃げ出す途中を待って、蜀軍は一網打尽にこれを捕えた。けれど孔明は、孟獲以下、一家眷族を、すべて解いて、

「巣なき鳥、家なき人間が、どう生きてゆくか。いわんや、王風にそむいたところで、どれほどの力があろう。振舞えるかぎり振舞うてみよ」と、またも放してやった。

今は大言毒舌を吐く気力もなく、孟獲は鼠の如く、頭を抱えて逃げ失せた。それを王と仰ぎ家長と慕う眷族たちの意気地なさはいうまでもない。

藤甲蛮

一

すでに国なく、王宮もなく、行くに的もない孟獲は、悄然として、

「どこに落着いて、再挙を図ろうか」と、周囲の者に諮った。

彼の妻の弟、帯来がいった。

「ここから東南の方、七百里に、一つの国がある。烏戈国といって、国王は兀突骨という者です。五穀を食まず、火食せず、猛獣蛇魚を喰い、身には鱗が生えているとか聞きます。また、彼の手下には、藤甲軍と呼ぶ兵が約三万はおりましょう」

「藤甲軍というのは？」

「烏戈国の山野いたる所、山藤がはびこっているので、その蔓を枯らして後、油に浸し、また陽にさらしては油に漬け、何十遍かこれをくり返して、それで甲を編むのです。この甲を着こんだ兵を名づけて藤甲軍といい、まだこれに勝った四隣の国はありません」

「どうしてだろう」

「藤甲の特徴は、第一水に濡れても透しません。第二は非常に軽いので、身体軽敏です。第三には、江を渡るにも船を用いず、藤甲の兵はみなよく水に身を浮かして自由自在に浮游します。第四には弓も刀も刃が立たないほど強靭なんです」

「なるほど、それでは無敵だろう。ひとつ兀突骨に会ってこの急場を頼んでみよう」

自身、一族敗兵を従えて、烏戈国へ頼って行った。

議にも及ばず、兀突骨は「よろしい」と大きくうなずいた。即座に三万の部下は藤甲を着こんで、洞市に集まった。

孟獲の残兵もおいおい寄って、合せて十万余、烏戈国を発して、桃葉江に陣した。

この江は、水あくまで碧く、両岸には桃の樹が多く茂っている。年経れば葉は河水に落ちて、一種の毒水を醸し、その水を旅人が呑めば甚だしく下痢を病む。が烏戈国の土人には、かえって精力を加える薬水になると云い伝えられている。

孔明は、銀坑の蛮都に入ってから、これを治めて掠めず、これを威服せしめて殺戮せず、克くただ徳を布き、さらに軍をととのえて、王征を拡大して来た途にあった。

「魏延、一手を引いて、桃葉の渡口を見てこい。ただ一当てして、彼の勢いを測ってくればよいぞ」

孔明の旨をうけた魏延は、すぐ先発して、桃江へおもむいた。途中すでに、烏戈国の兵と孟獲の聯合軍にぶつかった。蛮軍は気負うこと満々、大胆にも、江を渡って攻勢を取ってきたものである。

彼は新手の大軍、魏延の隊は小勢でもあったが、蛮軍は喊声をあげ、その猛威は、完全に昨日の気勢を盛り返していた。

のみならず、序戦まず驚いたのは、蜀軍の射る矢が一つも功を奏さないことだった。あたってもあたっても矢は敵兵の体からはね返ってしまう。

白兵戦となっても、彼の五体には、刀がとおらない。その自信もあるので藤甲軍の士気は猛烈で、噛みつくように蛮刀を揮ってくる。

蜀兵はたちまち斬り立てられ追い立てられて、総潰乱を起した。

「ひとまず退け」

角笛を吹き鳴らして、兀突骨は悠々兵を引きあげた。孟獲よりも兵法を知る者だった。

その帰るや、江を渡って行くのに、藤甲の兵はみな流れに身を浮かせて、あたかも水馬の群れが泳ぐようにやすやすと対岸へ上がって行った。

中には暑いので、藤蔓の甲を脱ぎ、水に浮かせて、その上に坐って渡ってゆく兵などもある。

魏延は見て愕いた。ありのままを孔明に伝え、

「不思議な異蛮です」

と語ると、孔明も首をかしげていたが、やがて呂凱を呼び、

「どこの蛮国か」と訊ねた。

呂凱は地図を按じて後、

「さては烏戈国の藤甲軍でしょう。とても人倫をもって律せられない野蛮の兵です。加うるに*桃花水の毒は蛮外の人間には汲むべからざるものです。もはやこの辺でお引揚げになっては、どうです。あんな半獣半人の軍を敵にしていた日にはたまりません」と極力、引揚げをすすめた。

二

呂凱の諫めは諒としたが、孔明は面を振って、左右の者にもいった。

「事を成しかけて終始を全うしないほど大なる罪はない。その兵の無駄は幾何か。幾万の霊に何と謝すべきか。——ましてこの蛮界に王風を布くに、一隅の闇をも余して引揚げてはすべてを無意味にする」

次の日、彼は自ら四輪車を進ませて、桃葉江岸を一巡し、附近の地勢を視て廻った。さらに、車をおりて、徒歩、北方の一山へ登って、嶮しきを探り按じ、黙々陣地へ帰ってくると、すぐ馬岱を招いて、

「先頃用いた木獣車のほかに、なお黒い櫃を載せた十余輛の戦車があるであろう。汝はそれを曳いて、一軍の兵と共に、桃葉江の北にある盤蛇谷の内に潜め。——そして戦車をこう用いるがよい」と、何事か小声で綿密なる秘策をさずけた。

よほど秘密裡に行う必要があるとみえ、孔明は、いつになく厳として、

「もし事洩れて内より敗れたときは、軍法に問うて罰するぞ。抜かりあるな」と、戒めた。

馬岱の軍は、十余輛の戦車とともに、その日の夜中から忽然影を消していた。

翌朝、孔明はまた趙雲を呼び、一軍を授けて、

「ご辺は、盤蛇谷の裏から三江へわたる大路へ出で、かくかくの用意をなせ。必ず日限を誤るな」

と、云い渡した。

また、次には魏延が呼び出されて、

「御身は、精鋭を率い、敵の真正面に出で、桃江の岸に陣を構えろ。兵は望むままの数を連れてゆくがいい」と孔明からいわれたので、魏延は、我こそ先鋒の最前線を承る者なり、と大いに歓んでいると、

「だが――」と、孔明は、語を継いで彼の勇躍を押えるようにいった。

「くれぐれも勝ってはならんぞ。もし敵が江を渡って強襲して来たら程よく戦っては退け。陣屋も捨てて逃げろ。――その逃げる先には白旗を立てておく。敵がまた、そこへ襲せてきたら、さらに潰走して、次の白旗の立っている陣まで奔れ。いよいよ、敵は勝ちに乗るだろう。汝は、さらに第四の白旗の見ゆる地、第五の白旗の見ゆる地と、次々陣屋を放棄して、醜く逃げ続けよ」

魏延は面をふくらませた。

「いったい、何処まで逃げろと、仰せられるのですか」

「およそ十五日の内に、十五度の戦いに負けて、七ヵ所の陣地を捨て、ただ身をもって、白旗の見える所へのがれればよいのだ」

「ははあ、さようで」

軍令なので否めないが、魏延は怏々と楽しまない顔をして退がった。

そのほか張翼、張嶷、馬忠なども、それぞれ命をうけて部署に赴き、

「このたびこそは蛮土の敵性を抜き尽すぞ」とある孔明の言明に、各〻、手具脛ひいて、戦機を測っていた。

ときに兀突骨と孟獲は、いちど江南に退いて、大いに驕りながらも、お互いに軽挙を戒め合っていた。

「何しても、孔明という奴、詐術に富んで、何をやるか知れない。どうか突骨大王にも、そこをよく気をつけて、林の内、山の陰、およそ兵を隠す所があったら、よくご注意ねがいたい」

「なあに孟獲。そのへんは、心得ておるよ。おぬしこそ、とかく逸り気だから気をつけろ」

見張りの蛮兵が、報告に来た。

「ゆうべから北岸に、蜀兵が陣屋を作りだしています。だいぶ沢山な軍勢です」

「どれ、どれ」

二蛮王は、岸へ出て、手をかざした。

「あの要所に、堅固な陣屋を作られては、ちとうるさい。今のうちに揉みつぶせ」

命令一下、藤甲の蛮勢は、たちまち水を渡って、そこを襲撃した。

戦い戦い魏延は逃げた。

ところが、蛮軍は懲りている。深くは追ってこないのだ。勝ちを収めると、あざやかに水を渡って、もとの対岸へ引揚げてしまう。

魏延もまた、前の岸へ帰って、陣屋を構築しだした。孔明から新手の兵が追加された。それを見ると蛮軍もまた人数を増して、攻撃を再開してきた。

戦車と地雷

一

この日は、藤甲兵の全軍に、兀突骨もみずから指揮に立って、江を渡ってきた。

蜀兵は、抗戦に努めると見せかけながら、次第に崩れ立ち、やがて算をみだして、旗、得物、盔を打ち捨て、われがちに退却した。

そして、一竿の白旗が、ひらひら見える地点に集結していた。

「敵は逃げ癖がついた。もう大丈夫。追いまくってみなごろしにかかれ」

兀突骨は、勝ち誇って、味方の後陣にいる孟獲へも合図した。そしていよいよ、追撃を加え、ふたたび敵の集結を衝いた。

魏延は予定のことなので、戦っては敗れ、戦っては敗れと見せかけながら、第三の白旗、第四の白旗と、敗退地点をたどって、退却をつづけた。

七日のうちに三ヵ所の陣屋を捨て、七ヵ所の集結を崩して逃げた。

「はてな？　少し脆すぎるぞ」

兀突骨も疑いだしたのだろう。少し追撃がゆるくなった。で、魏延は急に気勢をあげ、新手を加えて、逆襲を試みた。

逆襲戦では、先頭に進み、兀突骨へ一騎打ちを挑んだ。そして彼の戟先から逃げ走ったので、兀突骨は、

「今こそ」と、拍車を加えて、追いかけにかかった。

誘導作戦はむずかしい。逃げ過ぎても疑われる。魏延は折々、引き返して、敵を罵り、また虚勢を示し、ついに、十五日の間、十五ヵ所の白旗をたどって、逃げに逃げた。

ここに至ってはついに猜疑深い兀突骨も、自身の武勲に思い上がらざるを得ない。部

下をかえりみて、大象の上から豪語した。

「なんと見たか。連戦十五日のうちに、蜀の塁を踏み破ること七ヵ所、戦って勝ち抜くこと十五度。すでに桃江から三百余里の間に、一兵の敵もないじゃあないか。さしもの孔明も風を望んで逃げ奔り、大事すでに定まったも同様だ。いちど凱歌をあげろ！　凱歌を！」

あげた戦果と、分捕った酒に酔って、凄じい気焔を示し、無敵藤甲軍の自信いよいよ満々と、次の日の戦いへ臨んだ。

この日、大将兀突骨は白象にのり、白月の狼頭帽をいただき、青金白珠をちりばめた鱗縅しの胴を着込んで、四肢は黒々と露出し、さながら羅漢の怒れるような面をして、蜀軍の中へ、鉄鎗を揮っていた。

魏延はこれを迎えて、奮戦力闘を試みた後、わざと奔って一山を逃げめぐり、盤蛇谷のふところへ逃げこんだ。

部下と共に、追撃してきた兀突骨は、一応、白象を止めて、

「伏兵はいないか」と、用心深い眼で見まわしていたが、四山に草木もなく、埋兵の気ぶりも見えないので、意を安んじ、全軍をこの谷に休めて、

「蜀軍はどこへ失せたか」と、一息入れていた。

するとと手下の蛮兵が、

「これから奥へかけて、巨きな箱車が、諸所に十何輛も置き捨ててあります」

と、知らせて来たので、自身視察してみると、なるほど、兵糧を積んだ貨車かと思える車が諸所に散乱している。

「これはすばらしい鹵獲品だ。敵は狼狽の余り、谷間へ貨車を引きこんでしまい、山路に出会って、退くも進むもならず、置き捨てて奔ったものだろう。貨車の内には、成都の珍味があるに違いない。あれを皆、谷の外へ曳きだしてまとめておけ」

そして彼自身も、後へ戻って、谷道の峡口を出ようとすると、突如、天地を鳴り轟かせて、巨岩大木が頭上へ降ってきた。

「あなや？」と、仰天して、退く間もなく、左右の蛮兵は、大石や大木の下になって、何百ともなく屍となっている。その上にもなお、大木や岩が落ちてくるので、たちまち、谷口はふさがってしまった。

「山上にまだ敵がいるぞ。早く出ろ。早く道を拓け」

狂気の如く、彼が叱咤していると、その側にあった一輛の車がひとりでに焔を噴き出した。

いよいよ愕いて、全軍われがちに、谷の奥へなだれ打ってゆくと、轟然大地が炸けた。烈火と爆煙にはねとばされた蛮兵の手脚は、土砂と共に宙天の塵となっていた。

二

兀突骨は白象の背から跳びおりた。白象は火焔に狂って火焔の中へ奔りこんで自ら焼け死んだ。

彼は断崖へしがみついて、逃げ登ろうとしたが、左右の山上から投げ炬火が雨の如く降り注いでくる。のみならず、岩間岩間や地の下に隠れていた薬線に火がつくと、さしも広い谷間も、須臾にして油鍋に火が落ちたような地獄となってしまった。

火の光は天に乱れ、炸音は鳴りやまず、濛々の煙は異臭をおびてきた。

烏戈国の藤甲軍は、一兵ものこらず、焼け死んでしまった。その数は三万をこえ、火勢のやがて冷めた後、これを盤蛇谷の上から見ると、さながら火に駆除された害虫の空骸を見るようであった。

孔明は、翌日そこに立ち、はらはらと涙をながして、

「社稷の為には、多少の功はあろうが、自分は必ず寿命を損ずるであろう。いかにとはいえ、かくまで、殺戮をなしては」と、嘆息した。

聞く者みな哀れを催したが、ひとり趙雲は、然らずと、かえってそれを孔明の小乗観であると難じた。

「生々流相、命々転相。象をなしては亡び、亡びては象をむすぶ。数万年来変りなき大生命のすがたではありませんか。黄河の水ひとたび溢るれば、何万人の人命は消えますが、蒼落としてまた穂は実り人は増してゆく。黄河の狂水には天意あるのみで人意の徳はありませんが、あなたの大業には王化の使命があるのではありませんか。蛮民百万を亡ぼすも、蛮土千載の徳を植えのこしておかれれば、これしきの殺業何ものでもござい

ますまい」

「ああ。……よく云って下すった」

孔明は趙雲の掌を額にいただいてさらに落涙数行した。

さるほどに、一方南蛮王孟獲は、後陣屋にあって、まだ烏戈国兵の全滅を夢にだも知らずにいた。

ところへ約千人ばかりの蛮兵が迎えにきて、

「烏戈国王には藤甲軍をひきいて、さしもの蜀勢を追いつめ追いつめ、遂に、盤蛇谷へ孔明を追い込みました。大王にもすぐ来られて、ともに孔明の最期をご覧あれとのお伝えです」

聞くや孟獲は、

「しめた。孔明も百年目だ」

と、直ちに大象にのって、部下総勢と共に、盤蛇谷をさして急いできた。

「や、余りに先を急いで、道を間違えたのではないか」

気づいた時は、案内として、先に馳けていた怪しげな蛮兵千人の一隊は、どこへ行ったか見当らなかった。

「ちとおかしいぞ」

引っ返そうとすると、時すでに遅し。

一方の疎林から張嶷、王平、鼓を打って殺出し、一面の山陰からは、魏延、馬忠、喊呼をあげて迫ってきた。

「もどれっ、いや先へ行け」

狼狽のあまり、山の根まで突き当るように奔ってゆくと、山上の旗鼓、いちどに雪崩れおりて来て、

「孟獲、覚悟」

と、早くも関索、馬岱などの蜀将の若手が、龍槍、蛇矛を揮って馳け向ってきた。

「しまった」

白象は鈍重すぎる。孟獲は跳びおりて、林の中の一路へ走りこんだ。

すると前面から、りんりんと金鈴銀鈴をひびかせて、絹蓋涼しげに一輛の四輪車が押されてきた。孔明である。あのにこやかな笑みである。羽扇をあげて一喝、

「反奴孟獲。まだ眼がさめぬかっ」

と浴びせかけた。

孟獲は眼がくらくらとなって、あ——と高く両の拳で天を衝いたと思うと、うーむっと、大きな唸きを発して、それへ気を失って倒れてしまった。

難なく縄にかけて、馬岱がそれをひいて帰った。猛獣でも眼を眩すほどな神経があるものかと、蜀の諸大将は笑い合って、彼の仮檻房を覗いて通った。

王風万里

一

その夜、孔明は、諸将と会して、話の末に、

「趙雲はたいへんいいことを云って、自分の戦策を慰めてくれたが、しかしなんといっても、今度の大殺戮を敢えて行ったことは、大いに陰徳を損じたものである」と、語って、またその戦略については、

「十五度の退却を重ね、敵の驕慢を誘って、盤蛇谷へ導いた計は、もうすでに諸氏にも読めていることであろう。ただ、こんどの大殲滅戦では、かねて若年の頃から工夫していた地雷、戦車、薬線などを使ってみたことが、従来の戦争に比して、やや趣が異なっている。――しかし、戦いというものは、あくまで『人』そのものであって『兵器』そのものが主ではない。故に、これらの新兵器を蜀が持つことによって、蜀の兵が弱まるようなことがあっては断じてならないと、それを将来のために今から案じられる」

と云い、またさらに、

「初め、藤甲軍の現われた時は、ちょっと自分も策に詰ったが、それは彼の有利な行動のみ見せつけられていたからで、翻って、彼の弱点を考えてみると、当然――水ニ利アルモノハ必ズ火ニ利ナシ――の原理で、油漬けの藤蔓甲は、火に対しては、何の防ぎにもならぬのみか、かえって彼ら自身を焼くものでしかないことに思い当った。――焔車、地雷の計はみなそれから実行を思い立ったものである」と、一場の兵法講義にも似た打ち明けばなしを聞かせた。

　諸将はみな、丞相の神智測るべからずと、三嘆して拝服した。孔明は翌日、陣中の檻房から、孟獲、祝融夫人、弟の帯来、また孟優にいたるまでを、珠数つなぎにして曳き出し、愍然と打ちながめて、

「さてさて、性なき者には遂に天日の愛も透らぬものか。人とも思えぬ輩、見る眼も羞ず。早く解いて、山野へ帰せ」と、滇々水の去るが如く、愛憎を超えた面持で彼方へ行きかけた。

　すると突然、異様な泣き声を発して、

「丞相っ……。待って、待ってくれ」

孟獲がさけんだ。いや縄目のまま跳びついて、孔明の裳をくわえた。

「何か？」

眼の隅から見ていうと、孟獲は、額を地に打ちつけんばかり頓首して、

「悪かった、寛されい」と、吐くような声をしぼった。そして嗚呼々々と、しゃくり泣

きしながら、「無学野蛮なわしらではありますが、いにしえからまだ、七たび擒人にして、七たび放したという例は、聞いたこともありません。いかに化外の人間たりと、どうしてこの大恩に感ぜずにおられましょうか。……ゆるして下さい。おゆるし下さい」

「ううむ……真にか」

「な、なんで。もう思うだに、前非のほど、空怖しゅうございます」

「よし。ともに歓ぼう。共に栄えよう」

孔明は膝を打って、自ら彼の縄目――また祝融夫人、孟優、帯来など、眷族の縄をみな解き免して、

「初めて、孔明の心が透った。否――王風万里、余すものなくなった。予もうれしく思う」

孟獲の眷族は口を揃えて、

――丞相の天威、王風の慈しみ、南人ふたたび反かじ、と称え誓った。

孔明はまた語を改めて孟獲にいった。

「ご辺、いま真に、心服なしたか」

「ご念まではありませぬ」

「では、予と共に在れ」

と、彼は畏るる孟獲の手をとって、帳上に請じ、夫人一族にも席をあたえて、歓宴を共にし、また杯と杯とを以て、こう約した。

「ご辺の罪は、すべて孔明が負う。孔明の功はご辺に譲ってやろう。故にご辺は長く以前のとおり南蛮国王として、蛮土の民を愛してやれよ。そして、孔明に代って、王化に努めてくれ」

聞くと孟獲は、両手で面をおおって、しばしは……慚愧の涙を乾かさなかった。宗族たち一同の感涙と喜躍は事あらためていうまでもない。

二

遠征万里。帰還の日は来た。

顧みれば、百難百戦、生命ある身が奇蹟な気がした。

帳幕の人、長吏費禕は、その総引揚げに当って、ひそかに孔明に諌めた。

「かくはるばる蛮土に入って、せっかく、功を樹て給いながら、誰も、蜀の官人を留めて置かれないことは、草を刈って、雨を待つようなものではありませんか」

「否」

孔明は面を振った。

「それには、一面の利もあるが、べつに三つの不利もある。小吏王化の徳を誤ること一つ。吏務、王都を遠く離れて怠り私威を猥りにすること二つ。蛮民互いに廃殺の隠罪あれば、戦後心に疑いを相挟み、私闘を醸す怖れあること三つ。——なお王吏をして治を布かしむるより本来の蛮王蛮民、相親しむに如くはない。しかも貢ぎの礼だに守らせておけば、成都は意を労せず、物を費えず、よくこれを国家の外壁となし富産の地となしておくこともできるではないか」

「丞相の仰せは至極のご経策です」

諸人、ことばに服した。

蜀軍、北に還ると聞くと、蛮土の洞族も一般の土民も、われ劣らじと、金珠、珍宝、丹漆、薬種、香料、耕牛、獣皮、戦馬などをぞくぞく陣所へ贈ってきて、さらに、

「以後、年々、天子へ御貢ぎも欠かしません。叛きません」

と、皆々、誓言を入れた。

そしていつか、孔明を呼ぶに、

「慈父丞相、大父孔明」と、いいたたえ、その戦蹟の諸地方に、早くも生祠（生き神様の祭り）を建て、四時の供物と祠りを絶たなかった。

とき、蜀の建興三年、秋は九月。

孔明とその三軍は、いよいよ帰途についた。

中軍、左軍右軍は彼の四輪車を守りかため、前後には紅旗幡銀をつらね、貢物の貨車隊、騎馬隊、白象隊、また歩兵数十団など征下してくる時にもまさる偉観だった。

その壮観に加えて、南蛮王孟獲もまた、眷族をあげて、扈従に加わり、もろもろの洞主、酋長たちも、鼓隊をつれ、美人陣を作って、濾水のほとりまで見送ってきた。

盤蛇谷三万の焚殺と共に、この濾水でも多くの味方を失い敵兵を殺していた。孔明

は、夜、中流に船を浮かべ、諸天を祠る表を書いて、幾万の鬼霊に祈り、これを戦の魂魄に捧げてその冥福を祈ると唱えて、供え物と共に河水へ流した。

古来、この河の荒れて祟りをなすときには、三人を生きながら沈めて祭る風習があったと聞き、孔明は、麵に肉を混和して、人の頭の形を作り、これをその夜の供え物にした。

名づけて「饅頭」とよび慣わしてきた遺法は、瀘水の犠牲より始まるもので、その案をなした最初のものは孔明であったという伝説もあるが、さて、どんなものか。

ともあれ、帰還の途にあっても、なお彼が、そういう土地土地の土俗の風や宗教的心理を採りあげて、徳を布き、情になずませることを、夢寐にも忘れずにあったということは、単なる征夷将軍の武威一徹とは大いに異なるものがある。

浪静かに、祭文の声、三軍の情をうごかし、心なき蛮土の民を哭かしめつつ、彼の三軍はすでにして永昌郡まで帰ってきた。

「ご辺らも、長らく大儀だった。いずれ帝よりも、恩賞のお沙汰があろう」

と、ここで案内役たる呂凱の任を解き、王伉と共に、附近四郡の守りをいいつけた。

また、別れを惜しんで、ここまで従ってきた孟獲にも、暇をあたえ、

「くれぐれも、政に精励して、居民の農務を励まし、家を治め、そちも晩節をうるわしくせよ」

と、ねんごろに訓えをくり返した。

孟獲は、泣く泣く南へ帰った。

「おそらく彼の生きているあいだ、蛮土はふたたび叛(そむ)くまい」

孔明は左右にいった。

成都はすでに冬だった。南から還った三軍は、寒風もなつかしく、凱旋門(がいせんもん)に入った。

鹿(しか)と魏太子(ぎたいし)

一

孔明還る、丞相還る。

成都の上下は、沸(わ)き返るような歓呼だった。後主劉禅(りゅうぜん)にも、その日、鑾駕(らんが)に召されて、宮門三十里の外まで、孔明と三軍を迎えに出られた。

帝の鑾駕を拝すや、孔明は車から跳びおりて、

「畏れ多い」と、地に拝礼し、伏していうには、

「臣、不才にして、遠く征(ゆ)き、よく速やかに平(たいら)ぐるあたわず、多くの御林の兵を損じ、主上の宸襟(しんきん)を安からざらしむ。——まず罪をこそ問わせ給え」

「否とよ、丞相。朕は、御身の無事を見るだに、ただもううれしい。あれ扶けてよ」

侍従に命じて抱き起させ、また帝みずから御手をのばして、鑾駕の内に孔明の座を分けあたえられた。

幼帝と、丞相孔明と、同車相並んで、満顔に天日の輝きをうけ、成都宮の華陽門に入るや、全市の民は天にもひびくよろこびをあげ、宮中百楼千閣は、一時に、音楽を奏して、紫雲金城の上に降りるかと思われた。

が、孔明は自己の功を忘れていた。吏に命じて、従軍中の戦死病歿の子孫をたずねさせ、漏るるなくこれを慰め、閑有っては、久しく見なかった農村へ行って、今年の実りを問い、村の古老、篤農を尋ね、孝子を顕賞し、邪吏を懲らし、年税の過少を糺すなど、あらゆる政治にも心をそそいだので、都市地方を問わず、今やこの国こそ、楽土安民の相を、地上に顕観したものと、上下徳を頌えない者はなかった。

×　　×　　×

大魏皇帝曹丕の太子、曹叡の英才は、近ごろ魏のうわさになっている。

太子はまだ十五歳だった。

母は、甄氏の女である。傾国の美人であるといわれて、初め袁紹の二男袁熙の夫人となったがそれを攻め破ったときから、曹丕の室に入り、後、太子曹叡を生んだのであった。だが、曹叡にも、一面の薄幸はつきまとった。母の甄氏の寵はようやく褪せて、郭貴妃に父曹丕の愛が移って行ったためである。

郭貴妃は、広宗の郭永の女で、その容色は、魏の国中にもあるまいといわれていた。で、世の人が、女中の王なりと称えたので、魏宮に入れられてからは、

「女王郭貴妃」と、尊称されていた。

しかし心は容顔の如く美しくない。甄皇后を除くため、張韜という廷臣と謀って、桐の木の人形に、魏帝の生年月日を書き、また何年何月地に埋むと、呪文を記して、わざと曹丕の眼にふれる所へ捨てた。

曹丕はその佞を観破することができないで、とうとう甄氏皇后を廃してしまったのである。

で――太子曹叡は、この郭女王に幼少から養われて、苦労もしてきたが、性は至極快活で、少しもべそそしていない。とりわけ弓馬には天才的なひらめきがあった。

この年の早春。

曹丕は群臣をつれ狩猟に出た。

一頭の女鹿を見出し、曹丕の一矢が、よくその逸走を射止めた。母の鹿が、射斃されると、その子鹿は、横っ跳びに逃げて曹叡の乗っている馬腹の下へ小さくなって隠れた。曹丕は、声をあげて、

「曹叡、なぜ射ぬ。いやなぜ剣で突かぬか。子鹿はおまえの馬の下にいるのに」

と、弓を揮って、歯がゆがった。

すると、曹叡は、涙をふくんで、

「いま父君が、鹿の母を射給うたのさえ、胸がいたんでいましたのに、何でその子鹿を殺せましょう」

と、弓を投げ捨てて、おいおい泣き出してしまった。

「ああ、この子は、仁徳の主となろう」

と、曹丕は、むしろ歓んで、彼を斉公に封じた。

その夏五月。

ふと傷寒を病んで、曹丕は長逝した。まだ年四十という若さであった。

二

生前の慈しみと、その遺詔に依って、太子曹叡は次の大魏皇帝と仰がれることになった。

これは嘉福殿の約によるものである。嘉福殿の約とは、曹丕が危篤に瀕した際、三人の重臣を枕頭に招いて、

「幼くこそあれ、わが子曹叡こそは、仁英の質、よく大魏の統を継ぐものと思う。汝ら、心を協せて、これを佐け、朕が心に背くなかれ」

との遺詔を畏み、重臣の三名も、

「誓って、ご遺託にそむきますまい」

と、誓いを奏したその事をさすのであった。

枕頭に招かれたその折の重臣というのは、

中軍大将軍曹真。

鎮軍大将軍陳群。

撫軍大将軍司馬懿仲達。

の三名であった。

これにもとづいて、三重臣は、曹叡を後主と仰ぎ、また曹丕に文帝と諡し、先母后甄氏には、文昭皇后の称号を奉った。

自然魏宮側臣の顔ぶれや一族の職にも改革を見ないわけにゆかない。まず、鍾繇を太傅とし、曹真は大将軍となり、曹休を大司馬となした。そのほか、王朗の司徒、陳群の司空、華歆の大尉などが重なるところであるが、なお文官武官の多数に対しても、叙爵進級が行われ、天下大赦の令も布かれた。

ここにひとり問題は、司馬懿仲達が驃騎将軍に就任したことである。あえて破格でもないが、この人にして何となくその所を得たような観があった。のみならず彼は、その頃ちょうど、雍涼の州郡を守る人がなかったのを知っていたので、自ら表を奉って、

「わたくしに西涼州郡の守りをお命じください」と、願い出た。

西涼州といえば、北夷の境に近く、都とは比較にならないほどな辺境である。かつては馬騰出で馬超現われ、とかく乱が多くて治めにくいところである。

求めてこれを治領したいという司馬懿の眷願に、帝はもとより勅許されたし、魏中の

重臣も、物好きな、とだけで、誰もさえぎる者はなかった。

　ために、朝廷は特に、彼の官職をも、

「西涼の等処、兵馬提督」となして、印綬を降した。

「やれやれ、ほっとした」

司馬懿仲達は、北へ向って赴任の馬を進めながら、実に久々で狭い鳥籠から青空へ出たような心地を抱いた。吐く息吸う息までが広々と覚えた。

　宮中の侍臣、重臣間の屈在もすでに久しいものがあった。曹操時代からの宮仕えである。本来彼の真面目は、そういう池の中に長く、棲めるものではなかったらしい。蜀の細作は、早耳に知って、すぐこの異動をも成都に報じた。蜀臣のうち誰もなんとも思う者はなかった。

「ああ仲達が西涼へやられたか」

その程度の関心でしかない。しかしそれを聞くと、ひとり愕然と、唇を結んだ人がある。ほかならぬ孔明であった。

　いやもう一人、彼とひとしい驚きをなして、早速、丞相府へやってきた者があった。若い馬謖であった。

「お聞き及びになりましたか」

「きのう知った」

「河内温の人、司馬懿。字は仲達。あれは魏一国の人物というよりは、当代の英雄と私はみておりましたが」

「後日、わが蜀に患をなす者があるとすれば、おそらく彼であろうよ。――大魏皇帝の統を曹叡がうけたことなどは、心にかけるまでもないが」

「同憂を抱きます。仲達の西涼赴任は、看過できません」

「討つか。今のうちに」

「いや丞相。南蛮遠征の後、まだ日を経ておりません。ここは考えものでしょう。私におまかせ下さい。曹叡をあざむいて、兵を用いず。司馬懿を死に至らしめてみます」

若年のくせに実に大言である。孔明は馬謖の面をみまもった。

出師の表

一

馬謖は云った。

「なぜか、司馬懿仲達という者は、あの才略を抱いて、久しく魏に仕えながら、魏では重く用いられていません。彼が曹操に侍いて、その図書寮に勤めていたのは、弱冠二十歳前後のことだと聞いています。曹操、曹丕、曹叡、三代に仕えてきた勲臣にしては、今の彼の位置は余りに寂寥ではありませんか」

孔明は静かな眸で語る者の面を見ていた。馬謖はこう前提してから自分の心にある一計を孔明に献じた。

「——いや、司馬懿は自ら封を請うて西涼州へ着任しました。明らかに、彼の心には、魏の中央から身を避けたいものがあるのでしょう。当然、魏の重臣どもは、司馬懿の行動を気味悪く思って、狐疑していることも確かです。そこで、司馬懿仲達に謀反の兆しありと、世上へ流布させ、かつ偽りの廻文を諸国へ放てば、魏の中央は、たちまちこれに惑い、司馬懿を殺すか、職を褫奪して辺境へ追うかするに相違ありません」

彼の説くところはよく孔明の思慮とも一致した。孔明は彼の献言を容れて、ひそかにその策を行った。いわゆる対敵国内流言策である。旅行者を用い、隠密を用い、或いは縁故の家から家へ、女子から女子へなど、それにはあらゆる細胞が利用される。

一方、偽の檄文を作って、諸州の武門へ発送した。案の如く、司馬懿に対して、世間にいろいろな陰口が立ってきたところへ、この檄の一通が、洛陽鄴城の門を守る吏員の手に入り、それはまた直ちに魏の宮中へ上達された。

檄文の内容は過激な辞句で埋まっている。魏三代にわたる罪状をかぞえ、天下の不平の徒へ向って、打倒魏朝を煽動したものである。

「これが真実、司馬懿の筆になった檄だろうか」

曹叡は、色を失いながらも、なお迷うものの如く、重臣の秘密会でこう下問した。

大尉華歆が伏答して、

「さきに司馬懿が、西涼の地を領したいと願い出たのはいかなる肚かと思っていましたが、これに依って、臣らは、彼の意を知ることができたような気がいたしまする」

「しかし、朕には、司馬懿に叛かれるような覚えがない。そも、彼は何を怨んで魏に弓を引く心になったと卿らは考えるのか」

「それはすでに太祖武帝（曹操の諡）が疾く観破して仰せられていたことです。――司馬懿は鷹のごとく視て、狼の如く顧みる――と。故に、武帝ご在世中は、書庫の文書などを整理する閑役に付けおかれ、兵馬のことにはお用いになりませんでした。もし彼に兵権を附与せば、かえって、国家の害をなす者であるとの深い深い思し召からでありますす」

王朗も共に私見を述べた。

「いま華歆の申しあげた如く、司馬懿は、弱冠の時から深く韜略を研究して、軍機兵法をさとりながら、しかも要心ぶかく、先帝の代にも碌々と空とぼけ、今日、まだ幼くして、陛下が御即位あそばした折を見て、初めて鷹の如き性をあらわし、狼の如く、西涼から檄を放って、多年の野望を仕遂げんと、謀りだしたものと考えられます。一刻もはやくこれはご征伐なさらなければ、遂に、燎原の火となりましょう」

魏王曹叡は幼いので、諸臣の説を聞いても、なお迷っていて決しきれなかった。その

うちに、一族の曹真が、

「まさかそんなこともあるまい。もし軽々しく征伐して、それが真実でなかったら、求めて君臣の間に擾乱を醸すものではないか」という穏当な反対も出たりしたため、結局、漢の高祖が雲夢に行幸した故智にならって、魏帝みずから安邑に遊び、司馬懿が出迎えに出るとき、そっと気色をうかがって、彼に叛気が見えたら即座に縛め捕ってしまえばよかろう——という説に帰着した。

やがて行幸は実現された。布達に依って、司馬懿仲達は西涼の兵馬数万を華やかに整えて、魏帝の輦を、安邑の地に出迎えるべく当処を立ってきた。すると誰からともなく、

「すわや司馬懿が、十万の勢をひきいて、これへ押しよするぞ」

とさわぎ出して、近臣は動揺し、魏帝も色を失って、沿道いたる処、恟々たる人心と、乱れとぶ風説の坩堝となってしまった。

二

何も知らない司馬懿仲達は、数万の兵を従えて安邑の町へ入ってきた。するとたちまち、鉄甲の装備も物々しく、曹休の一軍がこれを道に阻んで、

「通すことはならん」

と、呼ばわり、かつ曹休自身、馬をすすめて、こう呶鳴った。

「聞け、仲達。汝は、先帝より親しく、孤を託すぞとの、畏き遺詔を承けた者の一人ではないか。何とて、謀叛をたくらむぞ。ここより一歩でも入ってみよ、目にもの見せん」

　仲達は仰天して、それこそ蜀の間諜の計に過ぎないと、声を大にして言い訳した。そして、馬をくだり、剣も捨て、数万の兵も城外へのこして、単身、

「仔細は、天子にまみえて、直々に奏答しましょう」と、曹休に従いて行った。

そして、魏帝の輦の前にいたるや、彼は、大地に拝伏して、そのいわれなきことを、涙とともに弁解した。

「臣が、西涼の封を望んだのは、決して私心私慾ではありません。その地の重要性にかんがみて、ひそかに蜀に備えんがためであります。どうかもう少しご静観ください。必ず蜀を討って、次に、呉を亡ぼし、以て三代の君恩に報ずるの日を誓って招来してお目にかけまする」

　その神妙な容子に、曹叡は心をうごかされたが、華歆、王朗などは、容易に信じなかった。

「とにかく、彼は鷹であり狼である」という眼をもって彼を眺めたので、ともあれご沙汰を相待つべし――と仲達を控えさせておいて、幼帝を中心に密議した。もとより華歆、王朗の言が、それを決定するのであることはいうまでもない。即ちこう決まった。

「要するに司馬懿に兵馬を持つ地位を与えたからいけないのだ。世間にいろいろな臆測

が生じたり、こんな不穏な問題が起ったりする原因にもなる。爪のない鷹にして、野に放ってしまえばよい。これは漢の文帝が周勃に報いた例にある」

勅命によって、司馬懿仲達は、官職を剝がれ、その場から故郷へ帰されてしまった。そして、彼ののこした雍涼の軍馬は、曹休が承け継いだ。

このことは、蜀の細作からすぐ成都へ飛報された。孔明はいったい物事に対して余り感情を現わさない人であるが、これを聞いたときは「仲達が西涼にあるあいだは、如何とも意を展べがたしと観念していたが、今はなんの憂いかあらん」と限りなく喜悦したということである。

彼は丞相府の邸に籠って、幾日かのあいだ、門を閉じ客を謝していた。魏の五路進攻による国難の前にも、やはりここの門を閉じていたことがあるが、こんどはその折のように、毎日、彼の姿を後園の池の畔に見ることもなかった。

神思幾日、彼は一夜、斎戒沐浴の後、燭をかかげて、後主劉禅に上す文を書いていた。後に有名な前出師の表は実にこのときに成ったものである。

彼は今や北伐の断行を固く決意したもののようである。一句一章、心血をそそいで書いた。華文彩句を苦吟するのではなく、いわゆる満腔の忠誠と国家百年の経策を述べんとするのであった。

文中にはまず帝として後主の行うべき王徳を説き、あわせて天下の今日を論じ、蜀の現状を述べ、忠良の臣下を名ざして、敢て信任を加えらるべきを勧め惹いて、先帝玄徳と自分との宿縁、また情誼を顧みて、筆ここにいたるや、紙墨のうえに、忠涙の痕、滂沱たるものが見られる。

表は長文であった。

臣亮もうす。

先帝、創業いまだ半ばならずして、中道に崩殂せり。今天下三分し益州は疲弊す。これ誠に危急存亡の秋なり。しかれども侍衛の臣、内に懈らず、忠志の士、身を外に忘るるものは、けだし先帝の殊遇を負うて、これを陛下に報いんと欲するなり。誠に宜しく聖聴を開張し、以て先帝の遺徳をあきらかにし、志士の気を恢弘すべし、宜しくみだりに自ら菲薄し、喩をひき義をうしない、以て忠諫の道を塞ぐべからず——

冒頭まず忠肝をしぼって幼帝にこう訓えているのであった。

三

さらに筆をすすめては、

宮中府中は倶に一体たり、臧否を陟罰し、宜しく異同すべきにあらず。もし姦をなし、科を犯し、及び忠善をなすものあらば、宜しく有司に付して、その刑賞を論じ、以て、陛下の平明の治を明らかにすべく、宜しく偏私して、内外をして法を異にせしむべからず。

と、国家の大綱を説き、また社稷の人材を列記しては、

侍中侍郎郭攸之・費禕・董允らは、これみな良実にして思慮忠純なり。これを以て、先帝簡抜して、以て陛下に遺せり。愚おもえらく、宮中のこと、事大小となくことごとく以てこれに諮り、しかる後施行せば必ずよく闕漏を裨補して広益するところあらん。将軍尚寵は、性行淑均軍事に暁暢し、昔日に試用せられ、先帝これを能とのたまえり。これを以て衆議、寵をあげて督となせり。愚おもえらく、営中の事は事大小となく、ことごとくこれに諮らば、かならずよく行陣をして和睦し、優劣をして所を得しめん。

賢臣を親しみ、小人を遠ざけしは、これ先漢の興隆せし所以にして、小人を親しみ、賢人を遠ざけしは、これ後漢の傾頽せる所以なり。先帝いまししときは毎に臣とこの事を論じ、いまだかつて桓霊に歎息痛恨したまわざるはあらざりき。侍中尚書、長史参軍、これことごとく貞亮死節の臣、ねがわくは陛下これに親しみこれを信ぜよ。すなわち漢室の隆んなる、日をかぞえて待つべき也。

転じて孔明の筆は、自己と先帝玄徳と相知った機縁を追想し、その筆は血か、その筆は涙か、書きつつ彼も熱涙数行を禁じ得ないものがあったのではなかろうか。

――臣はもと布衣、みずから南陽に耕し、いやしくも性命を乱世に全うし、聞達を諸侯に求めざりしに、先帝臣の卑鄙なるを以てせず、猥におんみずから枉屈して、三たび臣を草廬にかえりみたまい、臣に諮るに当世の事を以てしたもう。これによ

りて感激し、ついに先帝にゆるすに駆馳を以てす。後、傾覆にあい、任を敗軍の際にうけ、命を危難のあいだに奉ぜしめ、爾来二十有一年矣。

先帝、臣が謹慎なるを知る、故に崩ずるにのぞみて、臣によするに大事を以てしたまいぬ。命をうけて以来、夙夜憂歎し、付託の効あらずして、以て先帝の明を傷つけんことを恐る。故に、五月、瀘を渡り、深く不毛に入れり。いま南方すでに定まり、兵甲すでに足る。まさに三軍を将率し、北中原を定む。庶わくは駑鈍を竭し、姦凶を攘除し、漢室を復興して、旧都に還しまつるべし。これ臣が先帝に奉じて、而して、陛下に忠なる所以の職分なり。

孔明はこの条で国家のゆくてを明示している。そして、その完遂をもって自己の臣業となし、蜀の大理想であるともいっている。すなわちそれは漢室の復興と、旧地への還都、その二つの実現である。そのためには臣らの粉骨はもちろんながら、陛下おんみずからも艱難に打ち克ち、いよいよ帝徳をあらわし給うお覚悟なくてはいけません——と、あたかも父のごとき大愛と臣情を傾けて訓えているのであった。

斟酌損益し、進んで忠言を尽すにいたりては、すなわち、攸之・禕・允の任なり。ねがわくは陛下臣に託するに、討賊、興復の効を以てせられよ。効あらざれば、すなわち臣の罪を治め、以て先帝の霊に告げさせたまえ。もし興徳の言なきときは、すなわち攸之・禕・允らの咎を責め、以てその慢を顕させたまえ。陛下また宜しくみずから謀り以て善道を諮諏し、雅言を察納し、ふかく先帝の遺詔を追わせたまえ。臣、恩をうくるの感激にたえざるに、今まさに遠く離れまつるべし。表に臨みて、涕泣おち、云うところを知らず。

表の全文はここで終っている。おそらく彼は筆を擱くとともに文字どおり故玄徳の遺託にたいして瞑目やや久しゅうしたであろう。そしてさらにその誓いを新たにしたであろう。ときに彼は四十七歳、蜀の建興五年にあたっていた。

四

孔明は門を出た。久しぶりに籠居を離れて、朝へ上ると、彼は直ちに、闕下に伏して、出師の表を奉った。

後主劉禅は、表を見て、

「相父――相父が南方を平定して還られてから、その間、まだわずか一年余しか経っていない。さるを今また、前にも勝る軍事に赴くのは、いかに何でも、体に無理ではないか。すでに相父も五十になろうとする年齢、国のために、少しは閑を楽しみ、身を養ってくれよ」

と、心から云った。孔明は感泣した。

「ありがたいおことばですが、臣が先帝より孤をたのむぞとの遺詔を拝しましてからは、臣の微衷は、それを果さぬうちは、眠るとも安まらず、閑を得ても、心から閑を楽しむ気持にもなりません。――身はいまだ無病、年も五十路の前、今にして、その任におこたえしなければ、やがて老いては、如何に思うとも、これを微忠にあらわすことはできなくなりましょう。——かならずご宸念をお煩わし遊ばしますな」と、ただただ慰めて、ひとまず退がった。

ところが、ひとり後主劉禅の憂いに止まらず、出師の表によって掲げられた孔明の「北伐の断行」は、俄然、蜀の廟堂に大きな不安を抱かしめた。

なぜならば、この蜀漢の地は、先帝玄徳が領治して以来、余りにもまだ国家としての歴史が若く、かつは連年の軍役に、まだとうてい魏や呉の強大と対立するだけの実力は内に蓄えられていない。

一昨年、南方平定のため、その遠征に費やした資材、人員だけでも、実のところ、内政財務の吏も一時はひそかに、

（これはたまらない。どうなることか）

と、国庫の疲弊とにらみ合わせて、はらはらしていた程なのである。幸いにも、それは遠征軍の大捷によって償われ、いわゆる耕牛、戦馬、金銀、犀角などのおびただしい南方物資の貢ぎの移入によっても、大いに国力を賑わし得ることは得たが、それもまだ以来一年半にしかなっていない。

「この際、この上にまた、魏を討たんなどという大野望は、ほとんど無謀の挙ともいうべきである」

と、なす議論は、相当、蜀廷の内にもうごいていた。

丞相孔明の決意に出るものなので、あきらかに出師の表に対して、反対を唱える者はなかったが、

「とうてい、勝ち目がない軍だ」と、する者やまた、

「やむを得ず彼の侵略を防ぐためならばともかく、魏もいまは曹丕が歿して、幼い曹叡が立ち、国外と事を構えるのを好んでもいない際に、こちらから出師するというのはその意を得ぬ」

と、するような消極論は、後主劉禅をめぐって、かなり顕著であった。

それらの人々の第一に懸念するところは、兵員の不足であり、また戦争遂行に要する財源の捻出だった。蜀中の戸籍簿によって、蜀、魏、呉の戸数を比較して見ると、蜀は魏の三分の一、呉の半数しかないのである。

さらに、人口の密度から見れば、魏の五分の一強、呉の三分の一ぐらいな人間しか住んでいない。以て、蜀の開発とその地勢とが、いかに守るにはよいが、文化には遅れがちであるか分るし、しかも常備の帯甲将士の数に至っては、魏や呉などの中原を擁する二国家とは較ぶべくもない貧弱さである。

加うるに、後主劉禅は、登位以来すでに四年、二十一歳にもなっているが、必ずしも名君とはいわれないものがあった。父帝玄徳のような大才はなかったし、何よりも艱難を知らずに育てられてきている。

「これらの条件をつまびらかにせぬ丞相でもあるまいに――いかなる思し召でかくの如

き大軍事をいま決行せられようとするのであろうか」

人々はみな孔明に服してはいたが、なお孔明の真意をふかく知りたく思うのであった。

五

知る人ぞ知る。

これが孔明の心であったろう。

だが、一夜親しく彼を訪ねて、蜀臣全体の不安を代表するかのように、それとなく、彼を諫めにきた太史譙周にたいして、彼の諭言は懇切をきわめた。

「いまです。今をおいて、北魏を討つときはないのです。魏はもともと、天富の地にめぐまれ、肥沃にして人馬強く、曹操以来、ここに三代、ようやく大国家の態をととのえて来ました。早くこれを討たなければ、とうてい彼を覆すことは不可能であるばかりでなく、わが蜀は自滅するほかありません」

と、まず天の時を説き、ひいて自国の備えに及んでは、

「なるほど、わが蜀はまだ弱小です。天下十三州のうちに、完全に蜀の領有している地は、益州一州しかないのですから、面積の上では魏とも呉とも比較にならない。従って兵員も不足、軍需資材も彼の比でないことはぜひもないことだ。けれど、乞う安んぜよ。多少の成算はある」

彼は、簿を取り寄せて、まだ誰にも打ち明けなかった、秘密の予備軍があることを初めて明らかにした。それは荊州以来、禄を送って、領外の随所に養っておいた浪人部隊と、南方そのほかの異境から集めて、趙雲や馬忠などに、ここ一年調練させていた外人部隊とであった。そしてそれらの兵員を五部に編制し、連弩隊、爆雷隊、飛槍隊、天馬隊、土木隊などの機動作戦に当てしむべく充分に訓練をほどこしてある。故に、これは敵側にとっては、予想外なものとなって、その作戦を狂わすに到るであろうと説明した。

また財力については、

「北伐の大望は、決して今日の思いつきでなく、不肖が先帝のご遺託をうけたときからの計画である。で自分は、その根本の力は、何よりも農にあるとなして、大司農、督農の官制をおき、農産振興に尽してきた結果、連年の軍役にもかかわらず、蜀中の農にはまだ充分な余力がある。かつ、田賦、戸税*のほかに、数年前から『塩』と『鉄』とを国営にした。わが蜀の天産塩と鉄とは、実に天恵の物といってよい。これによる国家の経済によって、蜀は中原に進む日の資源をえている」

と、その間の苦心をしみじみと述懐した。なおいかに彼が日頃において、国家の経済に細心な備えをしていたかという一例としては、成都や農村の婦女子に、蜀の錦を手織らせ、近年はことに、これを奨励増産して、南方の蛮夷へも西涼の胡夷へも輸出し、蜀錦に限っては、敵たる魏や呉へ売り出すことにも、多大な便宜を与えて、それに代るべき重要な物資をどしどし蜀内へ求めていたという事実に見ても、彼の苦心経営のほどがよくうかがわれるのであった。

こういう苦心と用意と、つぶさなる説明を聞いては、諫めにきた譙周も二言なく帰るのほかはなかった。ために、蜀朝廷の不安も反対も声なきに至ったのみか、かえって、

「丞相にそれ程までの備えがあるならきっと勝てよう。いやきっと勝てる」と、早くも、中原の旧都に還って、かつての漢朝のごとく、天下統一の盛時がやすやす実現するものと、楽観に傾き過ぎる空気さえ漂ってきた。

何ぞ知らん――人々が楽観して軽躁に勝利を夢みるとき、孔明の心中には、惨たる覚悟が誓われていたのである。彼は決して、成功を期していない、誰よりも魏の強大を知っている。――それだけに、我亡き後は誰が蜀朝を保たん、我なくして蜀なし、と信じていた。余命あるうちに、先帝玄徳からうけた遺託を果たさねばならないと、唯そのことを思うのみだった。

人にこそ漏らさないが、現帝劉禅の質が父帝に似たることの少ない点も、彼にはどれほどな寂寥であったか知れない。

また魏は曹操以来、今日もなお人材に富んでいる。経営の大才、陣営の巨雄、少なくないのである。これに反して蜀は今、関羽、張飛の武将もなく、帝は若く、朝臣は多く平凡であった。これらの点も孔明の惨心を一しお深刻ならしめているものであった。

しかも彼は、蜀の大理想を不可能とはしない。玄徳の遺詔をむりだとはしなかった。出師の表一千余字、かりそめにも恨みがましい辞句などはない。ことばの裏にすらうかがわれないのである。

六

三軍の整備は成った。

この間、蜀宮中の内部にこそ、多少複雑な経過はあったが、国外に対しては、ほとんど、何の情報もまだ漏れずにあった程、それは迅速にひそかに行われた。

春三月、丙寅の日、いよいよ発向と令せられた。

「征ってまいります」

最後のお別れとして孔明が朝に上った日、後主劉禅は眼に涙をためて、

「相父。自愛に努めてよ」

と、ねんごろに云った。

劉禅の姿を仰いでいる時も、孔明の脳裡には、先帝玄徳の面影が常に描かれていた。劉禅のうしろにはいつもその人在りと意思していた。

「お案じ遊ばしますな。たとえ孔明が五年や十年留守にしておりましょうとも、陛下のお側には、かかる忠誠の人々が、豊かな才量をみな持って、内外の事をお扶けしておりますれば……」

孔明は奏しながら、玉座の左右へ眸を移した。実に、彼のただ一つの心配は、自身の向う征途にはなくて、後にのこす劉禅の輔佐と内治だけが心懸りだったのである。ために、彼は、ここ旬日の間に、大英断をもって、人事の異動を行った。郭攸之・董允・費褘の三重臣を侍中として、これに宮中のすべての治を附与した。また御林軍の司には、尚寵を近衛大将として留守のまもりをくれぐれも託した。さらに自分に代るべき丞相府の仕事は、一切を長裔に行わしめ、彼を長史に任じ、杜瓊は諫議大夫に、杜微、楊洪は尚書に、孟光、来敏を祭酒に、尹黙、李譔を博士に、譙周を太史に、そのほか彼の目がねで用いるに足り、頼むに足るほどな者は、文武両面の機構に配置して、留守の万全は充分に期してある。

いま彼が、帝の周囲の者を見まわしたのは、その静かな眸をもって輔佐の人々へ、

（くれぐれも頼み参らすぞ）

と心からいって別辞に代えたものだった。

そしていよいよ成都を立つ日となると、後主劉禅は宮門を出て、街門の外まで彼を見送った。

春風は三軍の旗を吹いた。すなわち丞相府の前に勢揃いして、鉄甲燦々と流れゆく兵馬の編制を見ると、次のような順列であった。

前督部鎮北将軍領丞相司馬　魏延

前軍都督領扶風太守　張翼

牙門将裨将軍　王平
後軍領兵使　呂義
兼管運粮左軍領兵使　馬岱
副将飛衛将軍　廖化
右軍領兵使奮威将軍　馬忠
撫戎将軍関内侯　張嶷
行中軍師車騎大将軍　劉琰
中将軍揚武将軍　鄧芝
中参軍安遠将軍　馬謖
前将軍都亭侯　袁綝
左将軍高陽侯　呉懿
右将軍玄都侯　高翔
後将軍安楽侯　呉班
領長史綏軍将軍　楊儀
前将軍征南将軍　劉巴
前護軍偏将軍　許允
左護軍篤信中郎将　丁咸
右護軍偏将軍　劉敏

後護軍興軍中郎将　官雝
行参軍昭武中郎将　胡済
行参軍諫議将軍　閻晏
行参軍裨将軍　杜義
武略中郎将　杜祺
綏戎都尉　盛勃
従事武略中郎将　樊岐
典軍書記　樊建
丞相令史　董厥
帳前左護衛使龍驤将軍　関興
右護衛使虎翼将軍　張苞

このなかに一名、なくてはならない大将が洩れていた。それは玄徳以来の功臣、常山の趙雲子龍であった。

七

この日、趙雲の英姿が出征軍の中に見えなかったのは、こういう理由にもとづく。長坂橋以来の英傑も、ようやく今は老いて、鬢髪も白くなっていた。孔明は、南征の際にも、彼がその老骨をひっさげて、終始よく戦ってきたことなども思い合わせ、わざと今度は、編制から除いて留守に残そうとしたのであった。

ところが、趙雲は、その情けをかえってよろこばないのみか、編制の発表を見るや否や、

「どうしてそれがしの名がこの中にないのか。怪しからん」

と丞相府へやってきて、孔明に膝詰めで談じつけたのである。

「自らいうのは口はばったいが、先帝のときより、陣に臨んで退いたことなく、敵におうては先に馳けずということなき趙子龍である。老いたりといえ、近頃の若者などには負けぬつもりだ。大丈夫と生れて、戦場に死ぬはこの上もない身の倖せ。——丞相はかくいう趙雲の晩節をあえて枯木の如く朽ちさせんおつもりであるか」

これには孔明も辟易した。強いて止めるならば、只今この所において、自ら首を刎ねて亡ぶべし、ともいうのである。

「それ程までにお望みなれば、お止めいたすまい。しかし、私の選ぶ一人の副将をお連れなさい」

「もとより副将を伴うには異存はない。——して、それは誰ですか」

「中鑒軍の鄧芝です」

「鄧芝ならば」と、趙雲もよろこんだ。——で孔明は、編制の一部をかえて、趙雲と鄧芝に精兵五千をさずけ、べつに戦将十人を付与して、前部大先鋒軍となし、大軍の立つ一日さきに、成都を出発させていたものであった。

何しても、このような大規模の軍隊が国外へ立つことは成都初めてのことなので、この日、市民は業を休んで歓送し、街門までの予定で見送りに出られた後主劉禅も、名残りを惜しんで、百官とともに、ついに北門の外十里まで見送った。

すでにして三軍は、成都の市街を離れて、郊外へさしかかったが、郊外へ出ればここにも田園の百姓老幼が、簞食壺漿して、王師の行をねぎらった。

村々の道ばた、野や田の畔にも、彼らは土に坐って、孔明の四輪車へ拝をなした。村娘は兵のために黍の甘水を汲み、媼は蓬の餅を作って将に献じた。

孔明はしみじみ眺めた。

「ここには何の後顧の憂いもない」——と。

×　　×　　×

魏は大きな衝動を不意にうけた。蜀の出師は国を傾けてくるの概ありと知ったからである。加うるに孔明の名は、いまや魏にとっても、聞くだに戦慄の生じるものであった。

「たれかよく彼を防ぐや」

魏帝曹叡は、群臣に問うた。満堂の魏臣しばし声もない。

ときに一名、ねがわくは臣これに当らん、と進んで起った者がある。諸人の眼はそれへそそがれて、

「おお、夏侯淵の子なるか」

と、眼をあらたにした。

安西鎮東将軍兼尚書駙馬都尉、夏侯楙、字は子休。

彼の父は、武祖曹操の功臣で、漢中の戦に死んでいる。いま蜀軍のさして来るところも漢中である。怨みあるその戦場において、父の魂魄をなぐさめ、国に報ずるは、子の勤めなりと、彼は今いうのであった。父亡き後、幼少、彼は叔父の夏侯惇に育てられてきた。後、曹操がそれを愍れんで自身の一女を娶合せたので、諸人の尊重をうけてきたが、ようやくその為人が現われてくるにつれて天性やや軽躁、そして慳吝な質も見えてきたので、魏軍のうちでもあまり声望はなかった。

しかしその位置、その重職には、不足ない大将軍たる資格はあるので、衆議異論なく、叡帝またその志を壮なりとして、関西の軍馬二十万馬を与え、以て、孔明を粉砕すべしと、印綬をゆるした。

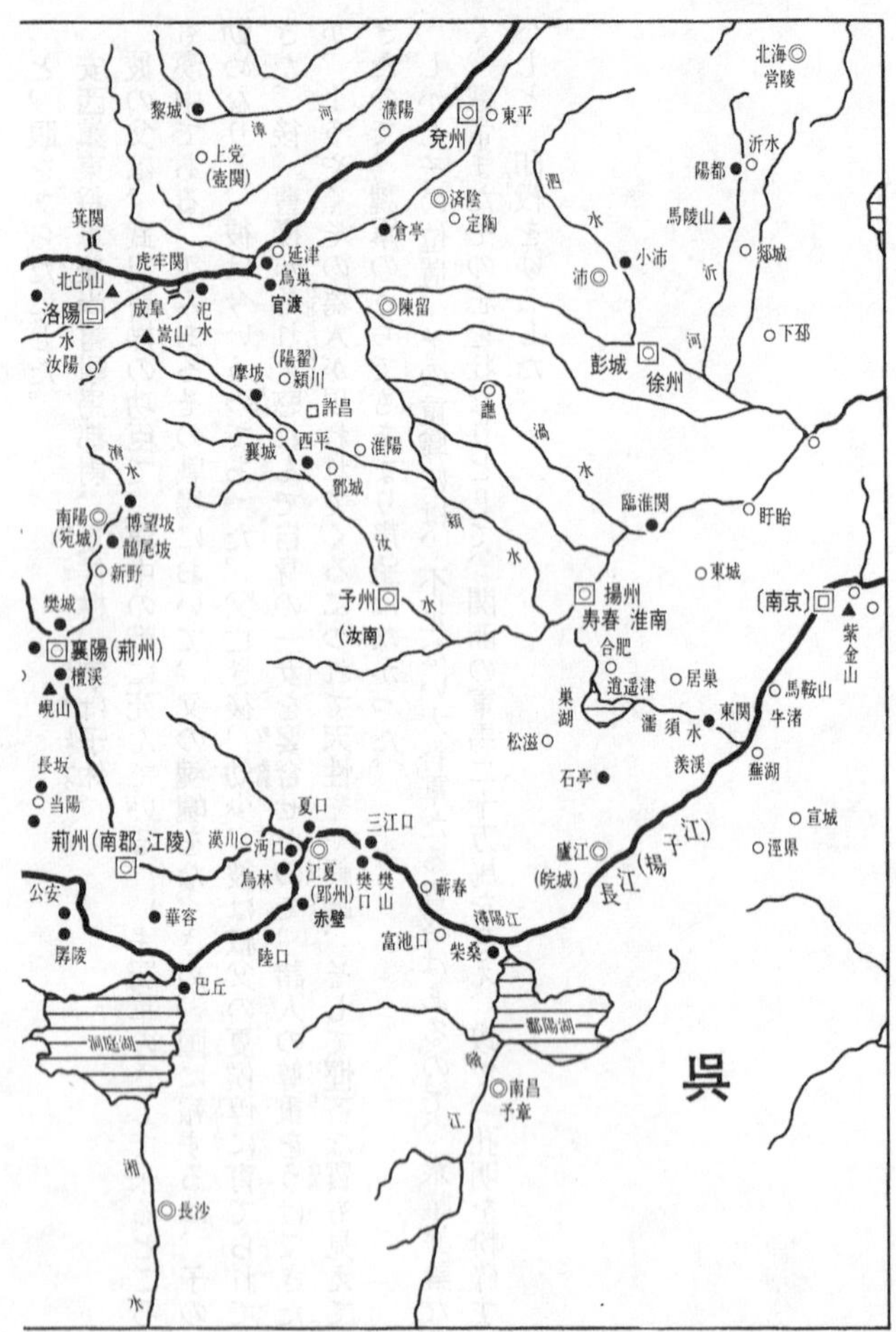
北海
営陵
黎城
漳
河
濮陽
兗州
東平
上党
(壺関)
沂水
陽都
泗
済陰
箕関
定陶
水
馬陵山
倉亭
延津
郯城
虎牢関
小沛
北邙山
烏巣
沛
沂
洛陽
成皐
汜水
官渡
陳留
嵩山
水
河
下邳
汝陽
(陽翟)
摩坡
潁川
彭城
徐州
許昌
譙
渦
西平
淮陽
襄城
滍
水
郾城
水
臨淮関
盱眙
南陽
(宛城)
博望坡
鵲尾坡
汝
潁
新野
水
東城
樊城
予州
(汝南)
水
揚州
寿春
淮南
〔南京〕
紫金山
襄陽(荊州)
合肥
檀渓
逍遥津
居巣
峴山
馬鞍山
巣湖
東関
濡須水
牛渚
松滋
羨渓
蕪湖
長坂
当陽
石亭
宣城
夏口
三江口
荊州(南郡,江陵)
漢川
沔口
廬江
(皖城)
涇県
長江(揚子江)
烏林
江夏
(郢州)
樊口
樊山
蘄春
公安
赤壁
華容
潯陽江
富池口
陸口
孱陵
柴桑
巴丘
洞庭湖
鄱陽湖
呉
贛
南昌
予章
江
湘
長沙
水

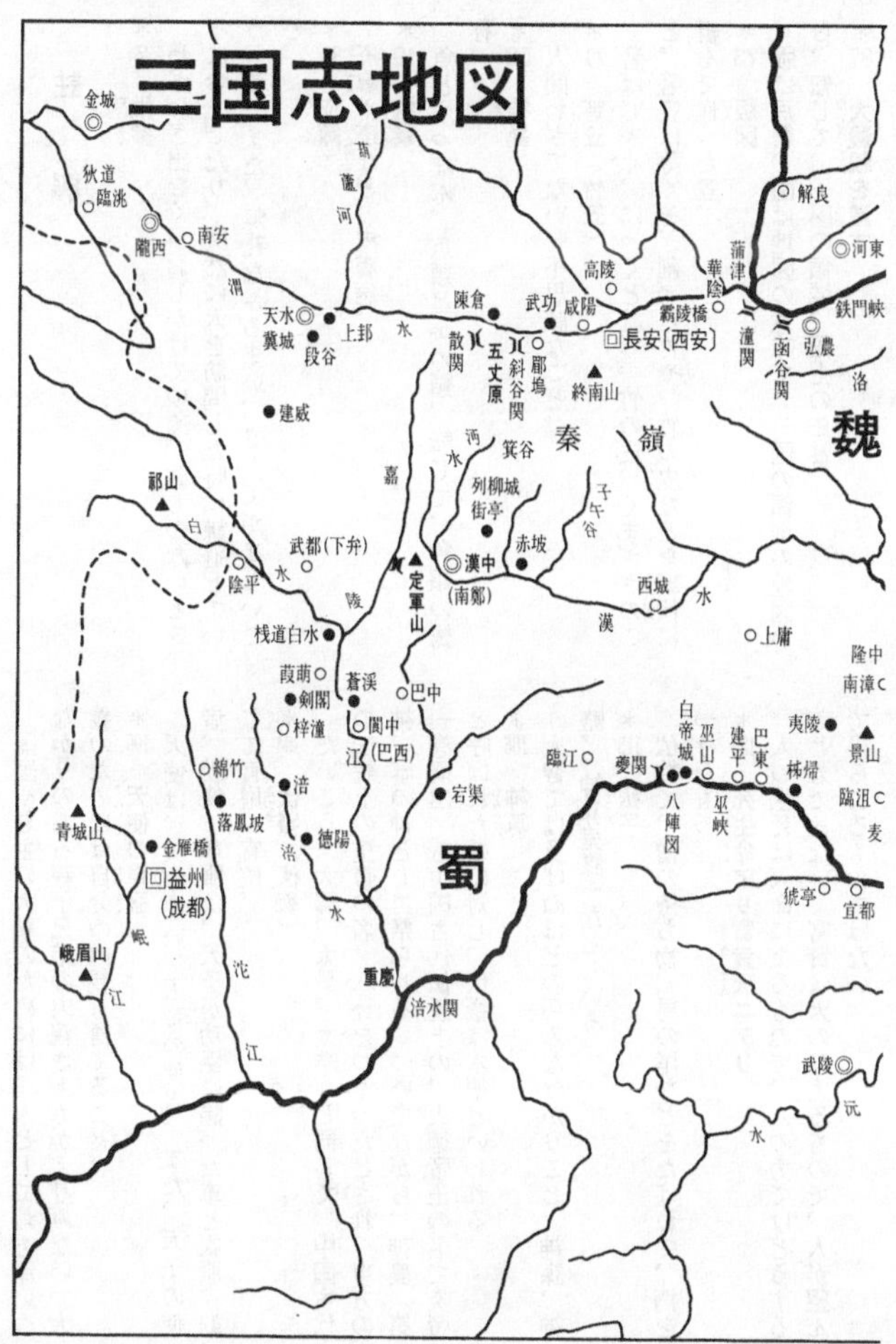
三国志地図
金城
狄道
臨洮
隴西
南安
渭
天水
冀城
上邽
段谷
建威
祁山
白
陰平
水
武都(下弁)
嘉
陵
定軍山
漢中
(南鄭)
赤坂
街亭
列柳城
沔
水
箕谷
秦
嶺
子午谷
陳倉
散関
五丈原
斜谷関
郿塢
武功
咸陽
高陵
終南山
長安〔西安〕
覇陵橋
華陰
蒲津
潼関
函谷関
弘農
解良
河東
鉄門峡
洛
魏
西城
水
漢
上庸
隆中
南漳
夷陵
景山
臨沮
麦
秭帰
巴東
建平
巫山
白帝城
夔関
八陣図
巫峡
臨江
猇亭
宜都
栈道白水
葭萌
剣閣
蒼渓
巴中
梓潼
閬中
江
(巴西)
綿竹
涪
落鳳坡
宕渠
涪
徳陽
水
蜀
青城山
金雁橋
益州
(成都)
岷
峨眉山
江
沱
江
重慶
涪水関
武陵
沅
水

註解

＊7　**推参**（すいさん）
　わざわざ出むく。おしかけてゆく。許しのないところに参上したり、突然に人を訪問した時に謙遜していう言葉。また、無礼なふるまい、さしでがましいこと。

＊31　**疥癩**（かいらい）
　疥癬（かいせん）や疥（はたけ）などの皮膚病。

＊49　**魚鼈**（ぎょべつ）
　魚とすっぽん。魚類とかめ類。転じて、魚類の総称。

＊58　**神異**（しんい）
　人間わざでない、不思議なこと。

＊71　**箬笠（竹笠）**（たけがさ）
　箬はじゃく、にゃくと読み、竹の皮、くまざさのこと。箬笠は薄くそぎ割った竹や、竹の皮などを網代（あじろ）に組んで作った笠。

＊73　**版図**（はんと）
　版は戸籍、図は地図の意味で、一国の領地の地図から、転じて、一国の領域、領土のこと。

＊87　**大義親を滅す**（たいぎしんをめっす）
　国家や君主の大事のためには、人として最も深いつながりのある親子兄弟の肉親さえもかえりみない。大義のためには自分の肉親も捨てること。

＊100　**天使の車服**（てんしのしゃふく）
　天使は、天の使い、天帝の使者。また、天子の使者、勅使。車服は、天子が功臣に賜った車と衣服、転じて官爵、官位。

＊104　**伏犠（伏羲）**（ふっき）
　たいこう（太皞、太昊、太皓）と同義で、中国古代の伝説上の皇帝の名。八卦をつくったとされ、東方の神、春の神として祭られる。ついでながら、神農（第一巻既出）も中国古代伝説上の、火徳帝王の名で炎帝と呼ばれたのに対し、伏犠は木徳といわれる。

＊106　**神算**（しんさん）
　人智では及ばぬほどの巧みなはかりごと。神謀、神略。「神算鬼謀」などという。

＊115　**払子**（ほっす）
　仏教で、僧の持ち物。馬の尾などをたばねて、柄（え）をつけたもの。

＊128　**死生命アリ富貴天ニアリ**（ふうきてん）
　人の生死は天命によるもので、人の力ではどうすることもできない。富貴は天の与えるもので、人が望んで得られるものではない。

＊130　**行宮**
天子が行幸の途次におられる仮の御所。平素から定まっている所以外の、一時的に住まわれる所。

＊151　**儲君**
皇太子の異称。もうけの君。

＊154　**兄弟牆にせめ（鬩）ぐ**
兄弟が内輪喧嘩をする。仲間同士で喧嘩をする。牆に鬩ぐは、かきねの中で互いに争うこと。

＊156　**池中の物としておかん**
龍は池の底にひそんでいても、いつかは天に昇る。大成または大活躍するような素質・能力のある者は、いつまでも低い地位にほうってはおかないでしょうの意で、「池中の物に非ず」ということ。

＊180　**化外**
天子の教化（王化）がとどかないこと。化外の地、化外の人々などという。「けがい」ともいう。

＊180　**冊文**
天子から臣下に授ける命令書。爵位・俸禄・尊号・諡号（おくりな）などを授けるときの勅命書。

＊183　**正閏**
正位、正統と閏位、閏統。閏は正統でない位。また閏はうるうの意味があるので、平年とうるう年。

＊184　**率土の浜**
率は皆・全の意、浜は陸地の果の意だから、陸地（天下）の果まで。天子の治下全体の意。しゅっとの浜とも。

＊187　**天に二日なし**
地に二王なし、とつづいて、天に二つの太陽がないように、一国の君主は一人であって、二人並び立ってはならないという意味。

＊215　**譎詐**
うそを言ったりして人をあざむくこと。けっさとも読み、譎詭と同義。

＊278　**浅陋**
学問や考えなどが、あさくてせまいこと。あさはかなこと、つたないこと、劣っていることなど。

＊280　**人（の）将に死なんとするその言やよし**
人が死にのぞんでいうことばは、純粋で真実がこもっている。

＊335　**累卵**
積み重ねた卵のことで、非常に危うい物事のたとえ。

＊414　**桃花水**
桃の花の咲く頃、雪どけや春雨でみちあふれて流れる川の水。

＊449　**戸税**
家ごとに取りたてる税。

武蔵とピアニスト

半村(はんむら)良(りょう)

私の古い友人に、ピアニストが一人いる。二十代のなかばに新宿で知り合って、三十歳くらいまで、殆んど毎晩顔をつき合わせていた。

名前は鈴木八郎。一時芸名を使っていて西条徹などと名乗っていたこともある。

本来の性格は穏和で正直で、人に目立つよりはひっそりと自分の世界に引きこもっていたいタイプの男だったが、ピアニストをこころざしただけに夜の繁華街で生活せざるを得ず、楽士仲間では目立つ存在にならなければならず、だから今風に言えばかなり突っ張って、慣れぬハッタリも用いなければ生きにくい状態だった。

私は彼が本来の性格とだいぶ違った外見をよそおっていることにすぐに気付いた。以心伝心、彼も私を親友の一人にかぞえて、私が店をかわるたび、酒場のピアノ弾きとして必ずついて来たから、つき合いは自然深くなった。

その彼が吉川英治の大ファンであることを知ったのはいつのころのことだったろうか。

私はびっくりした。楽譜の入ったボロ鞄の中に、必ず「宮本武蔵」を入れて持ち歩いているのだ。こっそり抜き出して開いて見ると、その本は熟読のあまり手ずれでどのページもヨレヨレになっており、しかもいたるところに赤鉛筆で傍線が引いてあった。

ピアニストとしての芸道と、武蔵の武芸求道の生き方を重ねて考えていたに違いない。そのとき以来、私は単なる酒場の友人として以上に、尊敬と羨望をもって接するようになった。気のせいか、彼は本来の気弱な性格からどんどん肚の坐った男に変化して行って、顔つきさえ立派になって行った。

これを言うと失笑する人もいるが、彼は生まれた子供に、武蔵、お通という名をつけてしまった。だがのちに小説家となった私には決して笑えない事実である。一人の読者の人生をそこまで感化できる作品は、私ごとき通俗作家には決して作り得ない。吉川英治先生の偉大さをあらためて痛感している昨今である。

（作家）

解説「三国志」「三国志演義」と吉川「三国志」㈢

立間祥介（慶応義塾大学教授）

すでに述べたように、昔の中国では、「三国志演義」とか「水滸伝」とかいった小説は、教養のない民間人の読むものであり、正統な学問をした知識人が読むべきものではないという考え方があった。そこで、「落鳳坡に龐士元を弔う」という詩を書いて物笑いのタネになる文士が出たりした。龐統は劉備の益州侵攻作戦に従軍し、雒城を攻撃中流れ矢に当って死んだのだが、小説では鳳雛と呼ばれた龐統が戦死した場所を「落鳳坡」としたもの（「図南の巻・落鳳坡」）で、民間ではこの架空の地名を現実の場所にあてはめて龐統落命の地といっていたものであろう。いってみれば、「金色夜叉」があって「お宮の松」ができたようなものだ。

関羽の部将周倉はこの典型的な例である。周倉は関羽が荊州で敗死したとき、彼に殉じて死に、関平とともに霊魂となって関羽にしたがっていたというので、関羽とともに神格化され、かつて中国でもっとも庶民の信仰を集めた「関帝廟」に祭られた。ところが正史にはこの周倉という人物の名はまったく見えない。「三国志平話」には出てくるが、それも関羽とはまったく関係なく、諸葛孔明配下の部将としてちょっと名が出るだけである。元の関漢卿作の戯曲「関大王独り単刀会へ赴く」（略称「関大王大刀会」。「図南の巻・臨江亭会談」参照）には関羽の部下として登場するものの、後の小説におけるような活躍はしていない。つまり、のちに神にまで祭られた英雄周倉は、元一代百年のあいだに民間で作りあげられた人物だったのである。

このように小説「三国志」は比較的忠実に史実を追いながら、そのなかに虚構がないまぜられている。そこで「およそ〝列国志〟・〝東・西漢演義〟・〝説唐〟および〝南・北宋演義〟といった演義の書（長篇歴史小説）は、ほとんど実事を書き、また〝西遊記〟・〝金瓶梅〟のたぐいはすべて虚構によっているので、ともに差しつかえないが、〝三国演義〟だけは七分が実事で三分が虚構であるため、読者の誤解を生じやすい。たとえば、桃園結義の場など、士大夫（官吏・学者）でありながら史実として引用する者があるくらいだ」（清の史学者章学誠の「丙辰劄記」より）という非難がおこった。たしかに学者が新・平家物語を一次資料として当時のことを論じたらおかしなことになろうが、この章学誠の「七実三虚」説は、歴史小説の本質をとらえたものといえる。しかし、歴史そのものが著者の一定の立場から書かれている以上、かならずしもそれぞれの時代の真実を完全に伝えているわけではなく、むしろ「七分の実事」に「三分の虚構」をまじえた歴史小説のなかにこそ真実がある場合もあるのである。三国時代の英雄たちにしても、「三国志演義」があってはじめて血肉をあたえられ、現代まで生き残ったといえよう。

では、「三国志演義」における「七実三虚」とは具体的にどのようなものか。これから主要な登場人物の幾人かについて当ってみよう。すでに述べられたように、資料がもっとも多いのは曹操をはじめとする魏の人びとだが、ここでは、小説に登場する順にしたがい、まず劉備からはじめてみる。

正史「三国志」の劉備の伝は、「蜀書」の「先主伝」に収められている。ちなみに蜀は劉備とその子劉禅の二代で滅んだので、「蜀書」では劉備を「先主」、劉禅を「後主」と呼んでいる。その劉備の伝の冒頭は次のようになっている。

> 先主、姓は劉、諱は備、字は玄徳、涿郡涿県の人、漢の景帝の子中山靖王勝の後なり。……先主、少くして孤、母と履を販り蓆を織りて業となす。……先主甚しくは読書を楽しまず、狗馬(狩猟)・音楽・美衣服を喜む。身の長七尺五寸、手を垂るれば膝より下り、顧みて自らその耳を見る。語言少なく、善く人に下り、喜怒を色に形わさず。好みて豪侠と交結し、年少争いてこれに附く。

元刊本「三国志平話」の劉備紹介のくだりはほとんどこれと変らないが、「三国志演義」になると、いささか手が加えられる。ここでは今日一般に読まれている毛宗崗本から該当する箇処を書き抜いてみよう。

> その人、甚しくは読書を好まず、性は寛和、言語寡く、喜怒を色に形わさず。素より大志ありて、専ら好みて天下の豪傑と交りを結ぶ。……玄徳、幼くして孤となり、母に事えて至孝、家貧しく、履を販り蓆を織りて業と為す。

中国の古典劇では、配役の役柄はその臉譜を見ただけでわかるようになっている。善玉・悪玉は終始一貫しており、善玉が途中から臉譜を変えて悪玉になるというようなことはない。この影響だろうか、明代以降に発達した中国の通俗小説では、善玉すなわち肯定的人物についてはその否定面はいっさい書かれず、悪玉すなわち否定的人物については逆に肯定的面をいっさい書かないという傾向がある。ここに挙げた劉備の場合もその一例である。

正史では、若い頃の劉備が学問よりも遊びごとの方を好んだと書いている。ところが「演義」では、遊びごとを好んだというくだりをはぶき、逆に「母に事えて至孝」の一句をつけくわえる。これは正史の著者と「演義」の著者の立場を反映したものである。正史の著者は魏王朝を漢王朝の正統な後継王朝と考え、蜀と呉とは当時の地方政権と見る立場から書いている。一方、「演義」の著者は、魏の曹操を簒奪者と見、劉備を漢王朝再興の祖として書く。儒教道徳の根本は孝である。忠臣はすなわち孝行者でなければならない。かくて、「母に事えて至孝」という一句が加筆される。そのような人物は、若い頃から世の模範でなければならない。そこで、遊び好きという一条は削除される。しかも、「性は寛和」、温厚な器量人であったからは、間違っても粗暴な挙動などあってはならない。こういう前提から人物の美化がさらに進められる。

吉川「三国志」桃園の巻「打風乱柳」の章は、張飛の快男子振りをいかんなくしめしたくだりだが、このエピソードは「三国志平話」にすでにあり、それを「演義」でも踏襲したもの。もっとも張飛が大活躍する「三国志平話」では、督郵を殴り殺し、死体を六つに切断してしまう。この行きすぎを正史によってただしたのが「演義」だが、正史の劉備の注によれば、これをやったのは部下をひきいて督郵の宿舎に乱入した劉備で、もともと殴り殺すつもりだったとなっている。温厚な君子劉備が一時の怒りにかられて殺人をしたのでは筋が通らなくなる、「演義」の著者はおそらくそのように判断して、あえて正史通りにはただささなかったのである。

この劉備の扱い方と対照的なのが曹操である。曹操の伝である「魏書」の「武帝紀」には、

太祖武皇帝は沛国譙の人なり。姓は曹、諱は操、字は孟徳、漢の相国参の後なり。……太祖少くして機警、権数あり、而して任侠放蕩、行業を治めず。

とあり、「注」に、

太祖は一名吉利、小字阿瞞。

太祖少くして飛鷹・走狗を好み、遊蕩度なく、……

という「曹瞞伝」の文章を引用している。この「曹瞞伝」というのは、魏の敵国である呉の人が書いたもので、曹操の否定的な面を強調している。たとえば、曹操は小字（子供のときの呼び名）を阿瞞といったなどがそれで、これはおそらく小字ではあるまい。瞞は欺くであり、阿瞞といえば「嘘つき」ということ。曹瞞とは「嘘つきの曹」という意味である。「曹瞞伝」はさらに、彼が若い頃、仮病を使って父親と叔父を欺いたエピソードを書き加える。

劉備の場合、たとえ正史の本伝にあっても少しでもマイナスになりそうなところはけずり、しかも「母に事えて至孝」などということばまで補った「演義」の作者は、曹操の場合は一転、曹操の

イメージを悪くできるものなら何でも取りこもうとしているかのようである。吉川「三国志」でいえば桃園の巻「転戦」の章・「白面郎曹操」の章に見えるのがそれだが、これらのエピソードを取り入れたことによって、「演義」の作者は彼自身の意図に反し、乱世に生きた人間曹操像を今日に残したのである。

吉川英治歴史時代文庫の表記について

吉川英治歴史・時代文庫の表記は著作権者との話合いで、児童作品を除き、次のような方針で行っております。

一、作品は新かなづかいを原則とする。ただし、引用文は原文のままとする。

二、送りがなは改定送りがなに準拠する。ただし、原文が許容されている送りがなを使用している場合は本則によらず、そのままとする。

（例）引揚げる。打明ける。

また、辺の場合など、ヘンかアタリか、親本のルビを基とし、ルビなく、どちらともとれるときは、辺のままとする。

三、原文の香気をそこなわないと思われる範囲で、漢字をかなにひらく。ただし、作品別、発表年代別に慎重を期する。

（例）然し→しかし　但し→ただし（接続詞）
噫→ああ　呀→あっ（感動詞）
迄→まで　位→くらい（助詞）
凝っと→じっと　猶→なお（副詞）
儘→まま（形式名詞）

例外の場合

御机→お机（御身→御身（おんみ））（接頭語）

四、会話の『　』は「　」にする。

五、くりかえし記号ゝ　ゞ　〱　々は原則として使用しない。

なお、作品中に、身体の障害や人権にかかわる差別的な表現がありますが、文学作品でもあり、かつ著者が故人でもありますので、作品発表時の表現のままにしました。ご諒承ください。

吉川英治歴史時代文庫 39

三国志（七）

一九八九年五月十五日第一刷発行
二〇一四年一月十日第六十一刷発行

著者――吉川英治
発行者――鈴木哲
発行所――株式会社講談社
東京都文京区音羽二―一二―二一
郵便番号一一二―八〇〇一
電話 出版部 〇三―五三九五―三五一〇
販売部 〇三―五三九五―五八一七
業務部 〇三―五三九五―三六一五

カバー・表紙印刷――豊国印刷株式会社
本文印刷・製本――株式会社講談社

定価はカバーに表示してあります。
落丁本・乱丁本は購入書店名を明記のうえ、小社業務部あてにお送りください。送料は小社負担にてお取替えします。なお、この本の内容についてのお問い合わせは講談社文庫出版部あてにお願いいたします。

1989 Printed in Japan ISBN4-06-196539-5

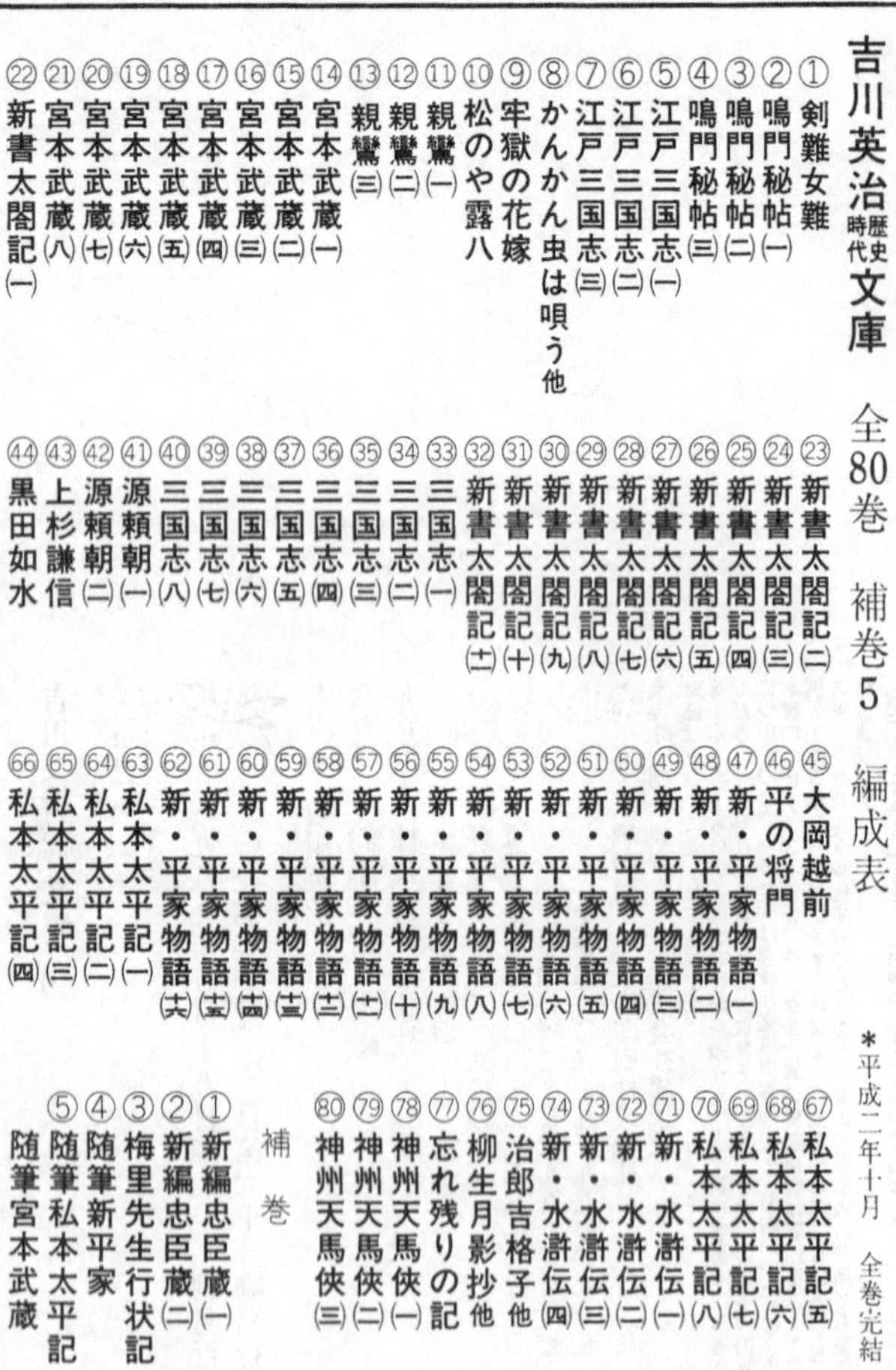

吉川英治歴史時代文庫 全80巻 補巻5 編成表

① 剣難女難
② 鳴門秘帖(一)
③ 鳴門秘帖(二)
④ 鳴門秘帖(三)
⑤ 江戸三国志(一)
⑥ 江戸三国志(二)
⑦ 江戸三国志(三)
⑧ かんかん虫は唄う 他
⑨ 牢獄の花嫁
⑩ 松のや露八
⑪ 親鸞(一)
⑫ 親鸞(二)
⑬ 親鸞(三)
⑭ 宮本武蔵(一)
⑮ 宮本武蔵(二)
⑯ 宮本武蔵(三)
⑰ 宮本武蔵(四)
⑱ 宮本武蔵(五)
⑲ 宮本武蔵(六)
⑳ 宮本武蔵(七)
㉑ 宮本武蔵(八)
㉒ 新書太閤記(一)
㉓ 新書太閤記(二)
㉔ 新書太閤記(三)
㉕ 新書太閤記(四)
㉖ 新書太閤記(五)
㉗ 新書太閤記(六)
㉘ 新書太閤記(七)
㉙ 新書太閤記(八)
㉚ 新書太閤記(九)
㉛ 新書太閤記(十)
㉜ 新書太閤記(十一)
㉝ 三国志(一)
㉞ 三国志(二)
㉟ 三国志(三)
㊱ 三国志(四)
㊲ 三国志(五)
㊳ 三国志(六)
㊴ 三国志(七)
㊵ 三国志(八)
㊶ 源頼朝(一)
㊷ 源頼朝(二)
㊸ 上杉謙信
㊹ 黒田如水
㊺ 大岡越前
㊻ 平の将門
㊼ 新・平家物語(一)
㊽ 新・平家物語(二)
㊾ 新・平家物語(三)
㊿ 新・平家物語(四)
(51) 新・平家物語(五)
(52) 新・平家物語(六)
(53) 新・平家物語(七)
(54) 新・平家物語(八)
(55) 新・平家物語(九)
(56) 新・平家物語(十)
(57) 新・平家物語(十一)
(58) 新・平家物語(十二)
(59) 新・平家物語(十三)
(60) 新・平家物語(十四)
(61) 新・平家物語(十五)
(62) 新・平家物語(十六)
(63) 私本太平記(一)
(64) 私本太平記(二)
(65) 私本太平記(三)
(66) 私本太平記(四)
(67) 私本太平記(五)
(68) 私本太平記(六)
(69) 私本太平記(七)
(70) 私本太平記(八)
(71) 新・水滸伝(一)
(72) 新・水滸伝(二)
(73) 新・水滸伝(三)
(74) 新・水滸伝(四)
(75) 治郎吉格子 他
(76) 柳生月影抄 他
(77) 忘れ残りの記
(78) 神州天馬侠(一)
(79) 神州天馬侠(二)
(80) 神州天馬侠(三)

補巻

① 新編忠臣蔵(一)
② 新編忠臣蔵(二)
③ 梅里先生行状記
④ 随筆新平家
⑤ 随筆私本太平記
随筆宮本武蔵

＊平成二年十月 全巻完結